D0192622

GALLICA

GALLICA

Essays presented to J. Heywood Thomas
by colleagues, pupils and friends

CARDIFF
UNIVERSITY OF WALES PRESS
1969

Table of Contents

Preface

Cardiff, Paris. Cities his life has twinned, poles of attraction between which his activity has moved . . . True, but inadequate as an explanation of the career of John Heywood Thomas. For in his work of linking two cultures, justifying through his teaching the ways of man to man, he has never forgotten the homespun charm or the harsh alienation of the Llanelli of his youth. Throughout the long period of his association with University College, Cardiff, including 23 years as Head of the Department of French and Romance Philology, he has drawn inner calm and strength from his roots in the community from which he sprang. His ambition has been to serve.

To serve in the first place his students, influencing through them the attitudes of a whole region. He could be firm, even severe, but never intolerant, for his sense of responsibility for their future was deeply felt. No chore was ever too wearisome if it could smooth their path. The outstanding pupil has found with him ready encouragement, yet lesser stars have never been neglected. Few teachers receive, or deserve, such affection and respect from those they have taught as he enjoys.

With this volume we pay affectionate tribute to the devoted scholarly teacher, the conscientious director of research, the affable and unpretentious administrator, to the man who has long been our guide and friend.

R. H. SPENCER

Acknowledgements

Our thanks are due to all who have made this miscellany possible: to the Press Board of the University of Wales for publishing it, to the Council of University College, Cardiff for generously helping with costs, to Miss Vera Jones for her invaluable secretarial assistance, and, of course, to the contributors.

Editorial Committee:

P. F. Butler
A. O. H. Jarman
L. A. Moritz
R. H. Spencer
T. P. Williams

QUALITEX PRINTING LIMITED CARDIFF

A NOTE ON THE POSSIBLE WELSH DERIVATION OF *VIVIANE*

The derivation of the name *Viviane* from the Welsh *hwimleian* was, as far as I am aware, first proposed by the nineteenth century antiquary and *littérateur* Thomas Price (1787-1848) in his essay on *The Influence which the Welsh Traditions have had on the Literature of Europe*, written in 1838 and published posthumously in 1854.[1] He quotes the Welsh form as *Chwifleian* which, he states, occurs as the name of 'a female versed in occult knowledge' amongst the compositions attributed to the 'Sylvestrian Merlin'. To this he adds that 'there can be no doubt that the author had the character of the Sibyl in view, and that out of this, and some ancient British traditions, he formed the name of Chwifleian, which . . . was afterwards Gallicised into Viviane'. The derivation was adopted by Villemarqué, who had met Price in 1838, in his *Contes populaires des anciens Bretons*, published in 1842,[2] and again in his *Myrdhinn ou l'Enchanteur Merlin*, published in 1858,[3] and it was referred to or quoted with approval by D. Silvan Evans in 1868,[4] by Stuart Glennie in 1869,[5] and by Edward Anwyl who stated in 1907 that the Welsh poem *Yr Afallennau* 'contains some allusions to a lady friend of Myrddin, called "Chwimleian", possibly the original of the Viviane of the Romances'.[6] In 1918 J. A. MacCulloch declared that Merlin, having fled to the Caledonian Forest, 'prophesied to his pig under an apple-tree and had a lady friend Chwimbian, the Viviane of romance',[7] but in 1932 H. M. and N. K. Chadwick expressed the much more cautious view that '*hwimleian* . . . shows a curious resemblance to the name Viviane, as was pointed out long ago'.[8] On the other hand the derivation was rejected by Gaston Paris (quoting the opinion of H. Gaidoz),[9] F. Lot[10] and Brugger.[11] Lot, however, described the *hwimleian* as 'cette devineresse', and Brugger agreed that she was a prophetess. J. J. Parry derived the name, not of Viviane, but of Guendoloena, the wife of Merlinus in Geoffrey of Monmouth's *Vita Merlini*, from *hwimleian*.[12] Other derivations besides *hwimleian* have, of course, been proposed for *Viviane*. Brugger[13] thought that it had its origin in the name *Gwendydd* (sic), both A. C. L. Browne[14] and W. A. Nitze[15] have argued that it was developed from the name of the Irish heroine Béfinn, while Miss L. A. Paton, preferring the variant form *Niniane*, had many years previously derived it from another Irish name, *Niamh*.[16] Even before this Sir John Rhŷs had suggested that *Niniane* was a corruption of the Welsh name *Riannon*,[17] and this derivation has more recently been revived and adopted by R. S. Loomis.[18] It has however been rejected on phonetic grounds by Eric Hamp,[19] but his argument is perhaps not strictly relevant since Loomis's case is that *Riannon* became *Niniane* through 'scribal corruption'. According to P. Zumthor *Viviane* or *Niniane* could either be derived from *Diane*, or could represent the feminine of the masculine name *Vivien*.[20] The most recent discussion of the name is by Michel Rousse, who also accepts *Niniane* as its early form and considers it to have been originally attached to a river deity in the forest of Brocéliande in Brittany.[21] Rousse does not attempt to give the name a 'meaning' but suggests that it may contain a pre-Celtic element *on*/*nonn* or *onno* which is frequently found associated with the names of fountains and streams in France and Brittany.

It is not intended in this note to discuss all the various derivations proposed for *Viviane*, but rather to suggest that a reasonable case can be made for *hwimleian* as its original form. The arguments for it are stronger than its propounders have realised and it has gone by default in recent years largely owing to the fact that it is based on evidence found in material which has not been easy of access for non-Celticists. The word *hwimleian* occurs fourteen times in the older manuscript texts of Welsh verse ascribed to Myrddin, or Merlin. These manuscripts are the Black Book of Carmarthen (written *c.* 1200), Peniarth 3 (*c.* 1300), the Red Book of Hergest (*c.* 1400), Peniarth 20 (15th cent.), Peniarth 50 (15th cent.) and the Hendregadredd manuscript (15th cent.).[22] The principal variant forms found in these texts are *hwimleian*, *huimleian* and *chwibleian*.[23] Of these the forms beginning with *hw-*, *hu-* may represent a southern, and those with *chw-* a northern, pronunciation. Eighteenth and nineteenth century Welsh scholars were fairly unanimous in holding the view that the word meant a 'Sibyl', and Lewis Morris in his *Celtic Remains* [24] declared that 'Myrddin Wyllt, the Pictish poet, quotes the British Sibyl by the title of Chwibleian and Chwimbleian, as if the word was formed from *lleian*, a nun, vestal virgin, or priestess'. William Owen [-Pughe] in his Dictionary,[25] first published in 1793, also gave the meanings 'a nymph that appears and disappears; a fairy', and he translates a phrase from one of the Myrddin poems, *rym dywaid chwibleian*, as 'I am told by a sibyl'. These meanings were accepted by many later scholars, including both those who approved of the derivation of *Viviane* from *hwimleian* and some others who rejected it or who expressed no opinion about it.[26] F. Lot, however, expressed doubts about the meanings 'Sibyl' and 'nymph',[27] while J. Loth translated *hwimleian* as 'une sorcière'[28] and J. Lloyd-Jones as 'a prophetess'.[29]

It is my opinion, however, that originally the word *hwimleian* or *chwibleian* meant none of these, and in a discussion of its derivation and development published in 1955 [30] I have advanced the view that in Old or Early Medieval Welsh it was a masculine noun composed of two elements, *chwyf-* and *lleian*, and meaning 'a wanderer of pallid countenance'. The forms *hwimleian* and *chwibleian*, although they occur in manuscripts written during the period 1200-1450, I regard as survivals from the Old Welsh period when *y* was written as *i* and *f* (= English *v*) as *m* or *b* (the oldest form is *huimleian* where we also have *u* for *w*). Thus, in the context of the Welsh Myrddin poems, *hwimleian* simply meant a 'wild man of the woods', a species of which Myrddin himself, in Welsh tradition, was the outstanding example.[31] One of the early sagas which took literary form in Welsh during the Dark Ages was that which told of the battle of Arfderydd or Arthuret in Cumberland, fought in 573 according to *Annales Cambriae*,[32] at which Myrddin, a golden-torqued prince or nobleman of North Britain, was reputed to have lost his reason under the stress of the conflict and fled to live the rest of his days as a wild man of the woods in the Caledonian Forest. The tale was not preserved in a prose form in Welsh but information, often tantalizingly incomplete, about its main features and incidents is contained in a series of poems ascribed to Myrddin and found in the medieval manuscripts mentioned above. The most important of these for our present purpose are the *Afallennau* ('Apple-trees'), the *Hoianau* ('Greetings') and *Cyfoesi Myrddin a Gwenddydd ei Chwaer* ('The Conversation of Myrddin and his Sister Gwenddydd').[33] The greater part of the material contained in these poems is political prophecy dealing with events in Wales and elsewhere during the Dark and Middle Ages, but principally in the eleventh, twelfth and thirteenth centuries. These purport to have been uttered by Myrddin himself in his madness, for the gift of prophecy was generally believed to have been vouchsafed to the wild men of the woods. Most of the prophecies, however, are no doubt of medieval date, but interspersed among them is an older element, consisting of complete stanzas and other short passages and references, of which the subject-matter is not prophecy but the original legend of Myrddin. Here the wild man bewails the loss of his former patron Gwenddolau, who had fallen in the battle of Arfderydd, and of the princely estate which he had enjoyed under his lord until that disastrous encounter. He complains bitterly of his harsh life in the woods, 'with madness and madmen', and contrasts his wretched lot with the feasting at the court of his former adversary Rhydderch Hael, the victor of Arfderydd and a well-attested historical figure in late sixth century North Britain. The word *hwimleian* is one of the links between the two elements of pure legend and political prophecy which these poems contain. Shadowy references occur in Myrddin's soliloquies to other 'wild men' whose lot he shared, and the *hwimleian* must have been one of these companions of his misfortune. But the *hwimleian* is also a source of prophecy, as is shown by the phrases used by Myrddin, *Disgogan hwimleian* (BBC 51.9), 'the *hwimleian* foretells'; *Rimdyuueid huimleian* (BBC 55.7), 'the *hwimleian* tells me', etc. In another line Myrddin introduces a prophecy with the words *Rymdivod gwyllan o pell y mi* (BBC 61.13), 'a wild man from afar has told me'. Here the use of the form *gwyllan*, also meaning a 'wild man', strongly corroborates the explanation of *hwimleian* which has been proposed.

If the meaning 'wild man' be accepted for *hwimleian*, *chwibleian* we have next to explain why these forms invariably occur in early orthography in manuscripts which had discarded the use of *m* or *b* for *f* and were on the whole substituting *y* for *i*. In one instance the word is spelt *chwyblian* in a 15th century manuscript (Peniarth 20), but there is no manuscript example of *chwyfleian*.[34] The explanation no doubt is that for the scribes who wrote the Black Book of Carmarthen (*c.* 1200) and the later manuscripts mentioned above, the words *hwimleian* (*huimleian*) and *chwibleian* were archaic formations which they did not know how to pronounce and of which they did not know the meaning. They copied them from manuscripts written at a time (possibly 1000-1100, or earlier) when *huimleian* and *chwibleian* (probably written *huibleian*) would have been recognised as standing for *chwyfleian*, but by the thirteenth century these forms were transcribed mechanically and spoken with an *m* sound in the one and a *b* sound in the other. This does not necessarily mean that by 1200 the pronunciation *chwyfleian* had been lost in every part of Wales, but it had clearly been lost in the tradition represented by the manuscripts which have preserved the Myrddin poems. The exact meaning given to these words by the twelfth and thirteenth century copyists is also obscure. They no doubt understood the *hwimleian* to be a source of prophecy but there is no evidence to show that they took the word to mean a 'wild man', one similar to Myrddin himself.

By the eighteenth and nineteenth centuries, as we have seen, *chwimleian* was regarded as a feminine rather than a masculine noun and Lewis Morris stated that it was used to describe the 'British Sibyl . . . as if the word was formed from *lleian*, a nun, vestal virgin, or priestess'.[35] I am not aware that *lleian* has ever meant a 'priestess', but it has for many centuries been the usual Welsh word for a 'nun'.[36] Sir Ifor Williams has shown that it was formed from an adjective *llai* meaning 'grey' or 'pale', to which was added a nominal termination *-an*, and he suggests that the meaning 'nun' developed either from the colour of the clothing worn by nuns or from their pale complexions.[37] The termination *-an* could be masculine as well as feminine, and *lleian* could originally have carried other meanings besides 'nun',[38] but every known instance of it in Welsh is feminine and there is no doubt that in the twelfth century, if not earlier, its associations would give a feminine ring to the word *hwimleian*. The phrases *Disgogan hwimleian* and *Rimdyuueid huimleian* were probably old formulae, but as they were used to introduce new prophecies it would be easy to convey the impression that Myrddin's informant about the future was female. The meanings given by eighteenth and nineteenth century scholars to *hwimleian* may indeed have been anticipated in some degree by etymologizers in the twelfth century.

Now there is some evidence in Welsh tradition that Myrddin was associated not only with prophecy but also with love-making, and Bernheimer has shown that there was a general development of the wild man theme in this direction during the Middle Ages.[39] Thus the twelfth-century poet Hywel ab Owain Gwynedd (ob. 1170) asks God for the power to sing praises to the ladies 'as Merddin sang' — *kert uolyant ual y cant mertin, yr gwraget ae met uy martrin.*[40] This conception of Myrddin was no doubt associated with certain references of an amatory nature contained in the *Afallennau* poem which has already been mentioned. Each stanza in this poem begins with a stereotyped invocation to the 'sweet-apple tree' which grew in the Caledonian Forest and which seems to have played an important part in the original legend, possibly by affording Myrddin protection against his enemies through the quality of invisibility which it possessed. This would naturally have been after Myrddin's lapse into madness at the battle of Arferydd and his flight to the forest. But the stanzas also contain references to an earlier period. In translation they read as follows:

> Sweet-apple tree which grows on a river bank . . .
> While I was in my right mind I used to have at its foot
> A fair wanton maiden, one slender and queenly.[41]
>
> Sweet-apple tree which grows beyond Rhun,
> I had engaged in combat at its foot for the satisfaction of a maiden
> With my shield on my shoulder and my sword on my thigh.[42]

In another stanza Myrddin complains of his present unhappy lot in the forest and declares that

> After Gwenddolau no lord honours me,
> Mirth gives me no pleasure, no mistress visits me,
> And in the battle of Arfderydd my torque was of gold
> Although today I am not treasured by one of the aspect of swans.[43]

It is improbable that this love element was present during the earliest phase of the Myrddin legend but the lines quoted above occur in what seems to have been the original nucleus of the *Afallennau* poem, which I have suggested was composed during the period 850-1050.[44] They can indeed be dated with certainty before Celtic motifs began to penetrate into Continental literature. The references contained in them may also be reflected in Geoffrey of Monmouth's *Vita Merlini*, a poem written *c.* 1148-50,[45] in which Merlinus is given a wife called Guendoloena, and towards the end of which mention is also made of a woman whom Merlinus had formerly loved and then rejected and who had then tried to poison him.[46] Like the 'fair wanton maiden' of the *Afallennau* she clearly belonged to the distant period before his lapse into insanity.

It is probable that the general diffusion of Arthurian material began early in the twelfth century.[47] Merlin, however, was not attached to the Arthurian complex, either in Wales or elsewhere, until Geoffrey of Monmouth included him in the narrative of his *Historia Regum Britanniae*, *c.* 1136, and his story, as told by Geoffrey, was probably not widely available in French until the completion by Wace of his *Roman de Brut* in 1155. The earliest French romance on the subject of Merlin, Robert de Boron's poem, which has only survived in a fragmentary form, is to be dated towards the end of the twelfth century.[48] If any Welsh traditions concerning Merlin found their way into the body of Continental romance independently of the works of Geoffrey and Wace, this would certainly not have happened before the middle of the twelfth century. At that time it is safe to assume that manuscript texts existed of the Welsh Myrddin poetry in which the word *chwyfleian* was preserved in an older orthography written as *huimleian*, *hwimleian* and *chwibleian*.[49] As has already been shown, the word originally meant a wild man of the woods possessing the power of prophecy, but by the period 1150-1200 both its exact pronunciation and its meaning had become obscure. No doubt it was still thought of as signifying a source of prophecy but, owing to the associations developed independently by the second of the two elements of which it was composed, its gender could very easily have changed from masculine to feminine. Granted this, a further development would then seem to have been possible, namely the identification of the *chwyfleian* with the maiden who in the past had been associated with both Myrddin and his apple tree. There is no evidence for this last development (as there is for the obscuring of the pronunciation, and consequently the meaning, of *chwyfleian*), but this is no reason for its rejection as a possibility. If this be allowed, then it is quite conceivable that a tale about Merlin and his mistress, known as *chwyfleian*, could have been picked up and elaborated by the *conteurs* who were responsible for the diffusion of Celtic material at this time, and ultimately incorporated into the French romances. The function of Merlin's female associate in the romances is, of course, far from identical with that of Myrddin's 'fair wanton maiden', but the genesis of a romantic association is present in the Welsh verse, and the name *Viviane* is undoubtedly sufficiently close to *chwyfleian* to be a possible corruption of it. The pronunciation of *chwyfleian* in southern Wales at this time would have been *(h)wyfleian* (with *f* = *v*).[50] Thus, if we can assume the disappearance of *l*, we obtain a word very close in sound to Viviane. This would, of course, also require the assumption that, in spite of the older spellings preserved in the manuscripts, which suggest that the scribes who wrote them were unaware that *m* and *b* stood for *f* in this case, the word was in fact known and pronounced *chwyfleian* in certain quarters, e.g. among professional story-tellers. If we reject this, and with it the possibility of an oral transmission through *(h)wyfleian* > **(h)wyfeian* > *Viviane*, we must consider whether *huimleian* could have reached the form *Niniane* through scribal corruption. The variants of the name are suggestive. The Vulgate *Estoire de Merlin* has *Viviane* throughout, but in the *Lancelot*, the *Huth Merlin* (now known as the *Suite de Merlin*) and the *Livre d'Artus* the forms *Niniane*, *Niniene*, *Nynyane*, *Nimenne*, *Nimainne*, *Nymenche*, *Nivienne*, *Niviene*, *Nivene*, *Nievenne* and *Jumenne* occur, and in English texts *Nimiane*, *Nimiame*, *Nymue*, *Nyneue* and *Nynyue*.[51] Most authorities regard *Niniane* as the oldest form but this may, to some extent at least, be because they favour a derivation from *Ninianus*, *Niamh* or *Riannon*. The possibilities of error and corruption in the transmission, whether oral or scribal, of Celtic names into medieval French would seem to have been endless, and it is difficult to think that there would have been any obstacle to the transformation of *huimleian* into some of the forms quoted above.[52]

It is not suggested that the derivation of *Viviane* or *Niniane* from *chwyfleian* is more than a strong possibility. If French forms with *l* occurred, and if there were clear evidence that in the twelfth century the form *chwyfleian* carried the meaning suggested above, the possibility would be transformed into a probability. There is one further difficulty, however, namely that it is not known to what extent the indigenous Welsh legend of Myrddin migrated to the Continent independently of the channel provided by the works of Geoffrey of Monmouth. The Merlinus Ambrosius of the *Historia Regum Britanniae*, the wonder-child who defeats Vortigern's wise men and later develops into the magician of Arthur's court, is very unlike the Myrddin of Welsh tradition. The two have, in fact, practically nothing in common except their names and the power of prophecy. The portrait of Merlin in the *Vita Merlini*, on the other hand, is much closer to that of Welsh tradition and is indeed largely based on it. It is clear that when Geoffrey wrote the *Vita* he knew very much more about the content of the native legend of Myrddin than he had known when he was writing the *Historia* twelve or more years previously.[53] As has already been explained, the Myrddin of Welsh tradition was a wild man of the woods who lost his reason in battle and at the same time acquired the gift of prophecy. He has his counterparts in Scottish and Irish tradition in the persons of Lailoken [54] and Suibne Gelt.[55] In spite of the widespread influence of the *Historia Regum Britanniae* there are a number of instances in Continental romance in which the portrayal of Merlin seems to reflect the tradition of *Merlinus Celidonius* or *Silvester* rather than that of the *Merlinus Ambrosius* of the *Historia*.[56] Of these the following in particular may be noted: (1) The place of the forest in the Merlin-Viviane episodes.[57] The forest plays no part in Merlin's story in the *Historia*; (2) Merlin's appearance in the romances as 'Ward of the Woods', possibly an extension of his character as a wild man of the woods; [58] (3) Merlin's appearance in the character of a wild man of the woods in the story of Grisandole, which is found in the French and English texts of the prose *Merlin* and in the *Livre d'Artus*; [59] (4) In the *Prophécies de Merlin*, composed between 1272 and 1279, Merlin utters prophecies from his tomb.[60] There exists a Welsh prophetic poem entitled *Gwasgargerdd Fyrddin yn y Bedd*, 'The Song Uttered by Myrddin in the Grave', the earliest manuscript text of which is dated *c.* 1300,[61] and in the poem *Cyfoesi Myrddin a Gwenddydd ei Chwaer*, which has been mentioned above, there is also a reference to the entombment of Myrddin; [62] (5) A Breton *lai* bore the title *Merlin le Sauvage*, but unfortunately only its name has survived; [63] (6) About 1250 Peire de Corbian referred in his *Thezaur* to 'Merlin the Wild' who uttered obscurely prophecies about all the English kings'.[64] All these works clearly contain material referring to Merlin which derives from a source, or sources, possibly British or Welsh, which were independent of Geoffrey's *Historia*. It would be worth investigating in detail whether, and to what extent, this material derived from the *Vita Merlini*. If it were allowed that another channel, probably oral, existed for the transmission of the Merlin legend to the Continent, then the case for the possible derivation of *Viviane* from *chwyfleian* would be significantly buttressed. This may indeed receive support from a reference to Merlin in the romance of *Fergus* which appears to derive directly from North British tradition in the Arthuret area.[65]

A. O. H. Jarman

Notes:

1 *The Literary Remains of the Rev. Thomas Price*, Llandovery, 1854, vol. i, p. 288; cf. also p. 144. For Price's career see *The Dictionary of Welsh Biography*, London, 1959, p. 791.

2 Vol. i, p. 49.

3 Cf. 2nd ed. (1862), p. 203.

4 In the notes to W. F. Skene's *Four Ancient Books of Wales*, Edinburgh, 1868, vol. ii, p. 337.

5 *Arthurian Localities*, Edinburgh, 1869, p. 57; also published in the third volume of the Early English Texts Society's *Merlin*, London, 1899, ed. by W. E. Mead.

6 'Wales and the Britons of the North', article reprinted from the *Celtic Review* for October 1907 and January 1908, p. 30.

7 *The Mythology of All Races*, vol. iii, *Celtic*, Boston, 1918, p. 201.

8 *The Growth of Literature*, Cambridge, 1932, vol. i, p. 112.

9 *Huth Merlin*, Paris, 1886, vol. i, p. xlv.

10 *Annales de Bretagne*, xv (1900), p. 517.

11 *Zeitschrift für französische Sprache und Litteratur*, xxxi (1907), pp. 255-6, 261-3.

12 J. J. Parry, *The Vita Merlini*, University of Illinois Studies in Language and Literature, vol. x, no. 3, Urbana, 1925, p. 17; cf. R. S. Loomis (ed.), *Arthurian Literature in the Middle Ages, A Collaborative History*, Oxford, 1959 (henceforward referred to as ALMA), p. 91.

13 *Zeitschrift für französische Sprache und Litteratur*, xxxi (1907), p. 262.

14 'The Esplumoir and Viviane', *Speculum* xx (1945), pp. 426-32.

15 'An Arthurian Crux: Viviane or Niniane?', *Romance Philology*, 7 (1953-4), pp. 326-30.

16 *Studies in the Fairy Mythology of Arthurian Romance*, Boston, 1903, pp. 242-4.

17 *Studies in the Arthurian Legend*, Oxford, 1891, p. 284.

18 'Some Names in Arthurian Romances', *Publications of the Modern Language Association of America*, xlv (1930), pp. 438-40; *Arthurian Tradition and Chrétien de Troyes*, New York, 1949, p. 107.

19 'Viviane or Niniane? — A Comment from the Keltic Side', *Romance Philology*, 8 (1954-5), p. 91.

20 *Merlin le Prophète*, Lausanne, 1943, p. 241, n. 1.

21 'Niniane en Petite-Bretagne', *Bulletin Bibliographique de la Société Internationale Arthurienne*, No. 16 (1964), pp. 107-20.

22 For the dates of these manuscripts see, respectively, J. Gwenogvryn Evans, *Report on Manuscripts in the Welsh Language*, Historical Manuscripts Commission, London, 1898-1910, vol. i, pp. 297, 303; vol. ii, p. 1; vol. i, pp. 342, 389; Morris-Jones and Parry-Williams, *Llawysgrif Hendregadredd*, Cardiff, 1933, p. xii.

23 For detailed references see *The Bulletin of the Board of Celtic Studies* (henceforward referred to as BBCS), xvi (1955), p. 72.

24 Written during the mid-eighteenth century and published in part in 1878 by the Cambrian Archaeological Association; see p. 122.

25 See 1803 edition for the phrase translated.

26 Cf. San-Marte, *Die Sagen von Merlin*, Halle, 1853, pp. 85-6, who refers to the *hwimleian* as 'die . . . Nymphe des Apfelgartens, die Schutzgöttin des Landes'. T. Stephens, *Literature of the Kymry*, 1876 ed., edited by D. Silvan Evans, London, p. 220, and more recently the Chadwicks (loc. cit.) and Miss M. E. Griffiths, *Early Vaticination in Welsh*, Cardiff, 1937, p. 43, give 'a Sibyl' as the meaning of *hwimleian*.

27 Loc. cit.

28 *Revue Celtique*, xxix (1908), pp. 15, 60.

29 *Geirfa Barddoniaeth Gynnar Gymraeg*, Cardiff, 1931-63, s.v. *chwibleian* 'daroganwraig'.

30 BBCS, xvi (1955), pp. 71-6. The meaning suggested has been adopted by the University of Wales *Dictionary of the Welsh Language*, Cardiff, 1950—, p. 861.

31 See my *Legend of Merlin*, Cardiff, 1960, p. 12, and the bibliographical references given on p. 29.

32 *Y Cymmrodor*, ix (1888), p. 155.

33 On the content of these poems see my chapter entitled 'The Welsh Myrddin Poems' in ALMA.

34 T. Price's references to the *Chwifleian* (*Literary Remains*, vol. i, pp. 144 and 288) do not make this clear. Neither does Villemarqué in his reference (*Myrdhinn*, p. 203) to '*Viviane*, qui n'est qu'une altération du nom celtique *Chwiblian* ou *Vivlian*'. It should be added that *Vivlian* is a purely imaginary form. The University of Wales *Dictionary of the Welsh Language* asterisks *chwyfleian*, although this is the form given.

35 Loc. cit.

36 Dr. J. Davies in his *Dictionarium Duplex* (1632) gives the meanings *virgo vestalis, sanctimonialis, coenobitis, monacha, sacerdotissa*. The earliest attested example of *lleian* is dated 1346, see J. Morris Jones and J. Rhŷs, *The Elucidarium and Other Tracts in Welsh from Llyvyr Agkyr Llandewivrewi A.D. 1346*, Oxford, 1894, p. 106. I am indebted to Mr. R. J. Thomas, editor of the University of Wales *Dictionary of the Welsh Language*, for this information.

37 BBCS xiii (1950), p. 196.

38 In Breton there is evidence that *lean* originally meant 'a monk', cf. *leanez* 'a nun'; see BBCS xvi (1955), p. 74.

39 R. Bernheimer, *Wild Men in the Middle Ages*, Boston, 1952; see in particular the chapter on 'The Erotic Connotations', pp. 121-75.

40 *Llawysgrif Hendregadredd*, p. 317, 4-5. *Merddin* is a variant of *Myrddin*.

41 Afallen peren atiff ar lan. afon . . .
Trafuvm puyll. wastad. am buiad inibon.
a. Bun wen warius. vn weinus vanon.—BBC 50. 15-18.

42 Awallen peren. A tyf tra Run.
Kymaethlissvnc inybon. irbot y wun.
Amyscud. arwy isguit. Am clet ar wy clun.—BBC 49. 8-10.

In the first line *Run* may be a common noun meaning 'hill'. *Kymaethlissvne*is a scribal error for *Kywaethlissvne*. It may be noted that in *Modern Language Notes*, xviii (June, 1903), p. 168, Miss L. A. Paton suggests 'that the maiden whom the bard met at the foot of an apple-tree was a fay'.

43 A. guydi guendolev nep riev impeirch.
Nym gogaun guarvy. nym goffvy gorterch.
Ac igueith arywderit. oet eur. Wy gorthorch.
Kin buyf. aelav hetiv gan eiliv eleirch.

In the first line for *impeirch* read *nimpeirch*, and in the fourth line for *kin* read *kini* or *kiny*.

44 ALMA, p. 21.

45 J. J. Parry, *op. cit.*, p. 9; see also the same author's article, 'The Date of the *Vita Merlini*', *Modern Philology*, xxii (1925), p. 413.

46 *Vita Merlini*, lines 1425-32, 'Vna fuit mulier que me dilexerat ante', etc.

47 See in particular R. S. Loomis, 'The Oral Diffusion of the Arthurian Legend', ALMA, pp. 52-63.

48 See P. Le Gentil, 'The Work of Robert de Boron', ALMA, pp. 251-62. Bruce (*The Evolution of Arthurian Romance*, vol. i, p. 144) states that Robert's poem 'falls probably in the last fifteen years of the twelfth century'.

49 In his *De Vaticiniis* Giraldus Cambrensis states that while travelling through Wales with Archbishop Baldwin (in 1188) he found a manuscript of the prophecies of Merlinus Celidonius in Llŷn, see Dimock, *Giraldi Cambrensis Opera* (Rolls), vol. v, p. 402.

50 Medieval Welsh *f* or *v* was bilabial and its sound fairly close to *w*.

51 See Paton, *Fairy Mythology*, pp. 246-7; Zumthor, *Merlin le Prophète*, p. 241.

52 Cf. Loomis's opinion, *Arthurian Tradition and Chrétien de Troyes*, p. 55, that 'there are no uniform laws for the development of Celtic sounds transmitted to the French and Anglo-Normans or for graphic errors in the copying of manuscripts'. Similarly R. W. Chambers, *Widsith*, Cambridge, 1912, p. 160, makes a general statement, quoted by Loomis, *op. cit.*, 54, that 'in dealing with the native words of a language, the presumption is that such words will only change in accordance with phonetic law. But this does not apply to legendary and foreign geographical names which as they pass from mouth to mouth undergo transformations which are the result, not of phonetic law, but of mere error'.

53 On this subject see the section entitled 'Merlin in the Works of Geoffrey of Monmouth' in H. M. and N. K. Chadwick, *The Growth of Literature*, vol. i, pp. 123-32.

54 See H. L. D. Ward, 'Lailoken (or Merlin Silvester)', *Romania*, xxii (1893), p. 504.

55 See J. G. O'Keeffe, *Buile Suibhne, Being the Adventures of Suibhne Geilt, a Middle-Irish Romance*, Irish Texts Society, London, 1913.

56 The distinction was first made by Giraldus Cambrensis, *Itin. Kamb.* II, 8, see Dimock, *op. cit.*, vol. vi, p. 133. Cf. also Chadwick, *op. cit.*, pp. 111, 129.

57 For summaries and references see Zumthor, *Merlin le Prophète*, pp. 240 ff, and cf. p. 194, note 2.

58 For references see Loomis, *Arthurian Tradition and Chrétien de Troyes*, p. 289; H. Zimmer, *The King and the Corpse*, New York, 1947, pp. 183-4, note 1.

59 See L. A. Paton, 'The Story of Grisandole: A Study in the Legend of Merlin', *Publications of the Modern Language Association of America*, xxii (1907), pp. 234-76.

60 L. A. Paton, *Les Prophécies de Merlin*, published for the Modern Language Association of America, New York, 1926, vols. i, pp. 183 ff, and ii, p. 296. For the date cf. also C. E. Pickford, ALMA, p. 352.

61 See my article, 'The Welsh Myrddin Poems', ALMA, p. 20; the text was printed by E. Phillimore in *Y Cymmrodor*, vii (1855), p. 89.

62 See BBCS, iv (1928), pp. 120-1, line 211, *dy olo di dan daear*, 'thy burial beneath the earth', etc. The earliest MS text containing the reference is dated *c.* 1300.

63 E. Hoepffner, 'The Breton Lais', ALMA, p. 112.

64 Rita Lejeune, 'The Troubadours', ALMA, p. 395.

65 See Brugger, *Zeitschrift für französische Sprache und Litteratur*, xxxi (1907), p. 241, and cf. A. Micha in ALMA, p. 378. Zumthor, *op. cit.*, 194, note 2, states, 'Le *roman de Fergus* insiste par plus de précision encore: le fou à la cour d'Arthur prophétise:

C'uns chevaliers çaens venroit
qui iroit en la Nouquetran
u Merlins sejorna maint an.

Ce serait la région de New Castletown, au nord de Arthuret: nous rejoignons exactement le théâtre de la bataille d'Arderydd et de la *Vita*'.

CHRÉTIEN'S WELSH INHERITANCE

In recent years a considerable body of evidence has been produced in support of the Celtic origin of Chrétien's material.[1] Comparison has shown that *Perceval*, *Yvain*, *Erec et Enide* and the corresponding Welsh romances, *Peredur*, *Owein a Luned*, and *Gereint ac Enid* have common sources, probably written and in French.[2] The three Welsh romances, or versions of them similar to those we possess today, were adapted to meet the taste of courtly French audiences by certain *conteurs*, possibly Breton, and eventually reached Chrétien's hands. Adding his own touches of genius he produced those well-known, much discussed romances, still greatly appreciated by modern scholars.

The material on which the Welsh romances were based derived mainly from the dynastic traditions of the Old North; legends attached to the names of various local chieftains and dealing mostly with the theme of sovereignty, the quest for it, and the means by which it might be acquired. The conception of sovereignty was of supreme importance in both Irish and Welsh mythology [3] and both peoples gave expression to it in similar ways. Sovereignty was personified as a woman, the tutelary goddess of a tribe or a country,[4] a beautiful queen, and the marriage between a ruler and the goddess was symbolic of the union between the ruler and his domain. The Irish attached their legends of sovereignty to their kings, whilst the Welsh attached theirs to local chieftains. There are many traces of Irish influence in Welsh literature; many of the themes found in the romances bear a striking resemblance to themes which appear in Irish literature. Some of these may well be due to the presence of a Gaelic-speaking population in the north of Britain, the Old North of Welsh tradition,[5] but some of the similarities may derive from a common cultural heritage. The sovereignty themes which remain, confused but recognisable, in the Welsh romances are similar to the Irish, but certain features seem to indicate a characteristically British, and later Welsh, development.[6]

The remains of these ancient dynastic legends reached Chrétien de Troyes through the adaptations made by *conteurs*. He set his own seal on them and thus the great king, queen and warriors of Welsh tradition become known to the world, no longer as Arthur, Gwenhwyfar, Peredur, Cai and Owain, but as Arthur, Guenièvre, Perceval, Keu and Yvain. *Peredur* has proved to be a particularly rich source of early material and *Perceval* also contains many interesting traces of Celtic tradition. Frequently the French romance retains detail which is not found in the Welsh legend, but which provides valuable evidence in the search for the origins of a particular theme. Space does not permit a study of all the Welsh material in Chrétien's work, but a comparison of certain episodes from *Peredur* and *Perceval* will provide a brief glimpse of its richness and complexity.

Chrétien's queen, Guenièvre, represents the Welsh Gwenhwyfar, Arthur's consort. It is probable, however, that in this character Chrétien inherited far more than a consort. Gwenhwyfar may well have been to Welsh literature what the great Queen Medb was to Irish, a personification of sovereignty,[7] the goddess in the form of a queen. Medb was beautiful, she had many lovers, she was capable of extreme ill-will and Irish tradition knows of more than one Queen Medb. Gwenhwyfar was beautiful, she could be sharp-tongued, and she was often the subject of abduction stories. Welsh tradition mentions more than one Gwenhwyfar.[8] Guenièvre has these same characteristics, beauty, a sharp tongue and several lovers. It would have been more convenient had the *conteurs* been able to represent Arthur's queen as the epitome of virtue, but if they were to follow tradition this was not possible. Furthermore, it was embarrassing that Arthur, the greatest of kings, made no move to oppose the wandering affections of his queen and suffered her to be rescued from peril by heroes other than himself. Possibly as Arthur's fame grew and more and more independent heroes were drawn into his circle, Gwenhwyfar, known as a queen of great beauty and renown, was chosen by a certain *cyfarwydd* as a fitting consort for him. The independent heroes would have been central figures in local dynastic legends, many of them involving the quest for sovereignty. The hero's final success and winning of sovereignty would have been symbolised by his marriage to a beautiful woman and it is not impossible that some of these heroes were already connected with Gwenhwyfar before being drawn into Arthur's cycle, in legends now lost to Welsh tradition. As the goddess symbolising the realm, it was the function of Sovereignty to be united with any hero who had proved his claim to power. Beauty was one of the goddess' attributes, whilst testing him and berating him was another part of her function. When the goddess became a queen and was later made consort to Arthur, those qualities which were formerly a natural part of her character became difficulties, to be surmounted and rationalised by the *conteurs*.

The evidence in the Welsh romances points to the existence of several types of sovereignty theme;[9] the Abduction, the Insult, the Transformation, Acquisition by Combat, etc. One of the clearest examples remaining in *Perceval* is to be found in the theft of Arthur's cup by the Red Knight. The versions in *Peredur* and *Perceval* are not exactly similar, but the differences only serve to make them more interesting. In *Peredur* a knight enters Arthur's court and snatches a goblet of wine which is being given to Gwenhwyfar by a page. He strikes the Queen, dashes the wine over her, and leaves, challenging those present to follow him and fight for the cup. No one does so, for it is certain that no man would dare act in such a way unless he had magic powers. When Peredur is sent by Cai to do battle with the knight he is ordered to tell Arthur or one of his men to come and fight for the cup, otherwise the knight will not wait. Peredur kills him with one dart and Owain takes the goblet back to court. In *Perceval* the boy meets a knight in red armour, carrying a golden cup, before he reaches court. The knight tells Perceval that he took the cup from Arthur with the wine, which the king was drinking. He claims Arthur's domain and challenges him, or one of his men, to fight for it. Arthur himself tells Perceval that *Li Vermax Chevaliers de la forest de Quinqeroi* is his worst enemy. His insults alone would not have moved Arthur, but in snatching the cup he spilled the contents over the queen, who was so angry and upset that she retired to her room ' . . . ou ele s'ocist; Ne ne quit pas . . . Que ele en puist eschaper vive'.[10] Perceval later kills the knight and the goblet is returned by Yvonet, squire to Gauvain.

The Red Knight has long been recognised as an Otherworld being and has been compared with Balor, in Irish legend, and with Ysbaddaden in *Kulhwch ac Olwen*, the type of challenger who has the evil eye and who can destroy everything he sees.[11] The fact that Peredur, Perceval, Parzival and the English Perceval kill him by means of piercing his eye with a dart supports the idea. It is also noted in *Peredur* and *Sir Percyvelle* that he possesses magic powers.[12] His threat in *Peredur*, 'ony daw yn gyflym nys aroaf i euo',[13] would fit this type of character, for he might well say, 'If he does not accept my challenge swiftly, I shall look at his realm and destroy it'. However, there is probably more to the Red Knight in his present rôle of challenger. He is claiming the king's realm and the significance of his threat is not so much that he will destroy the kingdom, but that he will take possession of it.

The knight has come to Arthur's court, to claim his lands in *Perceval*; snatches a goblet from Arthur in *Perceval*, from Gwenhwyfar in *Peredur*, and rides off, challenging Arthur to fight for it. If this were merely a golden goblet belonging to Arthur his behaviour would appear exaggerated, but such is not the case. It has already been observed that the queen is the personification of sovereignty, she herself represents Arthur's domain. The stealing of the goblet has been recognised as an alternative version of the Abduction theme in which the queen herself is stolen.[14] The goblet with wine in it symbolised marriage, and in the sovereignty themes the offer of a cup of wine by the goddess to the hero and his acceptance of it, symbolised their union and his dominion over his realm. Thus the stealing of cup or queen by the knight would be symbolic of a challenge to the power of the king. Just as Arthur regained Gwenhwyfar from Melwas and just as he returned to rescue her from Medrawd, who had taken the queen and usurped the kingdom,[15] so now he must defeat the Red Knight and regain the goblet or lose his realm.

The abduction of Sovereignty is clearly visible in both *Peredur* and *Perceval*, but there is another interesting feature in this episode. In *Peredur* the challenger gives Gwenhwyfar a box on the ear and deliberately dashes the wine over her, thus Arthur is challenged to regain his goblet and to avenge the insult to his queen. This recalls Medrawd's action when he went to Arthur's court in Celliwig, in Cornwall, consumed all the food and drink there, dragged Gwenhwyfar from her throne and struck her.[16] In *Perceval* the queen is not so directly involved as in *Peredur*, for the knight snatches the cup from Arthur and spills the wine on her because of his hasty action. Even so, Guenièvre's reaction is far from moderate. She retires to her room, consumed with rage and grief and tries to kill herself, as if she had been deliberately and gravely insulted. It seems that in an earlier version there may have been more to the situation than the circumstances described by Chrétien. Guenièvre's violent reaction and disappearance from the scene suggest a rationalisation of a version in which she was abducted in person.

The Insult to the Queen may have been an alternative to the Abduction theme. Both would have challenged the power of the king, the present possessor of sovereignty, to uphold his claim and retain his domain, symbolised by the queen. The Red Knight in *Peredur* strikes Gwenhwyfar besides snatching away her cup and dashing the wine over her. Since the offer of a cup of wine symbolised marriage and sovereignty, the latter in itself would have challenged the king's authority. In French the action is no longer deliberate, but there are indications that in an earlier version this was not an accident. Thus in Welsh the insult appears twice, in the blow and dashing the wine over Gwenhwyfar, whereas in French it occurs once in a softened form, when the wine is spilled on Guenièvre. In both *Peredur* and *Perceval* it is possible that this episode retains traces of more than one type of story: that where the Sovereignty is abducted, either as the queen in person, or the cup which represents the queen; the type where the possessor of sovereignty is challenged by means of an insult to the embodiment of sovereignty.

The story of Perceval and Blancheflor, Peredur and *Morwyn y Gaer*, illustrates another type of sovereignty theme, the Acquisition by Combat.[17] In this instance the maiden, or goddess, is only to be obtained after the hero has defeated the Otherworld god and established a claim to her favours. One important feature, characteristic of both the Otherworld god and the Sovereignty, is the ability to appear in one of two completely opposite guises, either fair and kindly or ugly and harsh.[18] In the shape of a handsome, dignified king or nobleman, the god (or the enchanter as he became in later versions) would treat the hero courteously and assist him in every way, whereas in the form of a hideous churl he would test his courage and speak harshly to him. The two guises of Sovereignty are well known.[19] As a hag of incredible ugliness she would challenge the hero, test his courage and demand that he kiss her or sleep with her.[20] If he accepted, she would be transformed into a maiden of wondrous beauty. The harsh side of her nature, without the physical ugliness, is to be seen in the ill temper and sharp words of Medb, Gwenhwyfar and Guenièvre and in their tendency to test their lovers. There is no physical transformation in the episodes we shall examine, but there are two features which are reminiscent of it; the change in the maiden after the hero's victory from a strained, ill-dressed young woman whose beauty is barely concealed, to a creature of radiant loveliness; the way in which she offers herself to the hero before the battle.

In *Peredur* the hero has wandered far from Arthur's court to a great forest where there is trace of neither man nor beast. On the other side of the forest he sees a great fortress, overgrown with ivy, its entrance choked with weeds. He asks permission to enter and is led into a hall where he sees eighteen thin, red-haired youths of identical appearance. They receive him courteously and then five maidens enter the hall, one of whom is more beautiful that any Peredur has seen. She is dressed in tattered garments, so worn that her flesh shows through the holes. Her hair and brows are black, her flesh is white and her cheeks are red. She welcomes Peredur, embraces him and sits beside him. Shortly afterwards two nuns enter with a pitcher of wine and six loaves of bread, which they give to the lady. When it is time to eat, the maiden attempts to give all the food and wine to Peredur, but he insists on sharing it with those present. After the meal, Peredur retires to his room and the maiden's foster-brothers insist that she offer herself to him. Unwilling and weeping, she goes to his room. She tells him that her father owned the best earldom in the world. He refused to give her in marriage to the son of another earl because she did not wish the match. After his death the young earl made war on her domain and the fortress in which she lives is all that remains, thanks to the courage of her foster-brothers. The nuns have provided food, but now that is at an end. The earl will attack in the morning and if he takes the maiden she will be given to his grooms. Therefore she offers herself to Peredur in return for his defence of the *caer*. He sends her to her room, promising to defend her nevertheless. Peredur has many combats for three days, but towards the end of each day he has one main battle, with the captain of the earl's warband, the earl's steward and with the earl himself. Each time he is triumphant and each time he causes his opponent to restore a certain portion of her property to the maiden, together with food, horses and arms for a certain number of men.[21] For three weeks Peredur remains with the maiden, establishing her in her domain, then he leaves, bidding her send for him if ever danger threatens her again.

In *Perceval* the hero arrives at a castle in a waste land, crosses a weak drawbridge and is admitted by a pale, thin maiden. He is then met by four servants, clearly suffering from lack of food. The whole castle is ruined and desolate. Perceval is received graciously by two noblemen and a maiden who is beautifully dressed, has golden hair, white skin and grey eyes. She tells him that she is the niece of Gornemant de Gorhaut, and contrasts the splendours of his court with the poverty of her own. Here there are only five loaves of bread, one small cask of wine sent by her uncle, who is a holy man, and a buck, killed by one of her servants. After supper each one goes to his room, but later the maiden, in great distress, decides to go and tell her guest of her situation and that of her household. He wakes to find her kneeling by his bed, her arms around his neck. She begs him not to think ill of her, saying she is so unhappy that tomorrow she will kill herself. Of three hundred and ten soldiers guarding the castle, only fifty remain. The others have been killed or imprisoned by Clamadeu des Illes and his seneschal Enguigeron. They have laid siege to the castle for a year and tomorrow they will kill all who remain. The maiden is determined to kill herself rather than yield. Perceval vows to help her, bids her not to despair. She remains with him that night. The next day Perceval obtains the maiden's promise that if he wins, her *druerie* will be his reward. He meets Enguigeron, vanquishes him, and sends him to Arthur's court. The maiden is overjoyed.[22] There is still no food in Biaurepaire and Clamadeu decides to go there in force, kill Perceval and then fall upon the other defenders, who are so weak. The attack is repulsed and the defenders are saved from starvation by the arrival of a ship, loaded with provisions, which had been blown off course by a storm. Clamadeu challenges Perceval to single combat, is defeated and sent to Arthur's court as was his seneschal before him. Perceval could stay with Blancheflor and rule her domain, but he prefers to leave and seek his mother, promising to return when he has succeeded.

This particular episode has been compared with the visit of Cuchulainn to Curoi's fortress and with the visit of Pwyll to the domain of Arawn.[23] Cuchulainn and two companions go to Curoi's fortress to undergo a series of tests which will determine who merits the sovereignty of the heroes of Ireland. Curoi is absent, but his wife Blathnat makes the warriors welcome, providing food and drink. They are tested in turn. Cuchulainn fights three times in one night against Otherworld monsters and vanquishes his attackers. In fact his opponents are Curoi in different guises. Curoi later returns and awards the sovereignty to Cuchulainn. It has been suggested [24] that there is an element missing from this tale and that Curoi should have tested Cuchulainn morally, using Blathnat as a means of temptation.

Pwyll agrees to go to Arawn's domain in Annwfn and fight his enemy, Hafgan. Arawn remains in Pwyll's territory but his wife is in the *caer*, where Pwyll finds a plentiful supply of food and drink amidst gracious surroundings. Arawn gives Pwyll permission to sleep with his wife if he wishes, but he prefers to remain chaste. Pwyll defeats Hafgan and is henceforth known as Pwyll Pen Annwfn, although he returns the domain to Arawn and goes back to Dyfed.

In these two stories a mortal hero visits an Otherworld fortress whose owner is absent, is received graciously by a beautiful woman and is tested in combat by an Otherworld opponent connected with the owner of the fortress. He may sleep with the woman if he wishes but, in Pwyll's case at least, he does not. After his success in combat he wins sovereignty—for Cuchulainn, sovereignty over the heroes of Ireland and for Pwyll, sovereignty over Annwfn, but he leaves the fortress in the hands of the original owners. They may well be versions of a sovereignty theme in which the hero visits the dwelling of the Otherworld god, is graciously received and lavishly entertained. He meets Sovereignty there in the form of a beautiful maiden who serves him with food and drink. The Otherworld god, taking on an unpleasant guise, attacks the hero and tests his valour. After his success he is deemed worthy of sovereignty and may sleep with the maiden. Before the combat he is tested morally, but refuses to succumb to the charms of the maiden.[25]

In *Peredur* and *Perceval* the episode has taken on the appearance of a 'Besieged Maiden' story, an easily made assimilation. The fortress in both cases is in a desolate spot, far from human habitation, and apparently devoid of life. The inhabitants are in a sorry state, weak and debilitated through lack of food. The whole setting is eerie, unearthly, and could easily derive from that of an Otherworld fortress. The forest in the Welsh version and the water in the French reinforce the suggestion, since water and trees are often an indication of the proximity of the Other World. Peredur and Perceval are courteously received by the inhabitants, chief amongst whom is a maiden of great beauty. The male members of the household, in both versions, all show the effects of fatigue and hunger, but in the case of the maiden these are minimised. In Welsh her appearance coincides exactly with the colours black, white, red, of the Blood Drops in the Snow episode, but in French she has golden hair and grey eyes. Blancheflor is beautifully dressed, but the Welsh maiden's clothes are old and ragged, better fitted to the conditions of a siege. Thus, the hero has arrived at a fortress which is set apart from human habitation, he has been courteously welcomed and has made the acquaintance of a maiden of supreme beauty who, like Blathnat and Arawn's wife, entertains the hero in the absence of the owner of the fortress. In the Welsh version the maiden's father was the owner of the *caer*, but his death explains his absence from the scene. Similarly, Blancheflor's father is dead, killed by Enguigeron.

In the visits of the hero to the dwelling of the Otherworld god and his encounters with Sovereignty, food and wine were important features.[26] Liquid, be it wine, beer, or water, symbolised sovereignty, the offer of a cup of wine symbolised marriage, and the Sovereignty would serve the hero with food and wine. It is interesting to note the rather special nature of the food and wine in this episode. It is special in that it is rare, given to the maiden by persons set apart from the ordinary members of the household. In the tale of Conn's meeting with Sovereignty in the palace of Lugh, the maiden serves Conn with magic food and with ale in a golden cup. It is possible that in *Peredur* there remain traces of the original significance of the food and wine in the maiden's desire to give it all to Peredur, rather than share it. The food and wine in the sovereignty tales would have been served by the goddess to the hero alone. This feature is not present in *Perceval*.

Blancheflor goes of her own accord to Perceval's room to tell him of the dangers surrounding her. In Welsh the maiden is sent, against her will, to offer herself to Peredur in return for his defence of the *caer*. The offer of the maiden by her male relatives recalls Arawn's offer of his wife to Pwyll and Curoi's probable testing of Cuchulainn with his wife Blathnat. Peredur agrees to defend the *caer*, but on no occasion does he sleep with the maiden, again recalling Pwyll's defence of Arawn's realm whilst abstaining from relations with Arawn's wife. This element may have been omitted from the French as being distasteful, in the same way as other features in the Welsh romances were altered or softened.[27] Certainly Blancheflor does not give the impression of being a seductress, for she is as reluctant as the Welsh maiden. Here we learn the reasons for the desolation of the fortress, and the explanation affords some interesting features. The maiden is being attacked by enemies, but the enemies are connected, as in the case of Cuchulainn and Pwyll, with the absent (deceased) owner of the fortress. Curoi changes shape and attacks Cuchulainn in the guise of Otherworld monsters. Hafgan, Arawn's enemy, is an Otherworld being who has to be killed in a particular way otherwise he will not die. Curoi is an Otherworld enchanter, originally one of the gods, Arawn is lord of Annwfn, the Welsh Other World. Since he and Hafgan appear to be of equal rank and Arawn is capable of changing shape, it may well be he who appears to test Pwyll's courage and loyalty. The maiden's father in *Peredur* owned the best earldom in the world and it is through his refusal to give his daughter in marriage to the son of another earl that she is now under attack. Similarly, Clamadeu and Enguigeron are besieging Biaurepaire with the object of carrying off Blancheflor, whose father was killed by Enguigeron. Thus, the heroes are given food and drink of a special nature by a beautiful maiden, tested morally, in the Welsh version by her male relatives. In the original version this would have been done by the enchanter/god himself, but his absence has been rationalised to his death and the temptation has to be put into effect by others, still male and still connected with the maiden. It is interesting to note that in *Peredur* the youths are foster-brothers of the maiden, not blood relations. Pwyll refuses relations with Arawn's wife because he wishes to be worthy of

Arawn's friendship. Peredur sends the maiden to her room, probably because the author has his marriage with the Empress in mind. The episode in *Perceval* recalls the circumstances in *Pwyll*, although it is not entirely clear.

Cuchulainn fights three times in one night; Pwyll fights once, at night; Peredur has many combats, but there are three main encounters which take place toward evening; Perceval has two principal combats with Enguigeron and Clamadeu and another when the castle is unsuccessfully attacked by Clamadeu's army, but these take place during the day. The hero is victorious, he has regained possession of the realm and therefore is worthy of the favours of Sovereignty. Peredur still does not take advantage of the situation, but Perceval does for he had already asked Blancheflor's *druerie* as his reward. Moreover, this would have been the natural conclusion of this type of tale. In *Peredur* each of the three opponents has to furnish arms and supplies to the maiden according to his rank, and in this way food and weapons are brought to the *caer* naturally rather than by magic. In *Perceval* this is less convincingly done. A ship laden with supplies is blown off course by a storm and arrives at Biaurepaire in the nick of time.

There is yet another feature of these two episodes which is not without significance. The Transformation of the Hag has already been mentioned as one of the best-known sovereignty themes in which Sovereignty, in the shape of a hideous hag, challenges the hero to kiss her or sleep with her. Once his acceptance of the challenge proves his worth, she is changed into a most beautiful maiden. There is no transformation of the maiden in the visit of Conn to the dwelling of Lugh, no transformation of Blathnat or of Arawn's wife, the shape-shifting in these tales is confined to the enchanter or god.[28] In *Peredur* and *Percival* however, there are distinct traces of a transformation.[29] The maiden and her companions have a wretched appearance when the hero first arrives and the fortress itself is in a sorry state of ruin and desolation. In *Peredur* the maiden's appearance is a little more realistic than in *Perceval*, although it is her clothing which has suffered rather than her beauty. After Peredur's first victory, beauty, vigour and life return immediately, but in *Perceval* this happens only after the arrival of the ship. In both cases there is a rationalisation of what was probably a magic transformation in an earlier version. In those stories which describe the transformation of the hag, only the personal appearance of the character is affected, but in *Peredur* and *Perceval* the transformation has been extended from the individual to her entire surroundings.

It has been observed that the maiden in *Peredur* and Blancheflor in *Perceval* are both manifestations of Sovereignty, and that the hero would be united with Sovereignty herself at the end of his adventures, as Peredur marries the Empress.[30] In the French version Blancheflor has taken the place of the Empress and has been developed as the hero's chosen bride. Probably the *conteur* who adapted the Welsh original did not understand that the various maidens, on whose behalf the hero proved his courage, were all manifestations of the same Otherworld being with whom he would be united at the end of his adventures. It is reasonable for Peredur to remain chaste since he is to marry the Empress, and his sending the maiden back to her room is reminiscent of the formula he repeats later, 'ny deuthum i yma y wreicca'.[31] However, it is possible that there was another version of this episode similar to that in *Pwyll*, where he would have shared his bed with the lady but remained chaste. The situation in *Perceval* seems to suggest this. This may not have been easily understood by those unfamiliar with Welsh tradition, hence the perplexity caused to *conteur* and critic alike by Perceval's relations with Blancheflor. Chrétien's apparent postponement of the marriage until Perceval's final solution of the mysteries of the Grail would correspond with Peredur's final reunion with the Empress after he has found the Castle of Wonders (*Caer yr Enryfedodeu*), his uncle and his wife.[32] In the French romance Blancheflor has replaced the Empress and the poet has united Perceval too early with a character who is merely one of the many forms of Sovereignty, rather than depicting the union of future ruler and Sovereignty as the culminating point of the romance.

Further traces of the Transformation of the Hag are to be found in a character known in *Peredur* as the Curly-Headed Maiden (*Y Forwyn Bengrych*), and the Black Maiden (*Y Forwyn Ddu*), and in *Perceval* as *La Demoisele Hideuse*.[33] It has long been acknowledged that this character is Sovereignty in her hideous guise.[34] In Irish this aspect of Sovereignty is represented as a huge hag of incredible ugliness and the Welsh version of the hag is close to the Irish, except that she is shown mounted on a mule. This may be a Welsh development, for it is reminiscent of various Otherworld characters who approach the hero on horseback and chide him. Rhiannon first appears before Pwyll on horseback, and she does not hesitate to express her opinion of him plainly if occasion demands. The Empress appears to Peredur on horseback and reproaches him for killing her stag, and Arawn, in his first meeting with Pwyll, chides the lord of Dyfed for the same reason. The function of the hag, Sovereignty in her hideous guise, is to berate the hero and force him to prove his worth. This could be done with no audience, as in the case of Niall, but the Welsh hag's function, and that of the *Demoisele Hideuse*, is slightly different. She does challenge his honour and spur him on to deeds of valour, but her main purpose is to shame him and this is more effectively done if others are present. Therefore, Peredur and Perceval, having been honoured and acclaimed by Arthur and his court, are abruptly cast down from their pinnacle by this hideous distortion of the female form.

In Welsh it is not immediately evident that this is the Empress in an ugly guise, for the Empress and the Black Maiden seem to have become two separate characters, just as the Countess and Luned in *Iarlles y Ffynnawn* are separate.[35] In French the connection has been completely lost, for Blancheflor has taken the place of the Empress; the ultimate identity of all the characters who encounter the hero to help him and test him, and the reason linking their appearances, has also vanished.[36] *Peredur* has been influenced in this episode by a French version of the tale, possibly the one which inspired Chrétien. The names mentioned by the Black Maiden are translations of French names[37] and the hero's intention to seek the spear and its meaning are additions from a foreign source. In fact, when Peredur leaves Arthur's court he enquires only about the Empress, the Black Maiden and the Castle of Wonders, which is the home of the Empress and his uncle—the Otherworld enchanter in whose dwelling Sovereignty may be found.[38]

It has been observed that Peredur is a tale of lost sovereignty, the necessity of regaining it, and the training of the destined hero to that end.[39] The scene in the *caer* of the second uncle symbolises the loss of sovereignty, but it does not represent the circumstances of a Question Test. The advice of the first uncle, combined with his lameness and the procession in the second *caer*, probably suggested this to a *conteur* who wished to adapt the legend, and so *Perceval* contains a mixture of the features of a Vengeance Quest and a Question Test.[40] Peredur was not expected to seek an explanation of the procession, for the first uncle's words meant that unless explanations were proffered, he was not to request any. They would be given when he was sufficiently mature to understand them, and at this stage the hero in both romances is not mature enough to be able to regain the sovereignty lost by his father's death and rule a kingdom.

It has also been shown that the reason for Peredur's loss of his wife has been lost from the romance, but that it was probably similar to that in *Owein*, too great an interest in the court and his former companions and pursuits.[41] Thus the reason for the arrival at court of the Black Maiden would have been similar to that of Luned, to shame the hero publicly for his lack of honour and loyalty. Her words could quite as easily describe a kingdom deserted by its protector as a domain whose defender is wounded and incapable: '. . . .A bellach brwydreu ac ymladeu a cholli marchogyon, ac adaw gwraged yn wedw a rianed yn diossymdeith, a hynny oll o'th achaws ti' (WM 166. 32-36). Probably the author of Chrétien's source inserted the reference to the Question Test theme in this scene, having understood the hero's silence as a failure to ask the correct question and the uncle's lameness as a wound.[42]

The Black Maiden is unmistakably an Otherworld figure and would have been accepted as such by a Welsh audience. The author retains the chill and horror aroused by her appearance by refraining from giving too much detail about the features he describes. He sets her apart from man and beast by avoiding comparisons with anything too familiar to his audience. He does mention hands blacker than iron steeped in pitch, but this has unpleasant connections. There are also a few touches of irony,[43] but on the whole the Black Maiden has remained a creature from another realm. The French did not possess the instinctive familiarity with and understanding of the supernatural of the Irish and Welsh and so, whilst the *Demoisele Hideuse* is ugly to a degree, she does not have the same impact as the Black Maiden or the Irish hag. The French portrait is more of a caricature, a creature made up of various animals, all of them familiar to the audience from the worlds of entertainment, farming, court life, or hunting. The maiden's magic powers, known to Irish and Welsh, have been ignored by the French, and her physical awkwardness has been emphasised by setting her in a world to which she does not belong and inviting the audience to conjure up the grotesque vision of the maiden trying to perform a stately dance. Laughter has entered the picture and fear has disappeared.

Chrétien inherited a considerable quantity of Welsh material through the *conteurs* who adapted the tales of King Arthur and his warriors to the taste of French audiences. The Otherworld receded into the background and its marvels were rationalised but, touched by Chrétien's artistry they lost little, if anything, in charm, interest, or excitement.

Glenys Witchard Goetinck

Notes:

1 R. S. Loomis, *Arthurian Tradition and Chrétien de Troyes*, New York, 1949, 335f; 457 [ATC]. Jean Frappier, *Arthurian Literature in the Middle Ages*, ed. Loomis, Oxford, 1959, 162-163. R. Bromwich, 'Celtic dynastic themes and Breton Lays', *Etudes celtiques*, ix (1961), 442ff [*EC*]; 'The Celtic inheritance of Medieval literature, *Modern Language Quarterly*, xxvi (1965), 205ff [MLQ]. Jones & Jones, *The Mabinogion*, London, 1950, xxix.

2 A. O. H. Jarman, *Chwedlau Cymraeg Canol*, Cardiff, 1957, xi. Jean Frappier, in R. S. Loomis (ed.), *Arthurian Literature in the Middle Ages* [ALMA], Oxford, 1959, p. 163. G. Witchard, 'Astudiaeth destunol a chymharol o *Historia Peredur vab Efrawc*'. (Unpublished Ph.D. thesis, Wales, 1962), i, 55 [*Astudiaeth*].

3 R. Bromwich, MLQ, xxvi (1965), 213-216.

4 R. Bromwich, MLQ, xxvi (1965), 213-214.

5 R. Bromwich, EC, ix (1961), 471.

6 G. Witchard Goetinck, 'Sofraniaeth yn y tair rhamant', *Llên Cymru* viii (1966), p. 168ff.

7 G. Witchard Goetinck, 'Gwenhwyfar, Guinevere, and Guenièvre', EC xii (1966), pp. 351-360.

8 R. Bromwich, *Trioedd Ynys Prydein*, Cardiff, 1961, 154-156 [TYP].

9 *Llên Cymru* vii (1966), p. 169.

10 W. Roach, *Le Roman de Perceval*, Paris, 1959, ll. 965-967.

11 *Astudiaeth*, i, 224-225.

12 J. Gwenogvryn Evans (ed.), *The White Book Mabinogion*, Pwllheli, 1907, 122.14-18 [WM]. W. H. French, C. B. Hale, *Middle English Metrical Romances*, New York, 1964, ii, 549, ll. 550-564.

13 WM, 124.22-23.

14 ATC, 197. TYP, 384-385.

15 See TYP, 381-384.

16 See TYP, 147-148.

17 *Llên Cymru* viii (1966), pp. 174-176. G. Witchard Goetinck, 'The Female Characters in Peredur', *Trans. Hon. Soc. Cymm.* (1966), Pt. II, pp. 378-386 [THSC].

18 *Llên Cymru* viii (1966), pp. 180-181.

19 ATC, 416. S. Eisner, *A Tale of Wonder*, Wexford, 1957, 110, 114, 116-117. R. Bromwich, MLQ, xxvi (1965), 214.

20 In the story of Niall, he and his brothers meet with a monstrous hag guarding a well. She will not allow them to draw water unless they consent to kiss her. Only Niall will kiss her and lie with her. Immediately she is transformed into a beautiful maiden who says she is Sovereignty and his descendants will rule the land.

Similarly, Lugaid Laigde and his brothers come to a wonderful house with abundant food and drink. Inside there is a hag who invites each one to lie with her. Only Lugaid Laigde consents and, having been transformed into a beautiful woman, the Sovereignty tells him he will be king.

For further details and discussion, see EC, ix (1961), 446ff.

21 WM, 136.28-32; 137. 12-16; 137. 25-29. The chief of the earl's warband has to return one-third of the property, together with one hundred men, their horses, arms, food and drink. The steward has to return one-third of the property, together with two hundred men and their supplies. The earl must yield the rest of the maiden's domain, the whole of his own, and three hundred men and their supplies.

22 Roach, *Perceval*, ll. 2360-2362.

23 See THSC (1966), pp. 383-384.

24 See R. S. Loomis, *Publications of the Modern Language Association of America*, xlviii, 1006-1007, 1006n. [PMLA].

25 For further discussion of this theme see *Llên Cymru* viii (1966), p. 171ff.

26 See R. Bromwich, EC, ix (1961), 451. P. MacCana, 'Aspects of the Theme of King and Goddess in Irish Literature', EC, vii (1955-56), 77-78. T. O'Rahilly, 'The Names *Erainn* and *Eriu*', *Eriu*, xiv (1946), 15.

When Conn is invited by Lugh to visit his dwelling, he sees there a beautiful maiden seated on a throne of crystal, with a vat of ale beside her. She serves Conn with magic food and drink. Each time her golden goblet is filled with ale for Conn, Lugh utters the name of one of his descendants who will rule in Tara. Later Lugh, the dwelling, and Sovereignty vanish from sight, leaving Conn with the vat, the goblet and some staves, on which are written the names of his descendants. See M. Dillon, *Early Irish Literature*, Chicago, 1948, 107-109 [EIL].

27 In *Gereint* the dwarf strikes the maiden across her face and her eyes until the blood runs (WM, 390. 40-391. 2). In *Erec* she puts her arm in front of her eyes so that the whip strikes her hand only (M. Roques, *Erec et Enide*, Paris, 1955, 179-186).

28 In *Baile In Scail* Lugh, the 'shadow' or 'phantom', vanishes from sight. Dillon, EIL, 109.

29 Cf. *Gereint*, where the whole court is full of life and vigour after the hero's victory, but the maiden's transformation is delayed until she has reached Arthur's court and is provided with beautiful robes by Gwenhwyfar.

30 See *Llên Cymru* viii (1966), p. 174ff; THSC (1966), Pt. II, pp. 383-385.

31 WM, 155. 19-21; 158. 33-34.

32 The Empress, Peredur's wife, Sovereignty in her beautiful guise, lives in the Castle of Wonders, as does the enchanter, his uncle. See *Llên Cymru*, vi (1961), 150-151. Blancheflor is a niece to Gornemant, related to the hermit and to the Roi Pescheor, which supports the theory that she is a manifestation of Sovereignty.

33 See G. Witchard Goetinck, 'The Demoiselle Hideuse in *Peredur*, *Perceval* and *Parzival*, *Zeitschrift für celtische Philologie* xxx (1966), pp. 1-8. [ZCP]; *Llên Cymru* viii (1966), p. 178.

34 G. Witchard, *Llên Cymru*, vi (1961), 146. R. S. Loomis, ATC, 416.

35 Their relationship to Owain is exactly similar to that of the Empress and the Black Maiden to Peredur—the destined bride (Sovereignty in her fair guise), and the loyal servant (Sovereignty in her harsh guise), who berates the hero for failing in his duty towards her mistress. The Black Maiden has retained the physical ugliness of the harsh guise of Sovereignty, whilst Luned has retained only the sharp tongue. It may be significant that, although she is blonde, Luned, like the Black Maiden, has curly hair.

36 See *Llên Cymru*, vi (1961), 146-147; *Llên Cymru*, viii (1966), p. 168ff; THSC (1966), Pt. II, p. 384.

37 Roach, *Perceval*, ll. 4689, 4706, 4724. WM, 169. 39; 167. 10. *Castell Syberw* corresponds to *le Chastel Orgueilleus* and the *mynyd amlwg*, mentioned by the Black Maiden corresponds to *Montesclaire*.

Although the Welsh version does not mention a place which would correspond to *le Mont Dolerous*, the battle between Peredur and the Addanc takes place at *y Cruc Galarus*. See *Llên Cymru*, vi (1961), 152; *Astudiaeth*, i, 315-316.

38 *Astudiaeth*, 1, 302; *Llên Cymru* viii (1966), pp. 178-180.

39 *Astudiaeth*, i, 306-311; *Llên Cymru*, vi (1961), 148-149.

40 *Astudiaeth*, i, 306-311.

41 *Astudiaeth*, i, 302-303; *Llên Cymru* viii (1966), p. 178.

42 *Astudiaeth*, i, 244-245.

43 Her teeth are said to be 'melynach no blodeu y banadyl' (WM, 166. 8-9), the phrase used to describe the beauty of Olwen's hair (WM, 476. 1-3). See also, ZCP xxx (1966), pp. 359-360.

LES TRADUCTIONS GALLOISES DES ÉPOPÉES FRANÇAISES

Sous le titre de *Selections from the Hengwrt MSS. Vol. I*, le révérend Robert Williams, pasteur anglican de Rhydycroesau, Denbighshire, chanoine de Saint-Asaph, fit paraître en 1876 à Londres une transcription de la rédaction galloise du roman du *Saint Graal*, suivie d'une traduction anglaise.[1] A la fin de la petite préface à cette édition, Williams nous dit qu'au cas où la publication de ce premier volume se ferait sans grandes pertes pécuniaires, il en publierait un autre, comprenant les *Gestes de Charlemagne*, le *Boun de Hamtone*, le *Purgatoire de Saint Patrice*, etc. Il est permis de supposer que le premier volume fit ses frais, car Robert Williams se mit quelques années plus tard en devoir de tenir sa promesse et fit imprimer le texte gallois du tome II; mais avant qu'il ne pût en terminer la traduction, la mort survint, l'arrachant à son entreprise. Le révérend G. Hartwell Jones, alors professeur de latin à la Faculté des Lettres de Cardiff, entreprit de combler les lacunes, et le volume parut à Londres en 1892.[2]

Ce tome II qui, le premier, signala aux romanistes l'existence de versions galloises de la *Matière de France*, n'a point cessé dès lors d'être la source par excellence où ont puisé un grand nombre d'éditeurs de textes vieux français; tels Edouard Koschwitz, Albert Stimming, Edmund Stengel.

Malgré son amour pour la littérature, et son grand patriotisme, Robert Williams ne connaissait nullement l'art d'éditer les vieux textes; aussi ses publications ne sont-elles ni critiques ni diplomatiques. Les scrupules qui depuis des générations obsédaient, et obsèdent encore les éditeurs de textes anciens dans d'autres pays, n'ont jamais troublé la conscience de ce bon pasteur gallois. Quand il voulait publier un document quelconque, il n'utilisait par principe qu'un seul manuscrit; qu'il y en eût d'autres, et parfois de meilleurs, cela n'avait pas pour lui la moindre importance. Ainsi le *Pèlerinage de Charlemagne à Jérusalem et à Constantinople* est transmis par huit manuscrits différents, datant tous, sauf un, soit du XIIIe soit du XIVe siècle, et représentant peut-être des originaux différents et peut-être des traductions indépendantes. Peu importe; Williams se contentera de publier seulement la version contenue dans le *Livre Blanc de Rhydderch*, et Koschwitz, opérant plus tard sur ce texte, croira avoir affaire à une édition basée sur tous les manuscrits gallois connus. De même la *Chanson de Roland*, conservée dans un nombre égal de manuscrits offrant le même nombre de versions et de traductions différentes les unes des autres, n'a été publiée que d'après le même corpus.

L'écriture du *Livre Blanc* est certainement d'une lecture bien facile; et c'est là vraisemblablement la raison qui a dicté la préférence, nous pourrions même dire l'engouement, de Williams pour ce recueil. Le *Livre Blanc de Rhydderch*, aussi bien que le *Livre Rouge de Hergest*, et Manuscrit 9 de Peniarth, nous ont conservé des textes de la *Chanson d'Otinel*; dans le *Livre Rouge* il est complet; dans les deux autres il présente de très grandes lacunes. Cela n'a pas d'importance; Williams fera paraître la version fragmentaire de son manuscrit de prédilection. Ce n'est pas que le *Livre Rouge de Hergest* lui fût inconnu ou inaccessible. Nous verrons par la suite qu'il s'en est même servi à l'occasion. D'ailleurs nous savons, par sa correspondance avec M. Wynne de Peniarth,[3] que Williams connaissait parfaitement bien le *Livre Rouge*. Quatre manuscrits, entre autres le *Livre Blanc* et le *Livre Rouge*, offrent des textes de *Boun de Hamtone*. Les *Hengwrt MSS.* emprunteront seulement la version donnée par le *Livre Blanc*, et encore avec des omissions; des autres manuscrits sauf à un endroit, et cela sans le dire, l'éditeur ne tiendra aucun compte.

On aurait tort néanmoins de supposer que tous les textes publiés par Williams soient des reproductions plus ou moins arbitraires d'un seul manuscrit; bien au contraire, certains passages nous offrent une véritable mosaïque de fragments empruntés à des textes différents. C'est ainsi que pour constituer les sections XXI-XXVIII du tome II des *Hengwrt MSS.*, c'est-à-dire, la première partie de la *Chronique de Turpin*, il a mêlé d'une façon inextricable le *Livre Blanc* au Manuscrit 8 de Peniarth; en revanche, les sections XXIX-XLI, continuant le même texte, reproduisent assez fidèlement le Manuscrit 8; mais pour la fin de ce morceau, comprenant les sections XLII-LV, il a eu de nouveau recours au *Livre Blanc*, le manuscrit qu'il aimait entre tous.

Malgré la grande lacune signalée dans le texte de la *Chanson d'Otinel*, Williams devait être très amateur des récits de longue haleine. C'est ainsi que la *Chanson de Roland*, transmise par son manuscrit favori, n'étant pas, semble-t-il, suffisamment complète pour satisfaire son goût, il imagina d'ajouter à son début cinq sections (LXXX-LXXXIV) tirées de la version plus détaillée du manuscrit 10 de la même biblothèque; version représentant d'ailleurs une tout autre tradition.

Il en est de même, jusqu'à un certain point, du commencement de *Boun de Hamtone*. Le *Livre Blanc* nous a transmis de la première partie de ce roman deux formes différentes, qui, toutes deux, sont plutôt des résumés que des traductions du poème français. Le traducteur ayant évidemment estimé sa première analyse trop courte, crut devoir en faire une deuxième plus développée. Le moins écourté de ces abrégés aurait été tout indiqué pour la publication de Williams, mais celui-ci en jugeait autrement: il fallait les mélanger un peu! et c'est un pastiche qui a été offert aux romanistes.

Grâce à ce désir d'être 'complet', Williams a parfois entièrement trompé ses lecteurs sur la date même des textes qu'il a publiés. C'est ainsi qu'à la fin de sa *Chanson de Roland*, reproduite toujours d'après le *Livre Blanc*, il a ajouté l'*explicit* du manuscrit 9, manuscrit qui antidate la partie du *Livre Blanc* contenant le *Roland* d'au moins une génération. Voici l'*explicit* dont il s'agit, tel que Williams l'a publié:

> *Llymma deruyn o ystoryaeu y charlymaen brenhin ffreinc oe weithredoed ef yn yr yspaen. yn erbyn y pagannyeit a gelynyon iessu grist.*
>
> *Y llyuyr hwn amchweles Madawc ab Selyf. yr hwn a yscriuennawd Ieuan yscolheic. Oet yr arglwyd iessu grist. ac ef yn duw a anet a veir wyry. oet yn y kyuamser. nyt amgenach.* MCCCXXXVI. 1336 (*Selections*, vol. 2, p. 118).

Comme la lecture est celle de Williams, nous citerons aussi sa traduction:

> Here end the histories of Charlemagne, King of France, and his exploits in Spain; against the pagans and enemies of Jesus Christ.
>
> This book of Madawc ab Selyf translated, which John the Scholar wrote. The age of the Lord Jesus Christ, Who being God was born of the Virgin Mary, was MCCCXXXVI (1336) (*Selections*, vol. 2, p. 517).

Traduit littéralement en français ce serait:

> Ici se terminent les histoires de Charlemagne, roi de France, et ses exploits en Espagne; contre les païens et les ennemis de Jésus-Christ.
>
> Ce livre Madawc ab Selyf le traduisit, (livre) que Jean le clerc écrivit. L'âge du Seigneur Jésus-Christ, qui étant Dieu est né de la Vierge Marie, était MCCCXXXVI (1336).

L'endroit du Manuscrit 9 ou figure cet *explicit* est fort difficile à lire; et Williams, qui lisait mal même les passages de difficulté moyenne, a ici complètement travesti son original. La première ligne du second paragraphe fut tant bien que mal repassée à l'encre au XVIe siècle par le médecin antiquaire bien connu Sir Thomas ap Wiliems, qui s'est montré en cet endroit du moins, aussi mauvais lecteur que son homonyme du XIXe. Or un simple coup d'œil jeté sur le manuscrit suffit pour constater que le calque offert par Sir Thomas ap Wiliems n'est pas le moins du monde fondé sur les silhouttes laissées par les caractères plus ou moins effacés par le temps; mais qu'il est basé totalement sur l'hypothèse que la partie oblitérée doit se rapporter à Madawc ab Selyf, le traducteur de la première partie (chap. I-XX) de la *Chronique de Turpin*, hypothèse tout à fait gratuite. La lecture exacte de ce qui reste aujourd'hui du deuxième paragraphe, de ce qui restait certes du temps de Robert Williams, a été donnée par Gwenogvryn Evans.[4]

> *Llyma lyuyr? . . . la6n, yr h6n ayſcriuena6d Ieuan yſcolheic y gar ay ura6tuayth. Oyt yr arglwyd ieſſu griſt vnic ſab du6 a anet o veir wyry oydyny kyuamffer hɔnn6 nyt amgen.* M.CCC.XXXVIº.
>
> Voici le livre . . . qu'écrivit Jean le clerc, son ami et frère de lait. L'âge du Seigneur Jésus-Christ, fils unique de Dieu qui naquit de la Vierge Marie, n'était à cette époque-là rien autre chose que. MCCCXXXVIº.

On l'a remarqué, *y llyvyr hwn amchweles Madawc ab Selyf* n'a rien de commun avec *llyma lyvyr*, etc. sauf pour les non-initiés; et l'espace que nous avons pointillé est loin d'être, dans le manuscrit, assez long pour porter les mots *amchweles Madawc ab Selyf*. Mais quelqu'un s'était déjà occupé de ce passage et en avait donné une lecture: elle devait être la bonne. Robert Williams l'imprimera pour conférer à sa publication plus d'autorité. A en juger par les fautes qu'il a commises en lisant la suite, Williams a dû être fort reconnaissant à ce prédécesseur; livré à ses propres moyens, il n'arrivera pas à déchiffrer *y gar ay ura6tuayth*, 'son ami et frère de lait', et les sautera bel et bien. Toutefois en homme de conscience qu'il était, il se garda de laisser des points de suspension pour avertir ses lecteurs. Pour *unic fab du6*, 'fils unique de Dieu' il lit *ac ef yn duw*, 'lui étant Dieu', lecture paléographiquement impossible. Au lieu de *nyt amgen*, il a fait imprimer *nyt amgenach*, et l'a sauté dans sa traduction. Quant aux chiffres arabes, ils doivent leur insertion au désir de Williams de bien tirer au clair son passage! Dans le texte anglais, toutefois, vraisemblablement par respect pour l'intelligence de ceux de ses compatriotes qui préféraient l'anglais au gallois, il a cru devoir mettre ces chiffres entre parenthèses.

Le sens critique a fait complètement défaut à l'éditeur des *Selections from the Hengwrt MSS*. Par exemple, dans la traduction du roman de *Boun de Hamtone*, roman qui fourmille d'erreurs de copistes de toutes sortes, il n'a pas eu assez d'habileté pour proposer la moindre correction à son texte. Parfois aussi il traduisait des passages irréprochables avec l'étourderie d'un écolier, bien qu'il eût un goût prononcé pour la philologie et qu'il soit plus tard devenu (en 1865) l'auteur d'un *Lexicon Cornu-Britannicum* de quelque importance.

Tel est le caractère des textes, publiés dans les *Selections from the Hengwrt MSS* et utilisés par des éditeurs de chansons de geste. Williams, il est vrai, ne prétendait éditer que les manuscrits de Hengwrt; et là même, ainsi que le démontre le titre de ses volumes, il ne faisait qu'un choix. On ne peut guère, par conséquent, lui faire le reproche, soit de n'avoir pas utilisé le recueil de Hergest, soit d'avoir laissé inédits d'autres manuscrits de la bibliothèque de Hengwrt. On avait quand même le droit de s'attendre à ce qu'il suivît un principe quelconque: il n'y avait aucune raison non plus pour qu'il trompât le public sur le caractère de ses textes. Mais, sans nous attarder plus longtemps aux critiques, sachons reconnaître que par sa publication, si défectueuse soit-elle, Williams a droit à notre reconnaissance. En fait, il aurait pu ne pas nous les donner: comme pasteur il avait d'autres préoccupations que d'éditer des textes de chansons de geste. Nous lui savons gré d'avoir rendu de si grands services à notre ancienne littérature. Mais nous tenons toutefois à bien mettre en relief que d'une part les publications de Williams, malgré leur intérêt, et malgré la bonne volonté de leur éditeur, n'offrent à la critique des anciens textes français qu'un secours minime; que d'autre part, les travaux basés sur les matériaux fournis par ces éditions, tels la *Karls Reise* de Koschwitz, le *Rolandslied* de Stengel, et surtout l'*Anglonormannische Boeuve de Haumtone* de Stimming, sont à refaire sous ce rapport.

La publication du *Seint Greal* en 1876 par Robert Williams, et surtout sa promesse de donner bientôt d'autres textes, fut probablement la raison qui amena Sir John Rhŷs, le professeur bien connu d'Oxford, à s'intéresser au *Pèlerinage de Charlemagne*. Dans tous les cas, par les soins de Rhŷs, une transcription de ce texte, accompagnée d'une traduction anglaise, fut publiée trois ans plus tard dans les *Sechs Bearbeitungen* de Koschwitz. Cette édition est une copie exacte de la version contenue dans le *Livre Rouge de Hergest* sans introduction, variantes, ni notes.

En 1883, M. Thomas Powell, professeur de gallois à la Faculté des Lettres de Cardiff, fit paraître sous le titre de *Ystorya de Carlo Magno* une transcription de tous les textes relatifs à Charlemagne (autre que le *Pèlerinage*) se trouvant dans le *Livre Rouge*. Son édition comprend une partie de la *Chronique de Turpin*, la *Chanson d'Otinel* tout entière, une version de la *Chanson de Roland*. Le texte est continu d'un bout à l'autre et ne porte aucun en-tête indiquant la ligne de démarcation entre les divers textes. C'est une transcription pure et simple sans introduction, notes, glossaire, ni traduction,[5] complément fort utile que devait contenir un second volume; mais une santé délicate, et d'autres travaux plus pressants, vinrent faire obstacle à la réalisation de ce projet.

En 1904 le comité de l'*Eisteddfod Nationale galloise*, désirant combler cette lacune, offrit un prix pour le meilleur travail destiné à mener à bonne fin l'entreprise commencée par M. Powell. Le prix fut décérné au révérend Robert Williams, pasteur anglican de Llanbedr, vallée de la Conway, Galles du Nord, ecclésiastique qui, malgré l'identité de leurs noms, n'a aucune parenté avec l'éditeur des *Hengwrt MSS*. Ce travail, qui fut publié par la *Honourable Society of Cymmrodorion* en 1907, contient une introduction et une traduction anglaise des récits édités par M. Powell. Il ne donne ni variantes ni glossaire; l'introduction est fort peu personnelle et n'apporte aucune contribution à nos connaissances des chansons de geste. C'est d'ailleurs un travail totalement ignoré des romanistes.[6]

Enfin en 1930, sous la plume de M. Stephen J. Williams,

chargé de cours de gallois à la Faculté des Lettres de Swansea, les Presses Universitaires de Galles publièrent principalement à l'usage des étudiants de la section cymrique une réimpression du texte du *Livre Rouge de Hergest* avec introduction, notes et glossaire en langue galloise.

On l'a vu, MM. Rhys et Powell se sont contentés de donner de simples reproductions du *Livre Rouge de Hergest* conservé à la Bodléienne. Faut-il en conclure que les trésors de la collection de Peniarth leur étaient inaccessibles? Nous n'en savons rien. Toujours est-il que le nombre de ceux qui ont obtenu le privilège de travailler dans cette célèbre bibliothèque galloise est resté pendant de longues années extrêmement restreint, et l'on peut affirmer que son contenu demeura ignoré du grand public et même des lettrés jusqu'en 1905. Cette année-là un événement d'une importance capitale pour la littérature et la critique littéraire galloises se produisit. A l'instigation du Chancelier de l'Echiquier (M. Austen Chamberlain) et du Lord Président du Conseil Privé (le marquis de Londonderry), une enquête fut faite pour savoir s'il y avait lieu d'accéder aux voeux des Gallois qui désiraient avoir chez eux une bibliothèque nationale. On délibéra, et le bien-fondé de ces réclamations ayant été reconnu, l'on décida de créer la bibliothèque nationale galloise. La charte royale fut octroyée en 1907 et la bibliothèque fut inaugurée deux ans plus tard dans la ville universitaire d'Aberystwyth sur la côte occidentale du Pays de Galles.

Le principal promoteur de ce mouvement fut Sir John Williams, autrefois médecin de la reine Victoria, qui, après avoir fait fortune dans l'exercice de sa profession, consacra ses revenus à recueillir les manuscrits et les vieux livres de la Principauté. Il acheta plusieurs bibliothèques, entre autres, celle de Shirburn, riche sous maints rapports; et en 1909, il se procura la grande collection que des générations et des générations de connaisseurs fortunés avaient accumulée dans l'ancien château de Peniarth (Meirionethshire), collection qui comprenait aussi les manuscrits ayant appartenu jadis à la bibliothèque de Hengwrt.[7] Le gros des anciens documents intéressant la littérature galloise fut donc transféré à la nouvelle institution nationale.

La nouvelle bibliothèque a été dotée d'une constitution des plus libérales, et jouira désormais des mêmes privilèges que le

Musée Britannique, la bibliothèque de l'Université de Cambridge, la Bodléienne, la bibliothèque de la Faculté des Avocats à Edimbourg, et la bibliothèque du Collège de la Trinité à Dublin; comme celles-ci, elle a droit au dépôt légal de tous les livres publiés dans le Royaume-Uni; et reçut pour son entretien des premières années une subvention annuelle de 4000 livres sterling.

Toutes les sources manuscrites consultées ou non par l'éditeur des *Selections from the Hengwrt MSS* se trouvent donc réunies et seront désormais à la portée de tout étudiant sérieux, *persona grata* ou non, qui voudra y prêter de l'intérêt.

Les manuscrits gallois du fonds de Peniarth, ainsi que ceux qui sont dispersés dans les collections principales d'Angleterre et de Galles, ont été catalogués par Gwenogvryn Evans, aux frais de l'Etat, pour la *Historical Manuscripts Commission*. Ce travail parut en sept fascicules entre 1892 et 1910, sous le titre *Report on Manuscripts in the Welsh Language*; c'est un catalogue qui a déjà rendu des services considérables à la science. Néanmoins au point de vue des textes relatifs à la *Matière de France*, il présente certaines lacunes importantes, comme le montre la notice suivante au sujet du manuscrit 10 de Peniarth:

> MS. 10 = Hen. 46. YSTORYA CHYARLYMAEN, & POETRY. Vellum; 7½ x 5½ inches; 74 folios; late XVth and XVIth century; half-bound in leather.
>
> Folios 5-58b contain the *Chyarlymaen* story, but here and there blanks were left which were afterwards written over with poetry.[8]

Remarquons que ce manuscrit offre des versions du *Pèlerinage de Charlemagne*, de la *Chronique de Turpin*, de la *Chanson de Roland*, versions qui constituent, et pour le *Pèlerinage* et pour le *Roland*, des originaux à part et des versions indépendantes. Ces textes présentent aussi certaines lacunes (le *Pèlerinage*) et des particularités (début du *Roland*); mais Evans n'en dit rien.

La description de ce manuscrit est un exemple typique de celles fournies sur les autres textes carolingiens et les chansons de geste en général.

Un travail sur les manuscrits gallois concernant la *Matière de France*, comblant les lacunes laissées par M. Evans, serait donc œuvre utile.

On devrait donner une description assez détaillée de tout ce qui est connu aujourd'hui à ce sujet, en se tenant, autant que possible, au point de vue des romanistes. A cet effet, on aurait souvent recours à la traduction en anglais ou en français. On devrait y trouver une classification des manuscrits selon les versions et selon les originaux; une étude sur la date de leur mise en gallois; des conclusions sur l'âge des poèmes français qu'ont utilisés les traducteurs. Cette partie apporterait, croyons-nous, des contributions d'une haute importance à nos connaissances des vieilles rédactions de la *Chanson de Roland*; à la date du poème français de *Boun de Hamtone*, à la date du *Pèlerinage de Charlemagne à Jérusalem*.

Les conclusions un peu aventureuses de M. Albert Stimming sur *Boeve de Haumtone* feraient l'objet d'une longue discussion; le but en étant de défendre un traducteur calomnié à tort, et surtout de montrer le caractère des textes critiques qui ont pris pour base la tradition carolingienne, etc., transmise par des documents gallois, les *Selections from the Hengwrt MSS* de Robert Williams.

Morgan Watkin

Notes:

1 *Selections from the Hengwrt MSS*, preserved in the Peniarth Library, Vol. I., *Y Seint Greal*, being the Adventures of King Arthur's Knights of the Round Table, in the Quest of the Holy Greal and on other occasions. Edited with a Translation and Glossary by the Rev. Robert Williams, M.A., etc. London, Richards, 1876.

2 *Ibid.*, Vol. II, containing *Campeu Charlymaen*, *Purdan Padric*, etc., London, Quaritch, 1892.

Ces deux tomes sont depuis longtemps épuisés.

3 Cf. note laissée entre les feuillets de divers manuscrits de ce nom.

4 *Report on Manuscripts in the Welsh Language*, Vol. I, Part II—*Peniarth*, London, 1899, p. 320.

5 *Ystoria de Carolo Magno* from the *Red Book of Hergest*, edited by Thomas Powell, M.A. Printed for the Honourable Society of Cymmrodorion by Whiting & Co. Ltd., Sardinia Street, London, W.C., 1883.

6 *Ystorya De Carolo Magno*, Translated, with Introduction, by the Rev. Robert Williams, B.A., *Y Cymmrodor*, Vol. XX, London, 1907.

7 C'est par erreur que M. J. Loth (*Mabinogion* (2), p. 16 (3)) a mis cette générosité sur le compte des héritiers de Wynne de Peniarth.

8 Gwenogvryn Evans, *ouvr. cité*, I., p. 320.

WHO IS THE KING OF
LA MALE HONTE?

'It is commonly agreed', says a note to a modern edition of *La male Honte*, 'that the king who figures in the story and who is the butt of the satire at the end of both versions is Henry III of England . . . ' [1] A recent work by M. Jean Rychner, [2] in which is revealed something of the complexity of the group of texts covered by this title, prompts me to query the grounds for the belief stated above, and to pose the further question: If the king is not Henry III who can he be? Such is the problem I shall investigate in the present article.

The five extant copies of this *fabliau* fall clearly into two groups on the basis of their presentation of the story: the versions attributed respectively to Guillaume (MSS B.N. fr. 2173 and 19152) and to Huon de Cambrai (MSS. B.N. fr. 837 and 12603, Berne 354).

Briefly the story is this: the King of England in all his glory is approached by a *vilain* who offers him in compliance with the law the estate of his dead friend Honte. The fortune, enclosed in a bag (*male*) is ambiguously referred to by the emissary as *la male Honte* ('foul dishonour', 'bag of shame' or 'Honte's bag'). Thinking himself insulted, the king has the man beaten or threatens punishment (according to the version) and at the third encounter is only dissuaded from more drastic measures by a wise courtier. Having heard the *vilain* out, the king gives him the fortune, as compensation or reward, and it is distributed to his fellow *vilains* or Englishmen.

It is as well to make clear at the outset that those scholars who have commented — most of them all too briefly — on *La male Honte* are in no way unanimous about the alleged link with Henry III. Of those writing before the appearance of Långfors' edition,[3] two flatly ignore the notion,[4] one takes Guillaume's version to allude to John Lackland,[5] and two consider that only one of the versions contains a reference to Henry III.[6] Claude Fauchet, whom Långfors hails as the source of this conviction, knew only the Huon version, and that exclusively in the defective, often anomalous rendering found in MS. 837. His remark is simply that this poem is 'une moquerie faitte contre Henry Roy d'Angleterre . . . '[7] Nor is Caylus, who had read the *fabliau* in the other version (MS. 19152), any more explicit.[8]

The first critic bold enough to assert that both versions 'font allusion aux misères de Henri III, roi d'Angleterre . . . '[9] is indeed Långfors, whose Introduction does not give him space to argue his claim from the texts. It is not clear whether, like M. Rychner,[10] he held the king of the tale to be the butt of its humour, or satire, or whether the *allusions* he mentions are to be seen as additions to an otherwise harmless *conte*. Långfors does not in fact discuss the character of the basic tale and appears to believe that in each of the texts it is the conclusion which decides the content.[11] At any rate it is upon their respective conclusions that he concentrates his attention.

I have argued elsewhere that the story common to all five texts is not a satire upon either the king or the *vilain*, and shall not reopen the question here.[12] Since even M. Rychner agrees with Långfors in thinking that the Berne text and 12603, markedly close in all significant respects apart from their conclusions, must be considered entirely opposed in character, I shall assume that the satire (or humour) against the king is also concentrated, if indeed it does exist at all, in the concluding lines of all the texts except Berne.[13]

What then is the nature and significance of the passages concerned as they appear in their specific contexts? Here in parallel are the relevant lines: [14]

Huon (12603)

(*a*) Et li vilains a raportee
La male Honte en sa contree;
(*b*) A mainte gent l'ont departie,
Encore en ont mainte partie;
(*c*) Sans la male ont il assés,
Car chascun jour lor croist viltés.
(*d*) Par malvais sejour et par lasque
Nous a li honte pris en tasque;
(*e*) Ains que li ans fust trespassés
Ot li rois de la honte assés. (191-200)

Huon (837)

(*a*) Lors a li vilains reportee
La male Honte en sa contree;
(*b*) A mainte gent l'a departie,
Qui en orent molt grant partie;
(*c*) Sanz la male ot il trop de honte
Et chascun jor li croist et monte,
(*e*) Mes, ainz que li anz fust passez,
Ot li rois de la honte assez. (150-158)

Guillaume (19152)

Ce dist Guillaumes en son conte
(*a*) Que li vilains en a portee
La male Honte en sa contree,
(*b*) Si l'a aus Englés departie;
Encore en o[n]t il grant partie;
(*c*) Sans la male ont il asez honte,
Et chascun jor lor croist et monte:
(*d*) Par mavés seignor et par lache
Les a la honte pris en tache. (150-158)

Huon (in all three texts of his version) gives the tale greater dramatic intensity than does Guillaume: conflict between the characters is more pronounced, the *vilain* is beaten and resentful. But his king, a rather colourless character, if less clearly magnanimous, shows nevertheless no particular vices.

Guillaume's king has an epic grandeur: quick to anger but without vindictiveness. Hearing the explanation of the *malentendu* he is vastly amused and he and the *vilain* seem to part without bitterness. Despite the ambiguous symbolism of *La male Honte*, however, it is difficult to accept this king as the 'mavés seignor' evoked by lines 157-8 of the Guillaume text. Even when provoked, his behaviour in a medieval context, and even in the eyes of the *vilain*, could not be termed 'lache'. It could be argued that through his gift to the *vilain* he becomes responsible for the *honte* suffered by his subjects, but this would be at best a casuistical contention. Besides, he is not in this version responsible for the distribution of the legacy. One must conclude that two different kings are concerned. 'Tout est simple ici: l'auteur se contente de mettre en rapport l'anecdote qu'il vient de conter et l'état actuel de l'Angleterre, sans du tout confondre en un seul personnage le roi du récit et le mauvais seigneur qui a plongé son pays dans la honte'.[15] So M. Rychner, who seems nevertheless to make two unjustified assumptions: lines 157-8 do not necessarily refer to a contemporary monarch, nor does the poet (or *remanieur*) seek to differentiate clearly between the two kings. If he had done so our task would have been simpler.

The exact interpretation of this final couplet must depend in some degree upon the sense attributed to *honte* (155, 158). If it means 'suffering', 'wretchedness', then the blame attaches primarily to the king; if 'shame' or 'dishonour' is the sense of the term, then this version will appear to criticise both the English and their king. In either case the kings involved cannot both be Henry III.

In the text of the Huon version given by 12603 the conclusion, though obviously corrupt, perceptibly reproduces the pattern found in the Guillaume version, couplets (*a*), (*b*), (*c*) and (*d*), to which it adds a further two lines.[16] This last couplet as it stands is awkwardly attached to the preceding lines, a shortcoming attributable perhaps to the general corruptness of the text at this point. If the corresponding lines of 837 were substituted, the syntax would be improved, but the two last lines would still be semantically out of harmony with ll. 197-8. These lines, as in Guillaume, would seem to refer to a ruler other than the king of the tale. It is surely this second king ('malvais sejour' must clearly be read as 'm. seignor') who is blamed for the fate of 'mainte gent' (193). On the other hand the final couplet of 12603 could conceivably refer to the king of the tale: if so, it alludes to an event extraneous to and in contrast with the action of the poem. It need hardly be said how vague is the sense of these last two lines, where *honte* is no less ambiguous than in the rest of the poem.

837, the other relevant text, follows the general pattern of couplets (*a*), (*b*) and (*c*), then closes with a fourth couplet similar to 12603 (*e*). In this case it is doubtful whether reference is to any king other than him of the tale, to whom, independently of the action, there accrues some kind of 'dishonour' or 'punishment'. Since this final couplet does not characterise the king, the conclusion of 837 is more credible than those of the other texts concerned. It should be added that the reading given by MS. 837 is not wholly satisfactory at this point, as at a number of others.

In all four of these texts the conclusion stands in contrast to the rest of the poem. Guillaume almost certainly alludes to a king other than the one of the story, with some semblance of anti-English feeling, whereas in 837 only one king is probably involved, and 12603, with its possible two kings, makes poor sense, as if 197-8 were an interpolation. Neither of these Huon texts provides any evidence for an association with Henry III, nor of course do those of Guillaume's version. In respect to 837 at least, it could be argued that the poet regards all his characters as mythical and seeks in his final couplet merely to suggest a balance of *honte* between king and *vilain*. Such an interpretation would not clash with Bédier's view of the tale as a trivial *conte à rire*.[17]

To speak of external evidence in relation to this sort of problem can be misleading, for unless such evidence can be shown to have a connection with the texts, it is no more than conjecture. What then are the possible arguments for the belief in question? Clearly the word of Fauchet, writing at least three centuries after the composition of our tale, could not be considered conclusive, even if he had specifically mentioned Henry III. What he has to say has been supplemented by information about the MSS., which have all been assumed to date from about the end of the thirteenth century. And within a generation or so this has been taken as the period at which the original poem was composed, though we have no proof that any of the extant copies is the original.[18] It has further been assumed that the poems refer to a contemporary king, a belief which our analysis shows to be doubtful. Modern critics are of course rightly cautious about the operation of oral tradition, and only if some suitable material framework could be adduced to explain the survival of a particular legend would they be inclined to depart from the sparse evidence provided by the manuscripts.

Recently MS. 2173, one of the Guillaume texts, has been estimated to date not from the end but rather from the beginning of the thirteenth century.[19] On this reckoning any reference to Henry III would be impossible, and a connection with the reigns of John, Richard I or Henry II becomes conceivable.

Critics must also have been struck by the fact that in this *conte*, written by a mainland Frenchman, the action is set in England and concerns exclusively English characters. Hence the fruitless search for an event in the long, chequered career of Henry III which could have inspired the poet (assuming it to be basically a satire against the king) or motivated his sidelong allusion. Henry's defeat at Saintes, his imprisonment in 1264, his loss of Normandy in 1259, have all been canvassed as possible sources of the so-called satire. Other critics have hinted that the character of that king, particularly his meanness, is involved in this tale.[20] But the mere mention of the tax — a normal enough feudal levy — provides no ground for such a belief, nor is there anything else in the tale to substantiate the charge.

But if we imagine a mainland Frenchman actuated by political animosity to a reigning English monarch, does it not seem unlikely that he would invent so ambiguous a tale, or even seek to adapt it for his immediate purposes? Is it not strange that the allusions he makes are so vague and his manner so restrained that most of his hearers could hardly have grasped his point? He has even in his conclusion, at least in 837 and to some extent in 12603, remained so narrowly within the idiom of the tale, that his 'satire' becomes quite ineffectual. And what a tortuous way to satirise meanness, having the king decline the legacy and give it to the *vilain*!

According to Bédier no source, either folk or literary, is discernible for *La male Honte*.[21] I have already indicated a possible parallel with the Anglo-Norman tale *Le Roi d'Angleterre et le Jongleur d'Ely*.[22] This dates in its earliest form from the first quarter of the 13th century, soon after the Albigensian crusade. There is a similar clash of social extremes, difficulty of communication, ambiguity at the king's expense and moral advice tendered to him. The king is vaguely drawn, and could well belong to any feudal territory; he has never yet been identified with any historical figure, nor has the poem been considered a satire at his expense, though he is much more clearly the butt of the humour than is the king of *La male Honte*. So is the king in an admittedly later poem, *Le Dit du roi d'Angleterre*,[23] which tells of his love for a nun. When, stung by his persistence, she asks the reason for his passion he blames her lovely eyes. She thereupon sends him one of them, without abandoning her vocation. The implication is that there are limits to the dominion of even so great a lord as this, and the king is clearly rebuffed.

Is it possible that the king of England in all three stories could be a stock character? After all neither of the versions of *La male Honte* particularises the king. In neither is he more than a typical medieval monarch, borrowed perhaps in part from the epics, surrounded by an inner circle of advisers, his *barons*, and a throng of *chevaliers*. He lives in London in his *palais*, attending mass each morning and feasting royally. His rôle is essentially to be provoked to wrath, and then, thanks to wise advice, to hear the explanation and give the man the legacy. Huon's version makes the conflict deeper than does Guillaume's, but without suggesting any reluctance on the king's part to forgo the legacy. Nothing of all this is more than the minimal attributes of royalty.

Yet an examination of the text can perhaps indicate another approach to the problem. In the texts of the Huon version Honte is variously described as living in a town (or village) 'en l'eveschié de Cantorbile' (837 l.3) or 'en la tere de Cantorbile' (12603 l.169, Berne l.167). Is the choice of Canterbury significant? The *vilain* swears by 'saint Thomas le vrai (boin) martir' (837 l.35; 12603 l.33; Berne l.39) when he first offers the legacy to the king. This again could be local colour, or it could be a further pointer to a connection with the events of 1170 and the ensuing cult of the murdered Archbishop. 'No single event of this age so profoundly shook the Christian world, says V. H. Galbraith, and this is confirmed by E. Walberg, who mentions that a little over two years after his death, Becket 'fut solennellement inscrit au catalogue des saints'.[24]

A reflection of the same events might also account for the style of the king's outburst in his second encounter with the *vilain*, according to Guillaume:

> . . . Ou sunt mi baille
> Et cil qui menjuent mon pain,
> Quant ne me tuent cel vilain? (2173, ll. 80-82)

His words closely resemble those attributed in both Beneit and the Latin lives of Becket to Henry II. 'Talibus circumventus rex', writes Grim, 'et velut amens effectus, nec se capiens prae furore, nescius quid objiceret, haec iteratis vicibus dixisse fertur: "Inertes ac miseros homines enutrivi et erexi in regno meo, qui nec fidem ferunt domino suo, quem a plebeo quondam clerico tam probose patiuntur illudi".[25]' Herbert of Boscham recounts the same incident: 'Et saepe et saepius, ex ira inflammatus, in funestam vocem erumpens, omnes quos enutrierat, qui familiaritatis gratia et beneficiorum collatione sibi obnoxii fuerant, maledixit, quod ipsum de sacerdote uno non vindicarent . . . '[26] And Beneit expresses the idea more succinctly:

> Kant li reis les out oÿ,
> Curecé devint e marri
> Sanz mesure
> Dist ke male gent aveit nurri,
> Kar vengé fust s'il ust ami,
> Assez le jure.[27]

Such possible echoes of 1170 might be supplemented by the following details: the use of 'empire' (837, l.10; 12603, l.10) to denote the English king's territories; and the emphasis put upon the journeyings of the emissary in search of the king:

> Tant va, tant quiert et tant demande,
> Tant a erré par Inguelande
> Qu'il a trové le roi a Londre. . . . (2173, ll. 29-31)

Is this mere ignorance on the part of the scribe using a well-tried epic cliché, or is it an allusion to a notorious trait of Henry II's?

'If a man was not satisfied with the verdict of a local court, his only recourse', says J. T. Appleby, 'was to the King himself. If the King was in the most remote part of Aquitaine, the suitor had no choice but to follow him there'. This same writer quotes a well-known letter to the King from Pierre de Blois complaining of the difficulty of ever catching up with the royal party.[28]

There is thus evidence within the five texts to link the tale not with Henry III but with his grandfather Henry II. This great feudal monarch, controlling vast territories on both sides of the Channel, a major obstacle to the advance of the French kingdom, and whose court was the cultural centre of Western Europe, was held responsible for the murder of the Archbishop and obliged to do public penance at the tomb of this 'national saint'.[29]

Some significance may also attach to the designation of the wise man in the Huon texts as 'Uns chevaliers de Cornuaille' (837, l.88; 12603, l.138; Berne 148). This obviously influential character may perhaps be a pale reflection of the uncle and close adviser of Henry II, Reginald, Earl of Cornwall, himself deeply involved in the long quarrel between King and Archbishop. The earl seems to have tried to mediate between them at the time of the Council of Clarendon in 1164. Although he died less than five years later he had already witnessed the opening phase of those internecine conflicts destined to bring Henry to a pitiful end, and to destroy Angevin ascendancy in Western Europe.[30]

The evidence which links Henry II with our tale is by no means conclusive, but it is in part drawn from the texts, and it suggests some association with a dramatic historical incident of great importance in the eyes of the medieval public. This event was moreover constantly evoked in later years by the cult of St. Thomas at Canterbury and other centres in Europe.

If Henry II is the king of the tale, what is the particular significance to be attributed to the *male Honte*, the essence of *vilenie*, brought to him after the canonisation of Becket from Canterbury itself? It is not possible to do more than conjecture that it represents the blame for the events of December 1170. If this were the case the concluding couplet of 837 might refer to the King's quarrels with his sons. But the Guillaume version would be more difficult to explain.

We can safely conclude only that in the course of its evolution this *conte* appears to have had some contact with the Becket story, of which echoes have found their way into the surviving texts.

Richard H. Spencer

Notes:

1 R. C. Johnston and D. D. R. Owen (ed.), *Fabliaux*, Oxford, 1957, p. 100.
2 J. Rychner, *Contribution à l'étude des fabliaux*, Neuchatel/Genève, 1960, 2 vols.
3 A. Långfors (ed.), *Huon le Roi: Le vair palefroi avec deux versions de la male Honte*, Paris, 1957.
4 J. Bédier, *Les Fabliaux*, Paris, 5e. éd., 1928, pp. 311-2; G. Paris, *Littérature française du moyen âge*, Paris, 1888, p. 122.
5 A. de Montaiglon et G. Raynaud, *Recueil Général et Complet des Fabliaux* . . . t. IV, p. 234-5.
6 W. Söderhjelm, 'Hughes le Roi de Cambrai', *Romania*, XXV (1896), pp. 449-455; G. Gröber, *Grundriss der romanischen Philologie*, t. II, i (1902), pp. 836-7.
7 Claude Fauchet, *Recueil de l'Origine de la Langue et Poésie françoise*, Paris, 1581, pp. 181-2.
8 Le Comte de Caylus, *Mémoire sur les fabliaux* (Mémoires de Littérature, tirés des registres de l'Académie Royale des Inscriptions et Belles-Lettres, t. XX), Paris, 1753, p. 352. I have not included among the critics bibliographers such as Du Verdier, or Lacroix, or compilers like Legrand d'Aussy and A. Dinaux, all of whom pass on the verdict of one or other of their predecessors, usually with unjustified emendations.
9 Långfors, *Huon le Roi*, p. xv.
10 Rychner, *Contribution*, t. I, p. 27.
11 *Huon le Roi*, p. xiii.
12 In an article, 'The *Courtois-vilain* nexus in *La male Honte*', due to appear shortly in *Medium Aevum*.
13 Rychner, *Contribution*, t. I, p. 23; Långfors, *Huon le Roi*, pp. x-xi.
14 I have used, for the Guillaume version the edition by Johnston and Owen (*Fabliaux*, pp. 51-55), for the other texts Rychner, *Contribution*, t. II, pp. 16-27.
15 Rychner, *Contribution*, t. I, p. 27.
16 No suggestion as to the priority of one or other version is intended here.
17 *Les Fabliaux*, Ch. X.
18 M. Rychner, *Contribution*, t. I, p. 24, suggests that the existing copies of the Huon version are unlikely to comprise the original (of Huon).
19 J. Legry-Rosier, 'Manuscrits de contes et de fabliaux', *Bulletin d'information de l'Institut de recherche et d'histoire des textes*, No. 4, 1955, p. 41.
20 Johnston and Owen, *Fabliaux*, p. 101.
21 Bédier, *Les Fabliaux*, pp. 283-4.
22 Cf. J. Ulrich's publication of four texts of this tale in *Zeitschrift für romanische Philologie*, VIII (1884), pp. 275-289.
23 H. P. Dyggve, *Le Ms. fr. 1708 de la B.N.*, 1938 (*Neuphil. Mitt. Sonderabdruck XXXIX*), p. 30. The author describes the MS. as of the latter half of the 14th century.
24 V. H. Galbraith, 'The Literacy of the Medieval English Kings', *Proceedings of the British Academy*, 1935, p. 214; E. Walberg, *La tradition hagiographique de Saint Thomas Becket* . . . , Paris, 1929, pp. 9, 10. Cf. P. A. Brown, *The Development of the Legend of Thomas Becket* (Thesis), Philadelphia, 1930, pp. 17-18; and Jordan Fantosme, *Chronique . . . Chronicles of the Reigns of Stephen, Henry II and Richard I* (Rolls Series), vol. III, 1886, p. 370.
25 J. C. Robertson (ed.), *Materials for the History of Thomas Becket*, London, 1875, vol. II, p. 429.

[26] Robertson, *Materials*, vol. III, p. 487. Cf. *ibid.*, vol. I, pp. 121-2, vol. III, pp. 128-9, vol. IV, pp. 197-8, and P. A. Brown, *Development* . . . pp. 17, 114.
[27] B. Schluyter (éd.), *La Vie de Th. Becket par Beneit*, Lund, 1941, ll. 1549-1554.
[28] J. T. Appleby, *Henry II*, London, 1962, pp. 63. Cf. R. R. Bezzola, *Les Origines et la formation de la littérature courtoise en Occident*, 3e. partie, t. I, p. 32 (n. 3) and p. 93. The same trait is also noted by Wace, *Roman de Rou*, ed. H. Andresen, Heilbronn, 1877, p. 209, and by Etienne de Fougères in his *Livre des Manières*, quoted by J. Crosland, *Medieval French Literature*, Oxford, 1956, pp. 153-4.
[29] J. T. Appleby, *Henry II*, p. 223; P. A. Brown, *Development* . . . p. 19.
[30] D.N.B., vol. XLVII, p. 422; Appleby, *Henry II*, pp. 91-2, 236. Cf. E. A. Francis, 'Marie de France et son temps', *Romania*, LXXII (1951), p. 95: 'Reginald, comte de Cornwall, qui veillait aux intérêts d'un roi (et neveu), comme médiateur prudent et expérimenté. Il était le chef naturel de tels éléments à la cour'.

THE EARLIEST VERSION OF THE *DITS DES OISEAUX*

Like many another didactic poem, the *Dits des Oiseaux* has little claim to aesthetic merit. It is, however, of importance in various ways to the literary historian. In the first place, it marks the end of the medieval bestiary-tradition which, in French, had begun with the poem of Philippe de Thaün in the early twelfth century.[1] Through its adoption of a stanza-form, the *Dits* may also be considered as a link between the medieval bestiary and the Renaissance emblem-book, such as Guillaume Guéroult's *Blason des Oyseaux*.[2] Further, the poem belongs, in its earliest version at least, with the late-medieval and early Renaissance didactic poems in stanza-form which accompanied illustrations of various sorts, the mural *Danse Macabre* or the tapestry-verses of Henri Baude. By the inclusion of an adage to end almost every stanza, it may also be considered as proverb-literature. Finally, it is interesting as an early poem of wide circulation and general appeal. In its most expanded version it was usually included in the most famous popular encyclopaedia of the Renaissance, the *Calendrier des Bergers*. It even persisted, though in a debased form, into the eighteenth-century chapbook editions of this compilation.

A serious attempt to edit the *Dits des Oiseaux* was made by J. Morawski in 1930.[3] The Polish scholar took as his basic text the one contained in a Tours manuscript which will be described later, and provided variants from a number of early printed versions of the poem. The value of this edition is marred by numerous printing errors,[4] by the editor's ignorance of the presence of another manuscript version of the poem in the Bibliothèque Nationale,[5] and by his failure to perceive that the versions of the poem fall into three distinct groups.

The three versions of the *Dits* are composed, as follows, of stanzas each of which is supposed to be spoken by a different bird:

I. Seventeen quatrains of octosyllabic lines rhyming *a b a b*.

II. The 17 stanzas of Version I, followed by a quatrain rhyming *a a b b*, which is in turn followed by 16 five-line stanzas taken from another bird-poem, the *Conseil des Oiseaux*, an edition of which is in preparation.

III. A much enlarged and modified version of the preceding, containing altogether 91 stanzas. It appears to have been specially prepared for the new edition of the *Compost et Kalendrier des Bergiers* which Guyot Marchant brought out in Paris in 1493. This version, on fols. M.iii r° — N.i., may be most easily consulted in the facsimile edition of the *Calendrier* published with an introduction by Pierre Champion in 1926.

Morawski's edition is now clearly inadequate, and as a first step in the re-editing of the poem in its three versions, I present here the text of Version I.

Texts of Version I

The first version is found in two manuscripts and a few early editions.

Manuscripts

T = Tours MS. 907. This fifteenth-century collection of religious and moralising works consists now of 133 paper folios written in at least two hands. It formerly belonged to the Abbey of Marmoutier. Among its numerous contents[6] are Latin prayers, extracts from the Bible, *Le Debat du chartreux et de l'omme mondain, son compannion*, *Le Debat de l'anme et du corps* and the *Dance macabre*. The presence of this last poem may well indicate a date after 1424 for the compilation of this miscellany, and there is little reason to believe that it does not belong to the second half of the fifteenth century. The *Dits des Oiseaux* occupies fols. 87 to 89 r° under the rubric *S'ensuyvent aucunes significacions morelles / / prinses sus la proprieté de certaines oyseaulx*.

It was this text that Morawski edited.

P = Paris, Bibliothèque Nationale, fr. nouv. acq., 6639. This fifteenth-century paper manuscript, all in one hand, is likewise a miscellany. It is, however, mainly taken up with prose romances: *Le Livre du Conceil des Princes* (*Mélibée et Prudence*), *Le Dit des Oyseaulx* (fols. 36 v° — 38 r°), *Le Conseil des Oyseaulx*, *Le Romant de Ponthus de Galice et de Sydoine de Bretagne*, *L'Istoire de la Chastelaine du Vergier* et *Le Debat de Deux Seurs* (unfinished).

This text of the *Dits* was included in a partial edition of the manuscript which was published anonymously at Florence in 1888 under the title *Novella e Poesie francesi inedite o rarissime del secolo XIV*. In his review of this edition,[7] Paul Meyer identified the editor as the 'baron de Saint-Pierre'. Federigo Emmanuele Bollati di Saint-Pierre was the curator of the Piedmontese archives and the author of a number of works on local history. The edition was limited to 50 copies, and examples of it are now very rare.[8] The manuscript had belonged to a noble family in the Val d'Aoste prior to coming into the hands of the editor. The Bibliothèque Nationale purchased it in 1896.

Bollati di Saint-Pierre, who identified the four coats of arms in the manuscript (p. xi, n. 1, and p. xii, n. 2), seems not to have perceived the significance of their presence for the dating of the manuscript. The arms of France are found within the initial U on fol. 1 r° and those of Challant are at the bottom of the page; fol. 42 r° presents the arms of Savoy within an initial C, while on fol. 65 v°, again within an initial U, the arms of Challant are coupled with those of La Chambre. In 1452 Amédée IX of Savoy married Yolande, daughter of Charles VII of France. Yolande later had as chamberlain and counsellor Louis, third count of Challant, who married Marguerite, daughter of the count of La Chambre in 1477.[9] No other events of the period serve to explain the presence of these four coats of arms, and the manuscript may thus safely be considered to date from 1477 at the earliest.

Early Editions

These fall into two groups.

L = *Les ditz / / des oyseaulx / / Moralisez.* Pierre Mareschal and Barnabé Chaussard, Lyon. Undated.

The only known copy is in the Bibliothèque Méjanes, Aix-en-Provence (Rés. D. 414). Morawski was not able to consult it.

The publishers, well-known for their series of popular French texts, were in partnership from 1492 to 1515. The device on the title-page is a late one, 2 *bis*, apparently first used in 1499.[10] This edition probably dates from the very early years of the sixteenth century.

Pa = a number of undated editions of *Les dictz des bestes et aussi des oyseaulx* published in Paris at 'la rue neufve nostre Dame a lescu de France'.

This address is that of Jean Trepperel, the great Parisian publisher of popular works, who had moved there by May 1504, and of his successors.

Pa[1]. A. de Montaiglon published the text of one of these editions in his *Recueil de poésies françoises des XVe et XVIe siècles* (t.I, Paris, 1855, pp. 256-64). On p. 264, note 1, he suggests that the publishers were Alain Lotrian or Jehan Jehannot. The text of the *Dits des Oiseaux* follows the order of the stanzas in *P* with the exception of the inversion of *P*'s stanzas XI and XII, the importance of which will appear later.

Pa[2]. One of these editions was published in facsimile on paper and, in a limited edition of 40 copies, on vellum, probably in Paris, about 1830-40. Some divergent spellings between this facsimile and Montaiglon's edition indicate a different original. The British Museum *General Catalogue* suggests that the publisher was Alain Lotrian and that the date of publication might be 1525.

Pa[3]. The only original edition of *Pa* consulted (B.M., C.30a.23). This differs from *Pa*[2] in some of the woodcuts, in spellings and punctuation, and, in particular, by the placing of *P*'s stanzas 2-5 at the end of the poem. The British Museum's *General Catalogue* gives a tentative date of 1505 to this edition; but the misplacement of the stanzas may indicate a later one.

Two features of *Pa* need to be noted.

(i) The *Dits des Oiseaux* follows the 22 quatrains of the *Dits des Bêtes* under the rubric *Cy commence* (sic) *les dictz* / / *des oyseaulx*, thus keeping its separate identity. The *Dits des Bêtes* does not seem to have survived in manuscript; it was far less popular than the *Dits des Oiseaux* and is usually found coupled with it (Version I only). It may well have been composed as a companion-piece to the older *Dits des Oiseaux*.[11]

(ii) These editions are illustrated by woodcuts. Each bird-stanza is placed beneath a small one portraying that bird. The identification of the birds in these crude illustrations is not always easy, a fact which probably accounts for discrepancies between the various editions, e.g. the illustration to the eagle in *Pa*[2] is allotted to the pigeon (*coullon*) in *Pa*[3].

The Wall-Verses of the Château de la Barre (*Indre*)

The wall-paintings in a chapel of the Château de la Barre included a number of birds above which were the appropriate stanzas from the *Dits des Oiseaux*. The castle was destroyed by fire in 1934, and our knowledge of these paintings is derived from two articles[12] and a coloured sketch.[13] The latter, which shows the disposition of three birds, permits the identification of an eagle and of a dove-like bird, the third being too faded. The presence of the stanzas is, of course, merely indicated, and for their wording, as for other information, one is dependent on the two articles. The descriptions they provide of the paintings are not, unfortunately, as detailed as one would like. Further, in the 80 years that separated them, the paintings had undergone restoration, the accuracy of which cannot be gauged.[14] The first, Chergé, had said that symbolic birds appeared all round the chapel, and Forbin added nothing to this statement. Four birds only are mentioned, and there may, indeed, have been no more: the pelican, phoenix, eagle and dove. The quatrains appeared above them and these Chergé copied as best he could. All four belong to Version I and are therefore included in this edition (*B*), although a few differences in wording seem to link them more clearly, though not conclusively, with the same stanzas in Version III. These correspondences will be indicated. Forbin, who considered at length the identity of the two personnages, male and female, reproduced in the paintings, came to the conclusion that a date towards the end of the fifteenth century was most likely for this artistic composition. In that case the correspondence of the stanzas with Version III (1493 onwards) would be explained.

The Origins of the Poem

Some consideration of the two manuscript versions is a necessary prelude to a discussion of the poem's origins.

One difference between the two versions is immediately striking, since it concerns the order of the stanzas, for example, *P* begins with the peacock, *T* with the eagle. A comparison of the order followed by the two texts reveals nevertheless a curious pattern of correspondence, e.g. *P* 1 = *T* 13, *P* 5 = *T* 14, *P* 9 = *T* 15. This seems to show that the original stanzas were grouped in fours. If we accept the indication given by *Pa* that *P*'s stanzas 11 and 12 are in the wrong order, we arrive at the basic pattern. In the reconstruction that follows, the numbers of *P*'s stanzas are given first; the corresponding ones of *T* follow within parentheses.[15]

1 (13)	5 (14)	9 (15)	13 (4)
2 (9)	6 (10)	10 (11)	14 (12)
3 (5)	7 (6)	12 (7)	15 (8)
4 (1)	8 (2)	11 (3)	16 (16)
	17 (17)?		

With the single discrepancy of stanzas 13 (4) and 16 (16), the correspondence is exact. It seems to show that the original poem was arranged in groups of four stanzas on a flat surface and that the differences in order between *P* and *T* are simply due to the stanzas being read off in a different way: the *P*-reading beginning top left and continuing downwards, while the *T*-reading began bottom left and continued across. The original surface could have been either a wall or a tapestry. I have been unable to discover either, but the evidence from the Château de la Barre favours the former, as does the fact that a similar German poem was painted on the walls of the Emperor Maximilian I's bedchamber at Innsbruck.[16]

A second difference between the two texts concerns the bird-names. Most of these divergences are probably merely orthographical, e.g. *P fenis*, *T fenix*, or *P coulomp*, *T coulon*, but a few may be of dialectal origin, e.g. *P corbeau*, *T corbin*. Only in one case are two different birds involved: *P*'s *coq gal* is *T*'s *coquu*! The correspondence is in fact close and leads one to suspect that in the original too the bird's name headed the stanza. There is little doubt that in the case of the one serious divergence, the *P* title is the correct one: it is the cock and not the cuckoo that is intended (*P* 11). Does this divergence mean that *T* reflects a later copying, when the headings were becoming indistinct?[17] This possibility might also help to explain the dialectal forms in *T*, though these could well be due to a deliberate substitution.

The presentation of the stanzas at the Château de la Barre and the woodcuts in *Pa* give a hint that the original quatrains were accompanied by portayals of the appropriate birds. It was a fashion of the times to decorate walls with such illustrated poems: the *Danse Macabre*, *Les Trois Morts et les Trois Vifs*, the *Peines d'Enfer*, the *Proverbes en rimes* and many others. These poems and their illustrations, like the *Dits des Oiseaux*, sometimes found their way into early printed books, e.g. Guyot Marchant's edition of the *Danse Macabre*.

The *Dits des Oiseaux* remains anonymous. Its origins are obscure. The verses do not clearly derive from any known French bestiary. Their relationship with similar German poems of the fifteenth century is unsure, and far too complex to be discussed here.[18] All points to their being a fifteenth century composition. The verses were probably commissioned by some nobleman as part of the decoration of a private room or chapel.

The discrepancies between the two manuscripts make it most unlikely that either is a direct copy of the original. *T* is derived from one copy; *P* and the printed versions represent another.

Title

The title given to the poem, the *Dits des Oiseaux*, though fully appropriate, is almost certainly not original. Indeed, if my supposition as to its origin is correct, it would have had no title. An absence of title is suggested by the rubric to *T*, already quoted. *P* provides *Le Dit des Oyseaulx*, possibly as a counterpart to *Le Conseil des Oyseaulx*, which follows it in the manuscript. The title *Les Dits des Oiseaux* seems nevertheless to have been accepted before 1493, as the prologue to Version III indicates:

> Pluseurs sont qui ont veu les dis des oyseaux, mais non pas en la forme comme ceux qui s'ensuivent, car aucuns bergiers sont plus saiges l'un que l'autre, ainsi come des autres gens. Si congnoit on que le Bergier qui a fait les ditz qui ensuivent avoit plus congneu d'oiseaux que tous autres bergiers. (M. iii. V⁰)

The title of *L*, *Les ditz des oyseaulx moralisez*, should also be noted.

Language and Date of Composition

The language of the poem in both manuscripts is Middle French, and a date in the fifteenth century, even post-1450, is quite acceptable on linguistic grounds. The poem shows the linguistic confusions and hesitations typical of the period. This is perhaps most easily illustrated by noting the presence or absence of final *s* in forms of the First Person Singular of the Present Indicative.

estre: 9 examples (I, 2; II, 1; IV, 1; VIII, 1; X, 2; XI, 3; XII, 1; XIII, 1; XV, 3). *P* uses only the form *suis*, whereas *T*, while chiefly employing *suys*, twice uses the older form, *suy* (= *P* X, 2 and XI, 3).

vouloir: 4 examples (II, 2; VI, 1; X, 3; XIV, 3). *P* uses uniformly *veuil*. *T* omits one (= II, 2), and uses a different spelling in each of the other three cases: *viel*, *vueil* and *veil* respectively.

voir: 3 examples (I, 1; IV, 3; XVI, 3). Both use the older form, *voy*.

devoir: 1 example (VII, 3). Both use *doy*.

savoir: 1 example (V, 1). *P scay*; *T soy*.

faire: 2 examples (VI, 2; VII, 3). *P fois* and *fais*; *T foys* and *faz*, the Old French form.

The following forms with final *s* are also found: *maintiens* (XI, 2); *meurs* (V, 3; IX, 2); *rens* (II, 3); *reviens* (IX, 3); *tiemps* (XV, 2, *T tiens*); *vis* (IX, 1).

There is a similar hestitation in the employment of the subject pronoun, *je*.

estre. On 3 occasions the pronoun is omitted (I, 2; X, 2; XI, 3). In each case an adjectival complement precedes the verb; in only one case (XII, 1) is the pronoun used in such circumstances.

avoir: 4 examples (III, 3; X, 1; XIII, 3; XIV, 2). Only in the last case is the pronoun used.

vouloir. In only one of the four cases is the pronoun used (II, 2).

The pronoun is not used with the three reflexive verbs: *m'avise* (XII, 2); *me maintiens* (XI, 2); *me tiemps* (XV, 2). Elsewhere the tendency is to use the pronoun.

Three archaic forms occur in both manuscripts. Each is found in the last line of a stanza, that is to say in the final adage. An archaic form is natural enough here and has little or no bearing on the date of composition. It is interesting to note, however, that other versions of the poem tend to prefer more modern words or forms.

III, 4: *amer*. *L* and *Pa* have the analogical form *aimer*.

IV, 4: *beneys*, *T benois*. *B* substitutes *bienheurés* and Version III has *heureux*.

IX, 4: *aront*, 3 Pl. Future of *avoir*. The *arai*-forms still found approval in the sixteenth century, but *B*, *L* and *Pa* have *auront*.

Relative Chronology of the two Manuscript Versions

P

The palatalisation of *n* is found in three words: *regnart* (XII, 3), *magniere* (XIII, 2) and *pugnaisie* (XV, 2). The first and third forms, not uncommon in Middle French texts, are also found in *T*. *Magniere*, for *maniere*, is found, though more rarely, in texts of the same period; *T* has another variant, *manniere*.

There are a few curious spellings:

(i) *tiemps* (XV, 2) for *tiens*; cf. *coulomp* for *coulon* (XIII).
(ii) *et* for *est* (V, 2; VII, 1).
(iii) *tourjours* (XI, 2); cf. *armertume* in *T* (= XIII, 3).
(iv) *se* for *ce* (XI, 2; VII, 3); cf. *segoigne* (III, *T sygoingne*) and *signe* (V, *T sygne*).

Of morphological interest is the form *oysel* (XVI, 1), where *T* has the more modern *oyseau*. *T* also reveals a more modern usage by substituting the preposition *a* for *en* in the phrase *en ma plaisance* (III, 1).

T

The archaic verbal forms *faz* and *suy* have already been noted.

T twice uses the curious graphy *poient* / *poyent* for *point*, the negative particle (= V, 3 and XIII, 3). The Middle French form, *ainsin*, with nasalisation of the final vowel, is also found (= X, 4).

In the final lines of two stanzas, *T* has archaic forms not in *P*: *pluseurs* (= XII, 4) and *pechié* (= XVI, 4). They are of little chronological significance, since they occur in proverbs.

Of more importance is the form *eve*, if this is the correct transcription of the manuscript's 'eue'. *P* has *eaue* (VI, 1). The form *eve* might well indicate a Western copyist in the *T*-tradition, though it might reproduce the original.

The analysis shows that there is no clear sign that one manuscript version is older than the other.

Birdnames

The inadequacy of *T*'s title, *le coquu*, for the quatrain that *P* gives to the *coq gal* (XI) has been noted. The presence of the synonym *gal* in *P*'s title is itself puzzling. It could have had an explanatory function at a time when the word *coq* was ousting O. Fr. *jau* (GALLUS) over large areas of the North. But this does not explain the apparently Southern form of the word. Could it be that the original wall-painting was in the borderland between the langue d'oïl and the langue d'oc?

Apart from the above and a few scribal peculiarities,[19] the bird-names in *P* are the usual central and literary ones. Three names in *T*, however, show marked dialectal features.

La hupe (XV) is replaced in *T* by *le puput*. This reduplicative form has an obvious onomatopoeic value, but the popular reformation of the derivative of UPUPA was influenced by the semantic connection with the verb *puer* and the adjective *pute* (cf. *pugnaisie* in v. 2 of the stanza). Such dialectal reformations are found across the country, in Burgundy as in Anjou, and have both masculine and feminine forms.

T's *corbin* for *P*'s *corbeau* (XII) derives from the adjective CORVINUS. As a designation of the raven or the crow, it is recorded only exceptionally in Old French, but it is more common in Middle French, and exists today in Western and North-western dialects.

T's *chouan* for *chahua[n]* (XVI) is more clearly a Western form. Both names derive ultimately from CAVANNUS, of Celtic origin.

The three bird-names peculiar to *T* give another hint of some Western influence in the transmission of that version of the poem.

Editing

Chronological precedence cannot be given to *T*, as Morawski supposed (pp. 119-120). It seems best therefore to confront the two manuscript versions. For ease of reference, however, one has to take precedence. Pride of place is given to *P*, not merely because that text is less readily available than *T*, but because the order of its stanzas is, with one exception, also that of the printed versions. Their variants can thus be more easily presented.

I have scrupulously observed the manuscript readings, even though this has meant reproducing some lines that are metrically false. I have confined myself to amplifying the abbreviations and making a very few unavoidable emendations, which are duly noted. I have largely followed Morawski's punctuation of *T*, in particular his use of the colon to precede the final adage. Only once do I note a different reading from that of the previous editors (IX, 3); that is because all other divergent readings are few and slight, and have been carefully rechecked against the manuscripts. As for *B* and the early editions, only their principal variants to *P* are given; mere orthographical differences are not included unless they have a special interest.

The Text

P

I. *Le paom*

Quant je voy ma belle figure,
Orguilleulx suis, haultain et fier;
Telle folie peu me dure:
Nul ne se doit gloriffier.

T

XIII. *Le paon*

Quant je voy ma belle figure,
Orgueleux suys, haultain et fier,
Telle folie peu me dure:
Nul ne se doit glorifier.

Var. pan *L.* 3. m'y *L.*

II. *Le pelican*

Je suis d'une telle nature
Que je veuil morir pour les miens;
Vie leur rens par ma mort sure:
Ainsi fist Jhesucrist aux sciens.

IX. *Le pellican*

Je suis de telle nature
Que je [veil] mourir pour les miens;
Vie leur rans par ma morsure:
Aussi fist Jhesucrist aux ciens.

Var. peliquam *L.* 2. Car j. *B L.* 3. morsure *B* (also Version III) *L*; V. je l. r. p. morsure. *Pa.* 4. pour les siens *L Pa.*

III. *La segoigne*

Pour estre bien en ma plaisance
J'ayme moult le peuple humain;
Des miens nourrir ay souvenance:
Chascun doit amer son prochain.

V. *La sygoingne*

Pour faire bien a ma plaisance
Je ayme moult le peuple humain;
Des miens nouri[r] ay souvenance:
Chascun doit amer son prochain.

T 3 nouris.
Var. Le sigoigne *L.* 1. b. a *L Pa.* 2. mieulx *Pa.* 4. aymer *L*, aimer *Pa.*

IV. *L'aigle*

De tous oyseaulx je suis le roy;
Voller je puis en si hault lieu
Que le soleil de pres je voy:
Beneys sont ceulx quy (?)
voient dieu.

I. *L'aigle*

De tous oyseaulx je suys le roy;
Voler je puys en si hault lieu
Que le soulail de pres je voy:
Benois sont ceulx qui
voyent Dieu.

P.4. Small hole in ms.
Var. 4. Benoistz *L*, Benoist *Pa*, Bienheurés *B.* (*cf.* Heureux *Version III*).

V. *Le signe*

Chanter je scay bien en ma vie
Chant quy et moult delicieulx;
Quant je meurs point je ne l'oublie:
Quy bien vit doit morir joieulx.

XIV. *Le sygne*

Chanter je soy bien en ma vie
Chant qui est moult delicieux;
Quant je meurs poient je ne l'oublie:
Qui bien vit doibt mourir joyeulx.

Var. Le Rossignol *L Pa.* 1. b. a *L.* 3. *second* je *omitted L Pa.*

P	*T*
VI. *Le butor*	X. *Le butour*
Quant dedans l'eaue veuil crier, Je fois ung tres horrible son; Nul ne doit son mal publier Ne de aultruy blasmer le non.	Quant dedans l'eve viel crier, Je foys ung treshorrible son; Nul ne doibt son mal publier Ne d'aultruy blasmer le renon.

Var. Le Voltou *L*, Le Vaultour *Pa*. 4. bailler *Pa*.

P	*T*
VII. *La perdrix*	VI. *La perdriz*
Charnalité et tant en moy Que ne m'en puis astenir; Je fais se que faire ne doy: Luxurieux moult doit cremir.	Charnalité est tant en moy Que ne m'en puys abstenir; Je faz ce que faire ne doy: Luxurieux doit dieu cremir.

Var. Le perdris *L*. 4. bien d. *L Pa*^{2,3} doit bien *Pa*.[1]

P	*T*
VIII. *Le faisant*	II. *Le phesant*
Je suis pour creature humaine Bon a mengier et savoureulx; Quy viande veult plus certaine Dieu donne biens delicieulx.	Je suys pour creature humaine Bon a menger et savoureux; Qui veult viande plus certaine Dieu donne biens delicieux.

Var. 2. m. aussi s. *L Pa*.

P	*T*
IX. *La fenis*	XV. *Le fenix*
Seulle je vis trop longuement, Et puis je meurs; par droit divin Vive reviens hastivement: Les bons aron[t] joye sans fin.	Seule je vis treslonguement, Et puys je meurs; par droit divin Vive reviens hativement: Les bons aront vie sans fin.

P. 4. small hole in ms.
Var. Le fenix *L Pa*. 1. tres *B L Pa*. 2. je *om*. *B*. 3. Vivre *B Pa* (also Version III); V. je viens *L Pa*; remeus *Bollati di Saint-Pierre*. 4. auront *B L Pa*.

P	*T*
X. *La grue*	XI. *La grue*
Ma comppaignie ay moult cher; Doulce luy suis et debonnaire. Pour l[a] bien garder veuil veiller: Le bon pasteur doit ainssi faire.	Ma compaigne je ay moult cher; Doulce luy suy et debonnaire. Pour la bien garder vueil veillier: Le bon pasteur ainsin doibt faire.

P. 3. *ms*. le.
Var. 4. p a. d. f. *L Pa*.

P	*T*
XI. *Le coq gal*	III. *Le coquu*
Hardy, joieulx et liberal Me maintiens tourjours en se monde; Amoureux suis et cordial: Charité en tous lieux habonde.	Hardy, joyeulx et liberal Me maintiens toujours en ce monde; Amoureux suy et cordial: Chairité en touz biens habunde.

Var. Le Coq *L Pa.* 1. Hardis *L.* 4. C. et t. *L*; t. biens *L Pa.*

XII. *Le corbeau*	VII. *Le corbin*
Subtil je suis en tous mes fais; De mal faire souvent m'avise. Le regnart et moy avons paix: Plusieurs sont plains de grant faintise.	Soutil je suys en tous mes faiz; De faire mal souvent m'avise. Le regnart et moy avons paiz: Pluseurs sont plains de grant faintise.

Var. 3. renart *L*, regnard *Pa.* 4. fantasie *Pa.*

XIII. *Le coulomp*	IV. *Le coulon*
Je suis en tout temps par coustume Simple et de belle magniere; Point n'ay de fiel ne d'amertume: Inocent a tous fait grant chere.	Je suys en tous temps par coustume Simple et de belle manniere; Poyent n'ay sus moy d'armertume: L'inocent a tous fait grant chere.

Var. colon *L*, coullon *Pa.* 4. L'innocent *Pa*; f. a t. *L Pa.*

XIV. *La tourterelle*	XII. *La turterelle*
Chastetté garde netement Quant j'ay perdu ma compaignie; Vivre veuil solitairement; Cuer devot ayme nete vie.	Chasteté garde netement Quant j'ey perdu ma compaignie; Vivre veil solitairement; Cueur devot ayme nete vie.

Var. 1. mainctement *B.* 2. Q. je n'ay point de c. *B* (*This is also the reading of Version III*). 4. saincte v. *B* (necte *Version III*).

XV. *La hupe*	VIII. *Le puput*
Mon vivre si n'est qu'en ordure, Car en pugnaisie me tiemps; Si suis je de belle figure: Beaulté sans bonté ne vault riens.	Menger je ne veil riens qu'ordure, Car en pugnaisie me tiens; Si je suys de belle figure: Beauté sans bonté ne vault riens.

Var. 1. Manger si ne veulx qu'ordure *L Pa.* 3. S. j. s. *L Pa.*

P	*T*
XVI. *Le chahua[n]*	XVI. *Le chouan*
Chascun oysel si me deboute,	Chascun oyseau sy me deboute,
Pourtant me fault voler de nuit;	Pource me fault voler de nuyt;
De mes yeulx par jour ne voy goulte:	De mes yeulx par jour ne voy goute:
Quy peché fait, peché luy nuit.	Qui fait pechié, pechié luy nuyst.

Var. chahuan *L Pa.* 1. oyseau *L Pa*; si *om. L.* 3. de j. *L Pa.*

P	*T*
XVII. *La pye*	XVII. *La pie*
Quy bien veult son secrept celler,	Qui bien veult son segret celer,
Devant chascun pas ne le dye;	Davant chascun pas ne le dye;
Mais se tiengne de trop parler,	Mes se tienne de tropt parler,
Autrement monstre sa folie.	Autrement montre sa folye.

Var. 1. Q. b. s. s. v. c. *L Pa.* 4. ta *L.*

Explicit *T*

Wordlists

(References are to *P* by stanza and line number)

(*a*) *Bird-names* (*Index*)

aigle *s.m.* IV.
buto(u)r *s.m.* VI.
chahua[n] *s.m.* XVI.
chouan (*T*) *s.m.* XVI.
coq gal *s.m.* XI.
coquu (*T*) *s.m.* XI.
corbeau *s.m.* XII.
corbin (*T*) *s.m.* XII.
coulomp (coulon *T*) *s.m.* XIII.
faisant *s.m.* VIII.
fenis *s.f.* (fenix *s.m. T*) IX.
grue *s.f.* X.
hupe *s.f.* XV.
paom (-n *T*) *s.m.* I.
pel(l)ican *s.m.* II.
perdrix (-z *T*) *s.f.* VII.
phesant (*T*) *s.m.* VIII.
puput (*T*) *s.m.* XV.
pye (pie *T*) *s.f.* XVII.
segoigne (sygoingne *T*) *s.f.* III.
signe (sygne *T*) *s.m.* V.
t(o)urterelle *s.f.* XIV.

(*b*) Items of linguistic interest other than those included in the section on Language.

charité, chairité *T s.f.* XI, 4.
charnalité *s.f.* VII, 1.
chascun *pron.* III, 4; XVII, 2; *adj.* XVI, 1.
com(p)paignie *s.f.* X, 1; XIV, 2.
cordial *adj.* XI, 3.

cremir *vb*. VII, 4.
deboute 3 *Pres. Indic*. XVI, 1.
dedans *prep*. VI, 1.
devant, davant *T prep*. XVII, 2.
doit, doibt *T* 3 *Pres. Indic*. V, 4; VI, 3.
dye 3 *Pres. Subj*. XVII, 2.
en *prep*. III, 1 (a *T*); IV, 2; V, 1; VII, 1; XI, 2; XI, 4; XII, 1; XIII, 1; XV, 1; XV, 2.
grant *adj. F*. XII, 4; XIII, 4.
habonde, habunde *T*, 3 *Pres. Indic*. XI, 4.
moult *adv*. III, 2; V, 2; VII, 4; X, 1.
ne *neg.part*. VII, 2; VII, 3. Ne . . .gou(l)te XVI, 3; ne . . . nul L, 4; VI, 3; ne . . . point V, 3; XIII, 4; ne . . . riens XV, 4.
non, renon *T* s.m. VI, 4.
orguilleulx, orgueleux *T*, I, 2.
plain *adj*. XII, 4.
quy *rel.pron*. VIII, 3; XVI, 4; XVII, 1.
sciens, ciens *T poss.pron*. II, 4.
secrept, segret *T s.m*. XVII, 1.
si *adv*. XV, 1 & 3.
soleil, soulail *T s.m*. IV, 3.
subtil, soutil *T adj*. XII, 1.
tiengne, tienne *T* 3 *Pres.Subj*. XVII, 3.
tres *adv. with adj*. VI, 2.
trop *adv. with adv*., tres *T* IX, 1.
ung *indef.art*. (sole ex.) VI, 2.

Dafydd Evans

Notes:

1 Montaiglon says of it in its relationship to the bestiaries that 'avec ses quatrains secs et écourtés, (il) en est l'écho très affoibli et comme l'expression de leur mort', *Recueil de poésies françoises*, t.I, Paris, 1855, p. 256.

2 Philippe's bestiary, like those of Guillaume le Clerc and Gervaise in the early thirteenth century, was composed in octosyllabic rhymed couplets; that of Pierre le Picard, circa 1206, is in prose. Gueroult's *Blason* (1550) is in much longer and more elaborate stanzas.

3 *Archivum Romanicum*, XIV, pp. 119-128.

4 The transcription of the poem is fortunately relatively free of these, but the proof-reading of the accompanying text and notes was most negligent, e.g. 'sons les geux (4)', p. 122, should read 'sous les yeux (2)'. The numbering of the footnotes is almost consistently inaccurate.

5 Morawski knew of the existence of another manuscript from P. Meyer's review of Bollati di Saint-Pierre's *Novella e poesie francesi* in *Romania*, XIX, but he was unaware of its whereabouts. He had also been unable to consult a copy of the Italian edition.

6 For the full contents and other information see *Cat. gén. des mss. des bibl. de France*, t. XXXVII, 2e partie, Paris, 1905.

7 *Romania*, XIX (1890), pp. 340-344.

8 I was able to consult the copy belonging to the National Library at Florence through the good offices of the National Central Library.

9 L. Vaccarone, *I Challant*, Turin, 1893, table V; and E. A. de Foras, *Armorial et nobiliaire de l'ancien duché de Savoie*, t. V[2], Grenoble, 1945, pp. 470-1.

10 H. Baudrier, *Bibliographie lyonnaise*, série XI, Lyon/Paris, 1914, p. 486, states that the title-page is 'orné de la marque 2 non vérifiée'. Mark 2 *bis* is reproduced p. 468, and there is no doubt that this is the one used. For the two publishers, see pp. 24 ff. and 461 ff.

11 A textual relationship seems to bear this out. *P* XII, *Le corbeau*, v. 3, refers to peace between this bird and the fox; the stanza given to *Le Regnard* reads:

Je suis subtil, plain de malice
Pour toutes bestes decepvoir;
Au corbin je fais la police;
Chascun ne peult tout sçavoir (Montaiglon, t.I, p. 260).

12 Chergé, 'Peintures murales du château de la Barre', *Bulletin du Comité historique des arts et monuments. Archéologie—Beaux-Arts*, III (1852), pp. 122-4. Forbin, 'La Barre. Notes historiques sur le château et les seigneurs', *Revue du Berry et du Centre*, 1932, pp. 45-67 and 71-2.

13 Made by Denuelle sometime before 1851, it is preserved in the archives of the Musée des Monuments Français, Paris. I am indebted to M. Emile Bonnel, of the Centre de Recherches there, for much help in my investigations into the pictorial representations of the *Dits*.

14 There are discrepancies in the two descriptions, e.g. Forbin, p. 48, n. 6.

15 If one starts with *T*'s numbers a similar pattern emerges, and my main conclusions are unaffected.

16 See Franz Pfeiffer, 'Das Märchen von Zaunkönig', *Germania*, VI (1861), p. 90.

17 The printed editions differ from *P* with regard to two bird-names: *P's signe* (V) becomes the *rossignol* and *butor* (VI) the *vaultor*. These substitutions are more obviously deliberate.

18 See the article referred to in note 16 for a description of some of these poems.

19 Even the curious form *chahua* for the more usual *chahuan(t)* (XVI), is probably due to a scribal negligence of a not uncommon type.

UN NOUVEL ICARE—
JEAN DE LA JESSÉE
ET SON *DISCOURS DE FORTUNE*

Même pour les amateurs les plus curieux du XVIe siècle, Jean de la Jessée reste un personnage peu familier; de nos jours, il ne vit que dans les bibliographies spécialisées,[1] dans les ouvrages qui suivent les chemins les moins battus de la littérature de l'époque,[2] ou dans des anthologies qui offrent au lecteur des spécimens au moins aussi notoires par leur obscurité que par leurs mérites littéraires.[3] Pourtant, le fait qu'un critique aussi pénétrant que M. Marcel Raymond lui dédie une dizaine de pages[4] devrait suffire à nous avertir que nous avons à faire à un poète qui ne manque pas d'intérêt et dont le souvenir mérite d'être ranimé.

De son vivant, la Jessée jouit d'une certaine célébrité à la cour de Jeanne d'Albret, reine de Navarre, à celle de Charles IX et, à un moindre degré, à celle de Henri III, ainsi que dans le cercle poétique de Ronsard. Plus de quarante ans après sa mort, Guillaume Colletet écrit de lui que ce fut 'un noble poete dont l'esprit a esté comme un vaste Océan qui n'a jamais eu de bornes ny de limites' [5] et qu'il aurait voulu, pour faciliter sa tâche d'historien,[6] le passer sous silence, 'tant sa splendeur m'esblouit, et son abondance m'estonne'.[7] Néanmoins, continue-t-il, 'Il borna toute sa fortune à faire des vers qui, pour estre marquez de la force de son genie, n'eurent pourtant pas tous les suffrages de son siecle, et qui par consequent n'auroient pas toute l'approbation du nostre'.[8] Ce jugement s'est vu confirmé par la postérité; plus d'un siècle plus tard, le Père Nicéron ne lui consacre que deux ou trois pages parmi des milliers, et écrit à son sujet qu'il 's'est fort donné à la Poësie Françoyse et même à la Latine; mais il n'a pas mieux réussi dans l'une que dans l'autre, et ses Ouvrages sont tombés entièrement dans l'oubli. Ils ne laissent pas d'être recherchés par certains curieux, comme les autres Poësies du même temps, qui ne valent pas mieux'.[9] C'est ainsi que, en un siècle et demi, le mythe se crée et se propage que la Jessée est un poète d'une certaine importance — Nicéron le met au nombre des 'hommes illustres dans la république des lettres' — mais que sa poésie ne vaut rien!

En évoquant l'océan à propos de la Jessée, Colletet voulait parler à la fois de la 'splendeur' et de l' 'abondance' de sa production poétique. Il est à regretter que la plupart des critiques postérieurs, fondant peut-être leurs jugements sur le commentaire de Colletet plutôt que sur la lecture avisée des textes, se soient contentés de laisser vibrer la corde que la Jessée lui-même a été le premier à toucher en écrivant 'J'ai faict des œuvres infinies'.[10] Lenient écrit de cet 'enfant perdu de la Pléiade' que ce fut 'un esprit bizarre et confus qui mourut noyé dans l'Océan de ses propres œuvres',[11] tandis que Tamizey de Larroque observe dans son édition de Colletet: 'Le lecteur des poésies de la Jessée pourrait dire à son tour "Je me sauve à la nage et j'aborde où je puis".'[12] Mais là où le sourire un peu désabusé de Tamizey de Larroque atténue la sévérité de sa critique—qui par ailleurs a tendance à être indulgente envers celui qu'il appelle 'le plus fécond'[13] de tous les poètes de sa province — Léonce Couture témoigne de la même absence d'esprit critique que Lenient: 'Jean de la Gessée répandit à profusion sa veine terne et fluide dans une foule de volumes'.[14] Heureusement, tous les critiques n'ont pas cherché à 'se sauver à la nage' et 'certains curieux' ont manifesté une bienveillance et un intérêt croissants à son égard. Déjà en 1862, Cénac Moncaut avait publié une notice plutôt favorable sur son 'talent poétique réel, mais de second ordre',[15] et soixante ans plus tard, en offrant au public un des plus beaux fruits de ce talent, F. Fleuret et L. Perceau ont parlé de 'l'injurieux oubli de trois siècles littéraires' qui nous cache 'un grand poète'.[16] De son côté, Pierre de Nolhac évoque les rapports du jeune la Jessée avec Ronsard,[17] tandis que Pierre Champion parle de son 'honnêteté', de sa 'propreté' et de son intérêt historique et littéraire.[18] Enfin, en 1927 la notice sympathique de M. Marcel Raymond vient couronner cette quasi-réhabilitation: la roue de la Fortune semble avoir fait un tour entier.[19]

Qui est au juste l'homme qui a suscité tant de commentaires parfois contradictoires, tant de réactions parfois extrêmes? Un portrait de Jean de la Jessée placé en tête d'une édition de ses épigrammes latines publiée à Paris en 1574 nous indique qu'il naquit en 1551. Fils d'une famille protestante d'origine modeste, la Jessée naît dans le Haut Armagnac, à 'Mauvaisin' — actuellement Mauvezin, dans le département du Gers — mais pendant la première période des guerres civiles il est obligé de fuir son pays, qu'il ne regagne qu'en 1565.[20] Il s'adonne avec succès à l'étude du grec et du latin, et même de l'hébreu, et poursuit ses études à l'université de Bordeaux. Entré au service de Jeanne de Navarre, il accompagne la reine dans le voyage qu'elle fait à Paris pour préparer le mariage de son fils, Henri de Bourbon, avec la soeur de Charles IX, Marguerite de Valois. Chemin faisant, lors de son séjour à Blois en 1572, la Jessée tombe amoureux; on a longtemps cru que l'objet de sa passion était la reine de Navarre elle-même,[21] mais M. Raymond, s'appuyant sur des détails fournis par le poète lui-même, a démontré de manière irréfutable qu'il s'agissait en fait de Marguerite de Valois,[22] dont Ronsard devait écrire:

> . . . une Dame, en qui tout le bon heur
> Du plus beau Ciel se versa dés enfance.[23]

Mais Fortune ne lui sourit pas; Jeanne d'Albret, pour qui il a une affection réelle, et qui est pleine de gentillesse pour lui, meurt subitement en juin 1572, et son fils, devenu roi de Navarre, épouse Marguerite de Valois deux mois plus tard.

Une des raisons du manque de succès de la Jessée auprès de Marguerite est l'activité diplomatique fiévreuse où celle-ci se trouve entraînée pendant les négociations entre sa mère, Catherine de Médicis, et Jeanne d'Albret.[24] La belle Française se moque du rude Gascon — le prend-elle même au sérieux? — et, que sa passion soit réelle ou simplement littéraire, elle reste inassouvie. Les choses se compliquent par la suite: 'Malheureusement pour lui, la Jessée, déjà rival d'un roi, rencontra sur le terrain de la poésie et des bénéfices, un rival plus dangereux encore, Philippe Desportes, qui se disait, au même moment, navré d'amour pour Marguerite, sa "Royale Hippolyte".'[25] Le chagrin d'une double perte et le dépit d'une double concurrence décident la Jessée à s'exiler loin des ingrats et de ceux qui n'apprécient pas ses talents à la cour, et il se rend à Genève.

Le choix de cette ville est sans doute déterminé par le massacre de la Saint-Barthélemy qui a lieu le 24 août 1572, six jours seulement après le mariage de Henri et Marguerite. Au bout de quelques mois, il rentre à la cour, où il se met à fréquenter le cercle de Ronsard—retour imprudent, car il est jeté en prison, et il y demeure un an. Bien que les raisons précises de son arrestation restent obscures, on peut supposer que son séjour à Genève, ainsi que ses sentiments envers la nouvelle reine de Navarre, y sont pour quelque chose.

Enfin libéré, il se met au service du frère de son ancienne 'maîtresse', François, duc d'Alençon, qu'il suit de près, voyageant avec lui en Angleterre et en Flandre, et, comme il n'a cessé de le faire depuis sa première passion, 'rimant sans relâche'.[26] Au moment de la visite des missions polonaises à Paris et surtout à l'époque de la mort de Charles IX et du retour de Pologne du nouveau roi, Henri III, la Jessée partage le 'polonophilisme' de l'époque et fait publier des œuvres françaises et latines où il est évident qu'il s'est donné la peine d'étudier sa matière à fond. Plus d'une référence montre qu'il connaît intimement la géographie et le régime politique de la Pologne, et qu'il s'est renseigné non seulement auprès de ceux que tout le monde consulte à l'époque — Blaise de Montluc, Joseph Scaliger, qu'il a pu connaître à Genève, ou Blaise de Vigenère[27] — mais aussi auprès des ambassadeurs polonais eux-mêmes.[28] En 1579, année où il change l'orthographe de son nom de la Gessée en la Jessée,[29] il fait publier ses *Odes-Satyres* — 'titre bizarre et nouveau' d'après Colletet[30] — œuvre originale, même si l'exécution n'est pas à la hauteur de la conception. Pourtant, dans une société constamment à l'affût de nouveautés littéraires, l'invention de la Jessée passe à peu près inaperçue, ce qui contribue à l'enfermer davantage dans sa misanthropie. Il s'en plaint dans ses vers, et il s'en plaindrait davantage encore s'il avait pu connaître les sarcasmes d'un critique postérieur: 'Ce galimatias obtint le sort qu'il méritait, et le nouvel Icare tomba, sans émouvoir personne du bruit de sa chute. L'Ode-Satire alla rejoindre les nouveautés ambitieuses et les chimères, dont le seizième siècle fut le berceau et le tombeau'.[31]

Vivement encouragé par son protecteur, François d'Alençon, la Jessée opère un choix parmi ses nombreuses publications et publie, en 1583, *Les Premieres Oeuvres Françoyses*, 'quatre très beaux volumes (qu'il) eut la chance de publier . . . chez l'un des meilleurs et l'un des plus grands éditeurs de son temps' [32] — Christophe Plantin d'Anvers. Le premier tome, *Les Jeunesses*, comprend six livres, le second, *Meslanges*, sept livres d'œuvres originales et de traductions, où, dit Colletet, 'il y a beaucoup de choses curieuses'. Le tome suivant se compose des *Amours*, 'les uns froids, les autres animez, les uns supportables et les autres fort mediocres', tandis que le dernier tome, deux livres de *Discours Poetiques*, contient 'le plus noble et le plus digne de luy'.[33] A la fin de ce quatrième volume, deux autres sont promis, mais à notre connaissance ils n'ont jamais vu le jour. Lorsqu'on songe que ce n'est là que la moitié de la production poétique de ce jeune homme de 32 ans, il y a lieu de dire avec Colletet: 'c'est ceste grosse masse de vers sur toutes sortes de subiets qui m'estonne'.[34] Le duc François meurt en 1584 et la Jessée publie *Larmes et Regrets sur la maladie et trespas de M. de France, fils et frère de Rois, plus quelques Lettres Funèbres* à Paris, la même année. Après la perte de ce protecteur, qui avait de l'amitié pour lui, nous ignorons ce que la Jessée devient, car nous perdons sa trace jusqu'en 1595, année où il fait publier à Paris une collection de sentences assez désabusées, sinon cyniques, sous le titre de *La Philosophie Morale et Civile du sieur de la Jessée*. Et après ce dernier défi jeté à la face d'une société qu'il finit par détester, mais qui répond en l'oubliant, Jean de la Jessée disparaît de la scène.

Une enfance troublée, la perte d'une reine pour qui il a de l'affection, puis d'une princesse qu'il aime, les violences subies par les protestants français en 1572, une fuite, un exil, son arrestation, sa réclusion, la vue de son pays en proie à une terrible série de guerres civiles, le spectacle de la vie à la cour la plus dépravée que la France ait jamais connue, la conscience que les goûts littéraires de son époque évoluent dans le sens de la nouvelle poésie de Philippe Desportes tandis que lui-même reste dans l'ombre de Ronsard—tout cela a contribué à transformer sa nature; d'abord de caractère souriant, la frustration le mène à la colère, et le dépit au silence — un silence que seule une ultime tentative d'instruction morale, froide et malheureuse, viendra rompre à la dernière heure. Le fait que de grands personnages comme Jeanne d'Albret et François d'Alençon tiennent à s'assurer les services de la Jessée nous autorise à penser que la sympathie ne manque pas au jeune Gascon, mais il est indéniable qu'il y a dans ses œuvres un courant de désespoir et de dégoût vis-à-vis de la société où il vit. Parfois impliqué dans des affaires d'Etat de la plus haute importance,[35] il est de plus en plus isolé par son aigreur. 'Homme du passé, la Jessée naquit 20 ans trop tard, et ne sut se plier aux exigences de la nouvelle Cour' [36] — le commentaire de M. Raymond s'applique tout aussi bien à ses rapports avec la société en général. Né avec un 'tempérament', il se voit destiné dès son adolescence à une brillante carrière politique et littéraire, mais tous ses rêves se brisent contre une indifférence qui s'explique en partie par l'évolution de la sensibilité de son époque, et en partie par la médiocrité de certaines de ses œuvres, médiocrité que souligne la présence de ses grands contemporains. Il est donc naturel qu'il se console en faisant de sa poésie une arme; à mesure qu'il vieillit et que sa déception croît, son esprit prend une tournure mordante, et il est de plus en plus attiré par la satire. Un contemporain anglais de la Jessée, Thomas Drant, écrit en 1566:

> A satyre is a tarte and carpynge kynd of verse,
> An instrument to pynch the prankes of Men,[37]

et c'est là une bonne définition d'une grande partie de l'œuvre de la Jessée, de même que le jugement formulé trois siècles plus tard par George Meredith: 'The satirist is a moral agent, often a social scavenger, working on a store of bile'.[38] Dans la préface de sa dernière publication, la Jessée écrit qu'il a 'couru longuement une très-cruelle fortune',[39] et il n'y a pas lieu de s'étonner qu'il estime que Fortune a joué un grand rôle dans sa vie. Ses expériences personnelles finissent par le persuader que toute sa vie il a été une de ses victimes; aussi, lorsqu'il se met à écrire un poème satirique au sujet de Fortune, pouvons-nous espérer une œuvre de valeur, et nos espoirs ne sont pas déçus, car l'homme et le thème sont faits l'un pour l'autre.

C'est dans le quatrième tome des *Premieres Oeuvres Françoyses* de 1583 que nous trouvons le texte définitif de son *Discours de Fortune*, dédié à son ami 'Roc de Sorbiers, sieur de Pruneaus', et consistant en 324 alexandrins en couplets rimés.[40] Dans la première section, la Jessée part d'un commentaire désabusé sur la vie des hommes,

> L'Homme naist pour mourir, et sa doubteuse vie
> D'une mer d'encombriers est icy poursuivie (v. 1-2),

pour justifier auprès du dédicataire du poème le choix du sujet qu'il se propose de traiter. La seconde section nous donne une description de Fortune suivie d'une méditation sur l'étendue de son pouvoir, et la section finale — qui représente les deux tiers du poème — est consacrée au dialogue entre le poète et la déesse.

La comparaison de la vie humaine avec un voyage sur mer n'a certes rien d'original, mais elle permet au poète d'aborder aussitôt son thème — que les vicissitudes de notre voyage du berceau au tombeau sont l'œuvre de Fortune.[41] Pour le poète, tous les éléments de la Nature s'unissent, sous la direction de la déesse, pour rendre notre voyage plus difficile, et l'on n'est jamais sûr de pouvoir arriver à bon port; néanmoins, ajoute-t-il avec ironie, ceux qui se contentent de suivre la foule, de fuir 'le sentier non-batu' (v. 7), sont tenus pour vertueux et comblés d'honneur, surtout si Dame Fortune, qui peut tout, leur sourit. L'inférence pour les solitaires, pour ceux qui, indépendants et aventureux, refusent de suivre la foule, est claire, et le premier dard est planté. Le second suit aussitôt; le poète se dit embarrassé par le mot 'Fortune', car il se rend compte que la déesse représente une idée que le chrétien, et surtout le protestant, doit juger inadmissible. Mais c'est un mot dont tous se servent, tout en se disant chrétiens, dit-il; lui au moins se défend d'en faire autant dans le cas présent, car il avoue que, s'il parle de Fortune, c'est 'qu'en Payen je m'esgaye' (v. 17). Par là, la Jessée fait écho à de nombreux écrivains qui soulignent, tout au long du XVIe siècle, ce qu'il y a de foncièrement non-chrétien dans l'idée de Fortune. Vers la fin de sa vie, Clément Marot avait écrit:

> Mais si quelqu'un à cecy contrarie,
> En soustenant par parole importune
> Que tout le bien, l'accident & l'envie
> Que nous avons vient de dame fortune,
>
> . . . .
>
> Quant est de moy pleinement je luy nie,
>
> . . . .
>
> Qui dira doncques qu'un seul cas fortuyt
> Soit entre nous, il n'est pas bon Chrestien.[42]

De son côté, Henri Estienne écrit en 1578: 'On use du mot de Fortune au lieu de nommer Dieu, . . . plusieurs imputent à Fortune ce qu'ils imputeroyent volontiers à Dieu, s'ils osoyent'.[43] Dès les premiers vers, le cadre général et le ton du poème se trouvent ainsi définis, et les thèmes secondaires se dégagent avec netteté — la Jessée est un homme sincère et franc, et il n'est pas de ceux qui suivent la foule sans conviction personnelle, et qui doivent leurs honneurs à Fortune. S'il écrit pour faire plaisir à son ami, qu'avec une charmante modestie il n'invite à l'écouter que pour lui faire mieux goûter de plus doctes poètes, il écrit aussi pour s'acquitter de 'cest honneste loisir' (v. 27) que seul l'homme loyal peut connaître. Et, en invoquant pour son ami les bienfaits de la Santé et même de la Fortune — car en s'égayant en païen, il peut se permettre de se moquer gentiment de lui-même et de son thème — il conclut la première partie du *Discours*.

Nous passons ensuite à une section d'une centaine de vers qui n'est pas la moins originale de l'œuvre, car c'est ici que la Jessée nous propose sa propre conception de Fortune, bien différente de celle que la tradition littéraire a perpétuée. Le poète nous dit comment il éprouve des sentiments complexes sinon contradictoires — 'saisy d'estonnement et d'alegresse ensemble' (v. 34) — à la vue d'une Femme douée de caractères eux aussi contradictoires — 'l'humblesse et l'orgueil' (v. 36), car:

> Son port, sa contenance et sa superbe alleure
> Tesmoignent qu'il n'en est de pire, ni meilleure. (v. 37-38)

Mais, dit-il, il suffit de dire qu'elle est Femme pour nous faire comprendre qu'elle est

> . . . fine, indiscrette et sans foy,
> Volage, peu constante et sugette à diffame (v. 40-41).

C'est cette femme, qu'il ne nomme pas, qui règne sur l'univers, grâce à la merveilleuse variété dont elle est capable. Mais sa Fortune n'est pas celle des autres poètes, celle dont Shakespeare par exemple fera dire à Fluellen à la fin du siècle: 'Fortune is painted blind, with a muffler afore her eyes, to signify to you that Fortune is blind: and she is painted also with a wheel, to signify to you, which is the moral of it, that she is turning, and inconstant, and mutability, and variation; and her foot, look you, is fixed upon a spherical stone, which rolls and rolls and rolls: in good truth, the poet makes a most excellent description of it'.[44] C'est à de pareilles descriptions que la Jessée fait allusion lorsqu'il écrit:

> Les Peintres inventifz et les Poëtes vieus
> Luy mettent (mais à tort) un bandeau sur les yeus;
> Ils plantent ses deus piez sur une ronde boule;
> D'un voyle enflé du vent, qui comme elle s'escoule,
> Couvrant un peu son chef et son corpz d'un costé,
> Ils ont legerement ses habitz denoté (v. 47-52).

La Jessée, lui, estime qu'il n'y a pas lieu de critiquer 'l'indiscretion' (v. 54,) 'les mobilitez' (v. 55) ou 'la simple nudité' (v. 56) de Fortune:

> Je la depeintz toute autre, et desormais, ordonne
> Que de toyle, ou drap d'or, une robe on luy donne,
> Car, puis qu'elle est si riche et promet largement,
> Son dos ne doit vestir un vil acoustrement (v. 57-60).

Selon l'iconographie traditionnelle, Fortune est souvent représentée à moitié chauve, pour montrer sa diversité; mais la Fortune de la Jessée a une chevelure entière, 'bien (retroussée) d'une gaye maniere' (v. 62) pour que l'on ne puisse pas l'attraper au vol par ses cheveux; de plus, elle n'est pas assise 'dessus un globe' (v. 65) car ce serait superflu:

> . . . assez, sans tout cela,
> On void comme elle marche ou volle, çà et là (v. 67-68).

A propos de cette image de Fortune, il est intéressant de citer le commentaire d'A. Blum, touchant l'art de la caricature en France au XVIe siècle; la réaction contre l'humanisme aboutit à une satire de la civilisation antique, et les artistes 'dans les travaux décoratifs . . . critiquent la tradition des allégories empruntées à la mythologie'.[45] Si la Fortune de la Jessée est différente des autres du point de vue physique, elle est cependant celle de la tradition en ce qui concerne son pouvoir, qui s'étend à tous les rangs de la société et à tous les coins du monde. Elle est responsable des causes et des effets:

> . . . l'assurance et la peur,
> La perte et le proffit, le repos et labeur,
> L'attante et desespoir, la grace et la furie,
> L'aisance et malheurté . . . (v. 79-82).

Elle est capable de tout renverser, et nous ne devons notre succès qu'à sa faveur; tant qu'elle nous sourit, nous vivons, mais quand elle se détourne de nous, nous tombons, inévitablement, 'comme le coy sommeil est trainé de la nuit' (v. 88). A son gré, elle transforme 'la gloire en blame et le Sceptre en houlette' (v. 90), ou ceux qui sont aimés en objets de mépris, car, si elle est 'pleine de Royauté' (v. 100) elle est aussi 'pleine de cruauté' (v. 99), d'autant plus que

> . . . son train ne desdaigne
> Le Temps pour gouverneur et la Mort pour compaigne (v. 101-102).

En unissant la Fortune au Temps et à la Mort, la Jessée reprend une idée chère au moyen âge; pour Gervais du Bus, par exemple, dans son *Roman de Fauvel*, le moment de la Mort dépend uniquement de la volonté de Fortune,[46] et pour Pierre Michaut, dans sa *Dance aux Aveugles*, écrite vers 1450, Fortune s'allie à Amour et Mort pour entraîner l'humanité dans la danse macabre.[47] Dans un climat littéraire tout autre la même néfaste trinité fera obstacle à Maurice Scève, amoureux de sa Délie.[48]

Le poète médite ensuite sur l'étendue du pouvoir de Fortune, et arrive à la conclusion assez originale que, devant l'inégalité qui existe entre deux hommes, l'un 'abondant en richesse, et l'autre en pouvreté' (v. 108), on a tort de dire que le pauvre a plus de chances d'être heureux parce que l'argent ne fait pas le bonheur . . . Face à une description de 'l'aise imaginé de son contentement' (v. 112), la Jessée pose une question assez mordante:

> Je vous supply, quel heur peut recevoir un homme
> Que la faim, que la soif et que le froid consomme? (v. 113-114).

Que d'autres, s'ils le veulent, méprisent la valeur et la nécessité des objets matériels, les dons de Fortune:

> . . . quand à moy, comme humain,
> Soigneus, j'ay quelque soing du jour au lendemain,
> Sçachant qu'il n'est affaire où, quelque fin qu'on mette,
> Que la croix ne chemine ou qu'on ne la promette (v. 119-122).

Pour sa part, il n'est pas de ceux qui estiment les hommes pour qui l'or croît sans qu'ils travaillent pour le mériter; mais il n'approuve pas non plus ceux qui, 'chiches priseurs' (v. 126) privés de la richesse, l'appellent mauvaise:

> . . . ce sont des Renardz, qui ne pouvantz toucher
> A l'arbre dont le fruit est agreable et cher,
> Le desdaignent, beantz! et taxent la viande
> Qu'ilz voudroyent ja tenir dans leur gueule friande (v. 127-130).

Et c'est par cette réflexion, pleine de bon sens et d'honnêteté, que la seconde section du poème se termine.

Au début du discours proprement dit, la Jessée nous raconte comment, étant un soir à 'Charle-val' (v. 131),[49] il se trouve face à face avec Fortune, qu'il reconnaît à son visage hypocrite. Elle a l'air d'un 'Fantosme animé' (v. 133) et quoiqu'il soit d'abord 'sans frayeur' (v. 136) — après tout, il est gascon! — il avoue qu' 'effrayé me trouvois' (v. 136) quand à son tour elle le reconnaît et s'adresse à lui. Elle le traite d'abusé et de pauvre sot et lui reproche de 'fuir et rejetter les grandeurs et richesses' (v. 142) — ce qui montre qu'elle ne le connaît guère — tandis que la plupart des gens la courtisent; et pour lui montrer à quel point il a tort, elle fait une apologie de la richesse:

> La Richesse est le nerf des actions humaines,
> Le soustien de la guerre et l'object de voz peines,
> Et moy, je suis l'adresse, et l'ayde, et le support
> De ces Avanturiers qui viennent à mon port (v. 149-152).

Le procédé satirique est facilement reconnaissable — Fortune se condamne par sa propre bouche. Sur ce point, nous constatons combien l'apologie de la Jessée est différente de celle de Ronsard, pour qui l'Or représente

> (Un) bien-heureux metal, par qui heureux nous sommes,
> Le sang, les nerfs, la force et la vie des hommes.
> . . . .
> Pour cela justement le comique Menandre
> . . . .
> . . . asseuroit la Richesse,
> Tant elle a de puissance, estre seule Déesse.[50]

Pour la Jessée, la Richesse n'a pas cette importance, et il éprouve du ressentiment à l'idée que la société ne fait aucun cas des vraies valeurs; c'est ce que l'observation que lui fait Fortune nous laisse comprendre:

> Cuides-tu que pour estre acort, sçavant, honneste,
> Le Vulgaire causeur te face plus grand'feste?
> Ou que ces Damoyseaus fraisez et delicas,
> (Advisantz ta simplesse) en facent plus de cas? (v. 153-156).

Continuant son discours, Fortune exhorte la Jessée à la suivre, lui promettant une belle récompense — 'à fin que l'on te vante' (v. 158) — et définissant avec précision le caractère de ceux qui l'honorent:

Je ne veus que tu sois de vertus si remply:
Sois riche seulement, tu seras accomply,
Mesmement en cest age où le vice surmonte
La raison, la doctrine, et l'honneur, et la honte (v. 159-162).

Le coup de patte envoyé en passant à la cour de Henri III, et plus particulièrement aux mignons, les 'Damoyseaux fraisez et delicas', s'est maintenant transformé en un assaut direct, que le poète continue par une allusion assez transparente lorsque Fortune, pour achever de le persuader de se joindre à elle, lui rappelle que tout le monde respecte les riches et méprise les pauvres:

Au reste, voy comment les Chiens mesmes effroyent
Les Pouvres en la rue, et apres eus aboyent,
Où les Riches hardis, contantz et bien aisez,
Par ce bestail japeur se voyent caressez (v. 165-168).

C'est alors que le poète interrompt la déesse et oppose ses propres arguments à ceux qu'elle vient d'avancer. Il la hait parce qu'elle prône des attitudes et des instincts vils, 'la ruse' et 'l'heur' (v. 176). Comment se fait-il qu'elle soit aussi inconstante et aussi hypocrite,

. . . et qui t'esmeut, farouche,
D'avoir le fiel au cœur et le miel dans la bouche? (v. 185-186).

Pourquoi veut-elle qu'il la suive, lui qui ne saurait point la flatter ou lui plaire?

Je ne sçay point mentir, je ne sçay point flater;
Les noircissantz Corbeaux en Cygnes je ne change,
Et simulé ne fais d'un Astarot un Ange (v. 192-194).[51]

Pourquoi veut-elle 'qu'à la suite des grandz' (v. 196) il se soumette à ses ordres? Il a vu trop de gens qui se sont crus assurés de son soutien, et qui ont souffert de s'être fiés à sa constance. Depuis longtemps il la connaît 'par ombrage et par nue' (v. 210), mais maintenant, il la reconnaît facilement, ainsi que sa soeur, 'Faveur' (v. 214), pour les avoir vues tous les jours à la cour:

Là, vous avez grand'vogue, et, vous jouant du pié,
Donnez le croc en jambe au plus disgracié (v. 215-216).

Comme les

. . . vieus Romains lourdement se tromperent,
Qui, pour te reverer, idolatres, fonderent
Un Temple à ta grandeur . . . (v. 233-235),

dit-il, reprenant dans l'épithète *idolâtres* ce qu'il y a de non-chrétien dans l'idée de Fortune. Elle oblige l'homme à être aussi hypocrite qu'elle, à devenir un 'vray Cameleon ou muable Prothée' (v. 242). Pour sa part il aime mieux la Pauvreté, car plus un homme est riche, plus il s'occupe de ses richesses, au point qu'il finit par ne plus savoir s'en servir, 'tant plus il possede et tant moins il jouyt' (v. 252). Evoquant le souvenir de Midas, le poète lui demande:

> Pourquoy, las! n'apris-tu que le bien seulement
> Gist en la suffisance et au contantement? (v. 255-256).

Que celui qui se contente de peu est louable, poursuit-il, et qu'ils sont à plaindre, ceux que Fortune prend dans ses filets. Mais qu'elle cherche ailleurs sa victime, car lui ne se laissera pas prendre; il est 'trop simple et de peu de presance' (v. 277) pour elle, dit-il, ce qui provoque la dernière tirade de Fortune. Elle avoue que parfois il lui arrive de maltraiter ceux qui l'offensent, mais elle lui promet que s'il la suit, il aura des récompenses de choix:

> Je te feray cherir, je te feray paroistre,
> Et, par moy, ton labeur ne cessera d'accroistre (v. 297-298).

Et finalement, dans un passage d'où la subtilité n'est pas absente, elle lui propose l'aventure; qu'il n'imite pas ceux qui 'ne bougent de chez eus' (v. 300), ceux qui 'pensent qu'en dormant les rentes leur aviennent' (v. 302). Or, c'est là un point de vue qui peut nous sembler digne de respect, et qui par conséquent nous déroute lorsqu'il apparaît dans la bouche de Fortune. Notre perplexité continue lorsqu'elle lui dit:

> Ne ressemble non plus à ces folz Escrivantz
> Qui, dans leur Chambre enclos, sont plus mortz que vivantz
> (v. 303-304).

Mais nous oublions qu'elle est fausse; dans ses phrases suivantes, elle lui révèle le prix qu'il devra payer:

> Et ne t'arreste point à la sagesse sotte
> D'un songe-creus Platon, ou bavard Aristotte:
> La plus seure science est de ne rien sçavoir,
> Si ce n'est l'art subtil d'en prendre et d'en avoir.
> Ce sont les vrays moyens qu'à chascun je propose,
> La sente que je fraye, et la metamorphose
> Dont parfois je transforme en nobles et bragardz
> Ceus qui n'aguere estoyent simples gueus ou pendardz
> (v. 305-312).

C'est donc l'Ignorance qui pousse les hommes entre les mains de Fortune, et qui est à la base de la philosophie anti-sociale et foncièrement égoïste des vers que nous venons de citer, et la Jessée le dit sans équivoque. C'est l'Ignorance qui nous menace de

> . . . Pouvreté, seul fleau des galandz hommes,
> Et triste espouvantail de la terre où nous sommes (v. 317-318).

Ce que la Jessée semble entrevoir ici, c'est un programme de réforme sociale qui réduise l'ignorance et la misère. Car tel est le cercle vicieux par lequel Fortune nous gouverne; l'ignorance nous fait craindre l'indigence, Fortune nous apporte les biens matériels, nous oublions par la suite les biens de l'esprit et nous demeurons dans l'ignorance.

Et c'est par une image toute baroque que le *Discours* prend fin:

> A tant se teust Fortune, et, comme un rouge esclair,
> Tost nay, tost amorti, je la vy perdre en l'air (v. 323-324).

Nous avons insisté sur ce qu'il y a d'original et de hardi dans le traitement à la fois de l'image et de l'idée de Fortune que nous présente la Jessée, et il est intéressant à ce propos de comparer son *Discours* à l'œuvre de Ronsard sur le même thème, son *Discours contre Fortune*, publié en 1560. Il est indéniable que les points de ressemblance entre les deux poèmes sont nombreux; les deux auteurs sont d'accord que la nature inconstante et hypocrite de Fortune s'explique par sa féminité, que sa présence est particulièrement visible à la cour, et que beaucoup d'hommes sont perdus par leur ambition. Mais il faut bien avouer que tout ceci relève des lieux communs de l'époque, de même que la comparaison de notre vie avec une navigation et les allusions au pouvoir qu'a Fortune de transformer les 'Monarques' en 'Laboureurs' chez la Jessée (v. 69), ou les 'Hauts Empereurs' en 'laboureurs' chez Ronsard.[52] Le danger de l'ignorance, traité avec tant de finesse par la Jessée, est aussi invoqué par Ronsard, mais à des fins toutes différentes; là où la Jessée propose un commentaire didactique d'une application générale, Ronsard nous donne une plainte personnelle. Déjà au second vers de son poème il nous dit que c'est '*ma* fortune' qu'il veut dépeindre, et le sens de l'expression devient clair par la suite:

> . . . indomté du travail tout le premier je suis
> Qui de Grece ay conduit les Muses en la France,

Et premier mesuré leurs pas à ma cadence;
Si qu'en lieu du langage et Romain et Gregeois
Premier les fis parler le langage François,
Tout hardy m'opposant à la tourbe ignorante.
Tant plus elle crioit, plus elle estoit ardente
De deschirer mon nom, et plus me diffamoit,
Plus d'un courage ardent ma vertu s'allumoit
Contre ce populaire, en desrobant les choses
Qui sont és livres Grecs antiquement encloses.[53]

Tandis que la Jessée, qui pourrait se plaindre à juste titre du traitement qu'il a reçu des mains de Fortune, cherche à satiriser certains aspects de la société contemporaine et à dégager une morale pour l'amélioration de cette société, Ronsard, fêté et admiré partout, saisit l'occasion pour faire de la publicité personnelle.

Comme la Fortune de la Jessée, celle de Ronsard a, elle aussi, un compagnon—Malheur, 'valet le plus adextre qui soit en sa maison' [54] — qu'elle envoie chez le poète, avec des résultats bouffons, mais c'est un lien plus subtil qui unit la Fortune de la Jessée à Faveur, et qui sert beaucoup mieux ses fins satiriques. En définitive, on peut supposer que la Jessée a connu l'œuvre de Ronsard, qu'il s'en est même inspiré pour certaines idées; mais il est évident qu'il a su nous donner bien autre chose qu'une simple imitation, ce qui n'est pas sans mérite chez un admirateur aussi fervent. La Jessée a réussi à fondre ses sources avec sa propre inspiration, et le résultat est une œuvre digne d'une certaine considération.

Rien ne nous autorise à dire cependant que le *Discours* soit un grand poème, ni, malgré Fleury et Perceau, que la Jessée soit un grand poète; il a su néanmoins animer sa satire d'un souffle où la colère et la frustration donnent le ton et qu'inspirent des sentiments d'une valeur certaine. A côté de cette valeur intrinsèque, l'intérêt de la Jessée consiste à nous laisser entrevoir tout un sous-monde d'amateurs de la poésie — la postérité leur a nié le titre de poètes — à qui la Pléiade avait montré la voie en encourageant le développement d'une poésie dotée d'une mission sociale autant qu'intellectuelle et esthétique, mais qui, au moment où la marée descend, se trouvent incapables de suivre les nouveaux courants et agonisent sur le bord. Pour avoir pris son rôle de poète au sérieux, pour avoir voulu protester contre le relâchement moral de son temps, la Jessée est digne d'une place dans la mosaïque de la sensibilité française, et il incarne un aspect de son évolution. On aurait tort de rire de ce nouvel Icare; il a volé comme il a pu, et il a réussi par moments à quitter le sol.

K. Lloyd Jones

Notes:

1 P. ex. A. Cioranesco, *Bibliographie de la littérature française du XVIe siècle*, Paris, 1959.
2 M. Raymond, *L'Influence de Ronsard sur la poésie française*, Paris, 1927.
3 P. Fleuret et L. Perceau, *Les Satires Françaises du XVIe siècle*, Paris, 1922; M. Allem, *Sonnets du XVIe siècle*, Paris, s.d.
4 M. Raymond, *op. cit.*, tome II, pp. 163-173.
5 G. Colletet, *Vie des poètes gascons*, éd. P. Tamizey de Larroque, Paris, 1866, p. 118.
6 Il faut cependant noter les conseils de prudence et l'avertissement donnés par H. Chamard au sujet de Colletet (*Histoire de la Pléiade*, Paris, 1939, tome I, p. 28): 'Il a lu de près ses poètes . . . Son zèle n'est pas en défaut, mais bien son sens critique'. Néanmoins, certains des jugements portés par Colletet sur la Jessée, ainsi que nous le verrons, ne sont pas dépourvus de sens critique.
7 Colletet, *op. cit.*, p. 118.
8 *Ibid.*, p. 124.
9 Le R. P. Nicéron, *Mémoires pour servir à l'histoire des hommes illustres dans la république des lettres*, Paris, 1740, tome XLI, p. 378.
10 J. de la Jessée, *Discours de la Poësie, Premieres Oeuvres Françoyses*, Anvers, 1583, tome IV, p. 1463.
11 C. Lenient, *La Satire en France au XVIe siècle*, 3e. édition, Paris, 1886, p. 125.
12 Colletet, *op. cit.*, p. 118.
13 *Ibid.*, p. 136.
14 L. Couture, 'Quelques poètes gascons', *Bulletin d'Auch*, 1861, tome II, p. 572.
15 C. Moncaut, 'Jean de la Jessée', *Revue d'Aquitaine*, Condom, 1862, tome VI, p. 586.
16 Fleuret et Perceau, *op. cit.*, tome II, p. 61.
17 P. de Nolhac, *Ronsard et l'humanisme*, Paris, 1921, p. 345.
18 P. Champion, *Ronsard et son temps*, Paris, 1925, passim.
19 De peur que le lecteur ne croie que la roue ne tourne plus, signalons que J. Lavaud, *Philippe Desportes*, Paris, 1936, mentionne la Jessée plusieurs fois en passant, qualifiant le poète de plagiaire et un de ses sonnets d' 'assez pâle et assez plat.' (p. 71). Il faut dire que les preuves apportées à l'accusation de plagiat (pp. 521 et seq.) nous semblent bien minces. Mais puisque nous parlons de plagiaires, signalons l'article de G. Brégail, 'Jean de la Jessée, Poète gascon', *Bulletin de la Société gerçoise*, 38 (Auch, 1933), pp. 21-27. Cet article, qui est présenté comme inédit, ressemble presque mot à mot à celui de Moncaut.
20 Pour la plupart de ces détails biographiques, nous nous appuyons sur Colletet, *op. cit.*, qui utilise des textes autobiographiques que, pour des raisons matérielles, nous n'avons pu consulter.
21 Moncaut, *op. cit.*, p. 370; Fleuret et Perceau, *op. cit.*, p. 59.
22 Raymond, *op. cit.*, pp. 164-165; notons que Brégail, *op. cit.*, ne s'est même pas donné la peine de lire l'ouvrage de M. Raymond, car il rapporte l'erreur de Moncaut en entier.
23 Ronsard, *La Charité* (*Œuvres Complètes*, éd. G. Cohen, Paris, 1950, tome I, p. 346).
24 Voir le récit qu'en donne J. H. Mariéjol dans *La vie de Marguerite de Valois*, Paris, 1928, pp. 21-54.
25 Raymond, *op. cit.*, p. 165.
26 *Ibid.*

[27] *La Description du Royaume de Pologne et pays adjacens, avec les statuts, constitutions, moeurs et façons de faire d'iceux* de B. de Vigenère fut publiée à Paris en 1573.
[28] Pour une critique de cette partie de sa production poétique, voir V. Lednicki, 'Les Sonnets de Jean de la Jessée sur la Pologne et son roi, Henri de Valois', *Archivum Neophilologicum*, Cracovie, 1930, tome I, pp. 107-126.
[29] Son nom, d'après Moncaut, *op. cit.*, p. 588, viendrait de la Gesso, nom gascon de la rivière Gesse, qui est un affluent de la Save, passant ainsi à une trentaine de kilomètres de Mauvezin.
[30] Colletet, *op. cit.*, p. 130.
[31] Lenient, *op. cit.*, p. 125.
[32] Lednicki, *op. cit.*, p. 112.
[33] Colletet, *op. cit.*, p. 133.
[34] *Ibid.*
[35] Par exemple, les négociations pour le mariage de Henri de Navarre et Marguerite de Valois, 1572; sa présence aux entrevues des ambassadeurs polonais, 1573; les préparatifs de la Paix de Monsieur, 1576; la mission du duc d'Alençon auprès d'Elizabeth Ire, 1579-1580.
[36] Raymond, *op. cit.*, p. 172.
[37] T. Drant, *A Medicinable Morall*, cité par J. Peter, *Complaint and Satire in Early English Literature*, Oxford, 1956, p. 301.
[38] G. Meredith, *Essay on Comedy and the Uses of the Comic Spirit*, London, 1897, p. 82.
[39] Cité par Raymond, *op. cit.*, p. 173.
[40] Une première version, avec quelques différences superficielles, fut publiée en 1579. On trouvera le texte complet de la version définitive in Fleuret et Perceau, *op. cit.*, tome II, pp. 63-72.
[41] Notons que, d'après E. Huguet, *Dictionnaire de la langue française du seizième siècle*, Paris, 1950, tome IV, p. 174, la locution 'fortune de mer' signifie une tempête ou un naufrage. En roumain moderne, le mot 'Futurna' a le sens d'orage ou d'ouragan. L'iconographie traditionnelle de la déesse Fortune, à la proue d'un vaisseau, ou tenant entre les mains un gouvernail, a toujours renforcé ce rapprochement. Voir aussi J. Seznec, *La Survivance des Dieux antiques*, London, 1940, E. Wind, *Pagan mysteries in the Renaissance*, London, 1958, et E. Panofsky, *Studies in Iconology; Humanistic Themes in the Art of the Renaissance*, New York, 1962, passim.
[42] Clément Marot, *Œuvres Lyriques*, ed. C. A. Mayer, London, 1964, p. 402; notons qu'il existe des doutes quant à l'authenticité de cette œuvre.
[43] H. Estienne, *Deux Dialogues du nouveau langage françois*, Genève, 1578, p. 436 et p. 440.
[44] Shakespeare, *Henry V*, III, 6.
[45] A. Blum, *L'Estampe Satirique en France pendant les guerres de religion*, Paris, 1916, p. 285.
[46] Gervais du Bus, *Le Roman de Fauvel*, Paris (S.A.T.F.), 1919, p. 85.
[47] P. Michault, *La Dance aux Aveugles*, Lille, 1748, p. 37, et seq.
[48] Scève, *Délie*, dizains 107, 137 et passim.
[49] Il ne nous a pas été possible d'identifier ce Charleval avec certitude, mais il est possible que la Jessée parle de la ville de ce nom qui se trouve dans le département moderne de l'Eure. Cette ville s'appelait Nogent jusqu'en 1572 — année de la Saint-Barthélemy! — où le nom fut changé en Charleval, en l'honneur de Charles IX qui y faisait construire un château; la construction n'en fut jamais achevée.
[50] Ronsard, *Hymne de l'Or*, éd. cit., tome II, p. 261. En revanche, les 'chiches priseurs' de la Jessée ont leur équivalent dans l'œuvre de Ronsard:

'Celuy qui te desdaigne, et ne t'a point acquis,
Semble un mort qui chemine entre les hommes vifs'. (*ibid.*)

[51] Signalons que le mot 'Astaroth' relève du vocabulaire cabalistique, et a le sens, d'après Littré, de 'démon'. Il jouira d'une grande popularité quelque soixante-dix ans plus tard, lorsque Georges de Scudéry fera d'Astaroth, Belzébuth et Lucifer les trois démons qui s'opposent à son héros dans le poème épique, *Alaric, ou Rome Vaincue*, qui date de 1654.
[52] Ronsard, *Discours contre Fortune*, éd. cit., tome II, p. 404.
[53] *Ibid.*, p. 401.
[54] *Ibid.*, p. 404.

REMARQUES SUR LA NOTION DE GLOIRE DANS LE THÉÂTRE DE CORNEILLE

La critique reconnaît désormais l'importance capitale de la gloire dans l'univers cornélien: à partir du *Cid*, celle-ci est à la fois le ressort de la psychologie des personnages, le fondement de toutes leurs valeurs et la source du tragique propre à Corneille.[1] Mais ni l'acception courante du terme, ni les définitions des dictionnaires ne suffisent à couvrir les emplois que Corneille en a faits. En quoi consiste donc un 'si précieux bien' (*Théodore*, 1026)?

Furetière le définit comme 'la louange qu'on donne au mérite', et Andromède comme la combinaison du 'mérite' et de l''éclat' (1553). L'éclat n'est autre que la renommée, agent d'immortalité: 'faire vivre la mémoire' est le rôle de la gloire dont Dircé apostrophe dans ses stances l''impitoyable soif' (*Œdipe* III, 1); Lysander parle en termes traditionnels de

> . . . ces nobles fumées
> Qui gardent les noms de finir (*Agésilas*, 1050-1).

Bien d'autres l'imitent. Mais en confondant gloire et renommée, ils privilégient l'éclat et frappent le mérite de superfluité. Quand Rodrigue s'écrie:

> O combien d'actions, combien d'exploits célèbres
> Sont demeurés sans gloire au milieu des ténèbres (*Cid*, 1301-2),

la présence du mérite ne dissimule pas son insuffisance: la gloire peut être éclat sans mérite; et le divorce sera consommé quand Lysander remerciera Agésilas de lui conserver la sienne en n'ébruitant pas une trahison; pour criminel, il l'est déjà, mais tant que le public l'ignorera, sa gloire sera sauve.

Inversement, la gloire peut être mérite sans éclat. C'est d'abord qu'il est plus d'une sorte d'éclat: le Vieil Horace prévient son fils contre l'enthousiasme du 'peuple stupide', et y oppose le verdict des 'esprits bien faits', seuls dispensateurs de la 'véritable gloire', seuls capables de la reconnaître sous l'incognito (*Horace*, 1711-24). Dorise, cherchant à nuire à sa rivale, avoue n'avoir su que 'croître sa gloire' (*Clitandre*, 558); or elle est en exil, sans nouvelles de la cour: cette gloire n'est donc pas un éclat qu'elle ignorerait, mais le mérite que Caliste a déployé. Par glissements, de la renommée pure et simple à celle que dispensent des individus privilégiés, puis à celle que l'équité les forcerait à accorder au mérite inconnu, Corneille aboutit à la conception d'une gloire 'sans nom' (*Rodogune*, 1073; entendons: sans renom), ou qui peut se passer d''éclater' (*Suréna*, 906). L'homme, à l'image de Dieu, possède une gloire 'interne', qui consiste dans 'l'infinité de ses perfections', et une gloire 'externe', 'manifestation de ses attributs'.[2] La gloire peut exister en virtualité comme en acte, sans que l'un entraîne l'autre. Partis d'une gloire traditionnellement synonyme de renommée, nous aboutissons, paradoxalement, à rendre leur association purement accidentelle.

Dans les premières tragédies, la gloire est encore le plus souvent une substance extérieure et mesurable. Elle s'acquiert et se perd; la perte, proportionnelle à la faute, n'offusque qu'une partie de la gloire. Tulle se livre à cette comptabilité:

> Ta vertu met ta gloire au-dessus de ton crime (*Hor.*, 1760).

Tant de gloire a été acquise, tant perdue, reste tant. Rien n'empêche d'en acquérir de nouveau. Mais dès *Pompée*, les choses changent: la mort rend à Ptolémée '*toute* sa gloire' (1657): plus de comptabilité; désormais l'enjeu est tout ou rien. Et bientôt il sera impossible de regagner une gloire perdue: la vulnérabilité est infiniment accrue. Toute 'souillure' se fait éternelle, toute tache 'trop noire'. A la moindre vétille, les héros découvrent qu'il 'y va de leur gloire'. S'ils la perdent, ils en seront privés pour l'éternité. Corneille multiplie les métaphores pour souligner la fragilité de la gloire: 'souillée', 'flétrie', 'ternie', 'obscurcie', 'ensevelie', il est nécessaire de la 'soutenir', comme si elle s'écroulait. Les personnages marchent sur un fil: au moindre pas, leur gloire entière est en jeu; et contre elle les moindres péchés sont mortels. Cette analogie se présente d'autant plus fatalement que la gloire finit par ressembler de tous points à l'âme. N'est-elle pas attachée à la personne plus qu'à ses actes, puisque le vieil Horace affirmait que le moindre la traduit autant que le plus spectaculaire? Et puis tout homme *naît* pourvu d'une gloire, irremplaçable, de valeur infinie, et qu'il doit sauver (innée, elle l'est: Rodrigue, v. 313, Chimène, v. 842 et 847, l'Infante, v. 97, au sortir de l'enfance, invoquent la leur, présente avant que l'occasion de la conquérir leur ait été offerte). Comme l'âme, la gloire est à la merci de l'homme et ne peut rien d'elle-même. Lui pourtant ne saurait se servir d'elle, ni à vrai dire communiquer avec elle. Plus importante que lui, elle mérite des sacrifices; plus vulnérable, elle exige des égards. Elle est la meilleure part de l'individu, tout en lui restant extérieure.

L'éminence et l'indépendance de la gloire sont établies au moyen de figures de rhétorique qui la personnifient; ce sont d'abord une série de métaphores animales: la gloire peut 'mourir' (*Cid*, 332), être 'blessée' (*Tite*, 1228). Elle se voit gratifier d'une psychologie anthropomorphe: 'délicate' (*Pulchérie*, 942), 'inexorable' (ibid., 953), 'offensée' (*Cinna*, 816), 'insultée' (*Sophonisbe*, 1030), 'trahie' (*Cin.*, 1690) etc. Ainsi dotée d'existence organique, elle dispose d'un dynamisme propre, qui la place sur le même plan que les facteurs actifs de la vie psychologique. Les personnages mettent sur pied d'égalité leur gloire et leur amour (*Cid*, 123; *Nicomède*, 45; *Sertorius*, 1110), leur passion (*Cid*, 1138), leur flamme (*Sert.*, 1286), leur cœur (*Soph.*, 710), leur générosité (*Pomp.*, 373), jusqu'à 'amis, maîtres, maîtresses, patrie' (*Cin.*, 1689). Comme eeux-ci la gloire agit pour son propre compte; elle sert de sujet à de nombreux verbes d'action: elle 'prononce des arrêts' (*Polyeucte*, 551), éprouve de l'intérêt (*Pomp.*, 1218), exerce une domination (*Don Sanche d'Aragon*, 462; *Soph.*, 1506), oppose des refus (*Sanche*, 1685), procède à des enquêtes (*Pulch.*, 1411-2), etc. Plus encore, elle est le siège de débats, qui la divisent entre son inclination et sa responsabilité (*Rod.*, 1235; *Agésilas*, 1866). Au point que l'individu peut se proclamer innocent de ses actions et en imputer la responsabilité à sa gloire, premier moteur:

> Ta gloire, ton devoir, ton destin a tout fait (*La Toison d'or*, 1259).

Siège de conflits, responsable, la gloire devient une personne, l'égale de son détenteur, dont elle peut se dissocier: celle de Sabine la quitte pour entrer dans une autre maison (*Hor.*, 78); celle de César s'indigne contre lui et le sauve (*Pomp.*, 776); celle d'Héraclius, blessée, 'Dépouille un vieux respect où je l'avais forcée' (1680) et se rebelle contre lui. Othon adjure Plautine en ces termes: 'Consultez votre gloire, elle saura vous dire . . .' (1229), qui soulignent l'indépendance de l'individu et de sa gloire. Sophonisbe va jusqu'à invoquer la sienne sur le même pied que Carthage et les dieux (1533): ni l'extériorité ni la puissance ne peuvent être portées plus loin. L'indépendance conduit à l'antagonisme, quand les valeurs propres à la gloire diffèrent de celles de l'individu. Le second a le dessous: Polyeucte se 'résout' a 'contenter' la sienne (1445), d'autres 's'immolent' à la leur (*Hor.*, 1594; *Théod.*, 904), celle de Don Alvar le contraint à l'infamie de l'infidélité (*Sanche*, 1470), etc. L'individu fait figure de comparse auprès de cette gloire qui le tyrannise plus qu'elle ne le sert, de cette partie armée contre le tout, poussée par le sens de son extrême vulnérabilité à poursuivre âprement ses fins particulières, égoïstes. C'est elle qui possède libre-arbitre, responsabilité, indépendance, elle qui est 'énergumène'.

Cette personnification, de peu systématique, devient cohérente et presque constante. La gloire, comme les passions, dotée de volonté, d'énergie et de buts propres, devient entité autonome et émancipée du personnage; lui assiste, passablement détaché, à leurs conflits, dont il est le théâtre, non le protagoniste; il exécute des décisions élaborées en lui, mais sans son concours. Il n'est plus acteur, mais lieu du drame. Sa gloire, quelque proche qu'elle soit de lui, lui reste opaque. Il est convaincu qu'elle constitue son bien le plus intime et le plus précieux, sans pouvoir en jouir de façon quelconque. Il se conduit *comme si* il était appelé un jour à quitter son corps pour aller habiter sa gloire et sentir à travers ses sens à elle, en jouir et la connaître. Cette croyance dans la nature eschatologique de la gloire, trop absurde pour se montrer à visage découvert, n'est jamais énoncée; mais elle est constamment insinuée par l'exacte ressemblance de la gloire à l'âme. Une religion de la gloire s'instaure. Aussi il n'y a pas lieu de s'étonner du fanatisme de l'attachement des personnages à leur gloire, ni de leurs fréquentes hésitations sur sa volonté exacte, sans que vacille pour autant leur foi en elle. Elle est ce qu'ils sentent de plus profond en eux-mêmes.

Dès lors, il est naturel qu'ils obéissent quand elle, non contente de leur résister, exige leur destruction. C'est qu'elle se perçoit comme exilée, et séparée d'elle-même, et voit en eux des instruments: qu'ils la tirent de son exil, lui fassent regagner sa contrée, et, leur fonction remplie, devenus superflus, dangereux, il ne leur restera plus qu'à disparaître. Car s'il est malaisé de donner satisfaction à sa gloire, il l'est plus encore de ne pas en provoquer ensuite la déchéance: Horace devient assassin aussitôt que vainqueur, et aspire à la mort; Suréna, ayant 'vécu pour (sa) gloire autant qu'il fallait vivre', provoque l'irréparable; Sophonisbe exulte pendant cinq actes, dans l'anticipation lyrique d'un trépas qui assurera sa gloire. Ainsi le personnage n'a pas d'autre fin que sa gloire, qui se développe en-dehors de lui et à ses dépens, en parasite. Elle ne l'empêche de vivre à son gré que pour le contraindre à mourir dès qu'elle a atteint ses fins, dans lesquelles il n'a pas de place. S'il survit, il n'en vaut guère mieux; dépersonnalisé, il mène une existence rituelle, toute consacrée au culte de sa gloire: le Cid, privé de Chimène, devra renouveler perpétuellement ses exploits, Horace sera un automate au service de Rome, Tite ne vivra qu'afin de faire durer, pour une sorte de création continuée, le déchirement de la renonciation qui assouvit sa gloire. La seule différence est que s'éternise l'inconfort de leur 'immolation' à leur gloire. Ainsi la vie est la matière première de la gloire, la proie dont elle se repaît, mais sans lui accorder de valeur propre; la gloire une fois assurée, ce sera pour le héros un soulagement de pouvoir se soustraire à l'humiliation et au tourment de vivre.

Puisqu'à chaque homme est attachée une gloire, et dotée d'idiosyncrasie, comment s'étonner des dissentiments de ces gloires? Le fréquent emploi axiologique du terme fait par Corneille donne aux gloires, en dépit des caprices et des divergences, un dénominateur commun, que nous allons essayer d'isoler. Toute gloire essaie de prononcer des jugements de valeur, mais non sans opportunisme ni hésitation:

> L'œil le mieux éclairé sur de telles matières
> Peut prendre de faux jours pour de vives lumières (*Héraclius*, 1619-20).

L'incertitude éclate dans les nombreux débats où deux personnages tentent de se persuader mutuellement qu'ils placent mal leur gloire. Et des expressions telles que 'faire gloire', 'mettre sa gloire à', 'tenir à gloire' ou 'trouver gloire', qui reviennent une cinquantaine de fois dans le théâtre de

Corneille, prouvent que l'action glorieuse n'est pas spécifique, mais qu'elle tire sa gloire des circonstances:

> Vous faites des vertus au gré de votre haine (*Cin.*, 977).

reproche Cinna à Emilie. Quelle passion n'en fait autant? Sans duplicité, Aristie, en quelques vers, transforme les mêmes sentiments d''ennemis de (sa) gloire' en 'enfants de l'honneur' (*Sert.*, III, 2). Lysander de son côté proclame:

> . . . ce qu'on va nommer forfait
> N'a rien qu'un plein succès n'eût rendu légitime.
> Tout devient glorieux pour qui peut l'obtenir,
> Et qui le manque est à punir (*Agés.*, 2016-9).

La gloire est partout et nulle part, selon le caprice des circonstances et celui de l'individu. Seule demeure l'indifférence complète à toute éthique préexistante. Toute coïncidence avec la 'vertu' ne saurait être qu'accidentelle, et maint personnage courtise la gloire en pratiquant et en contrariant alternativement celle-ci, d'Auguste à Ptolémée, Léontine, Rodélinde, Oedipe, Perpenna, Sophonisbe, Agésilas, Ardaric et Valamir, en passant par la pure Ildione, Domitie, Orode et Pacorus. Plus d'un finit par opter pour le crime, et s'y consacre avec emportement,[3] y voyant le plus court chemin vers la gloire. Dès *Clitandre* est apparue une 'infâme gloire' (18), à laquelle fait écho l''illustre crime' par lequel Ptolémée entend s'immortaliser (*Pomp.*, 206). En conséquence, si la gloire veut bien se faire détentrice et distributrice de la valeur, elle ne fonde son axiologie ni sur les morales reçues ni sur l'approbation publique, ni même sur des principes rigides. Nous ignorons toujours de quoi elle se réclame.

Elle s'accompagne d'ordinaire d'un conflit avec autrui, dont la rencontre constitue pour le héros un désordre qui se résoud en défi: voir *Le Cid*. Cette rencontre entraîne 'une suite de duels et de combats qui ne sont au fond que des comparaisons portées à leur plus haut degré d'intensité'.[4] Tantôt combat physique, tantôt émulation armée d'Etats, ou des dieux mêmes (c'est la gloire du Dieu des chrétiens et celle de Jupiter qui aiguisent l'antagonisme dans *Polyeucte*), la confrontation peut se dissimuler plus subtilement derrière l'affirmation de la liberté, qui se fait toujours *contre* quelqu'un, et recouvre des épreuves de puissance: la liberté consiste à se dérober à la puissance d'autrui, et la frappe d'inanité. L'insoumission est supériorité, humilie autrui, et de ce fait, l'expulse irrémédiablement du domaine de la gloire. Il importe donc au glorieux d'affirmer sa liberté, tout en empêchant quiconque d'en faire autant; voilà pourquoi des tragédies entières se passent à conjurer la menace d'un déni. De là aussi les complots ourdis pour induire notre rival à tolérer inconsidérément une action qui porte en germe la négation de sa liberté, donc notre gloire. Sophonisbe, l'héroïne cornélienne la plus exemplairement obsédée de sa gloire et des formes variées de sa liberté, confesse que 'la folle ardeur de braver (sa) rivale' (1546) est responsable de ses désastres; son souci principal est de dénier à quiconque la liberté de lui rendre service—époux, vainqueur, qu'elle frustre d'un acte de générosité. Selon un calcul subtil déjà fait par Rodélinde, elle sacrifie sa gloire pour mieux priver Massinisse de la sienne; mais ce sacrifice exorbitant est truqué: tant de 'générosité' lui est un surcroît de gloire, et laisse Massinisse incapable de surenchérir, et convaincu de médiocrité. Jusque dans son suicide, elle se targue de n''emprunter rien d'autrui', pas même le poison, et de 'rester toute à moi'. Elle a réussi à monopoliser l'initiative et à réduire tous les autres protagonistes au rôle passif de satellites de sa liberté; la situation de comparse les prive automatiquement de toute gloire.

Chez Attila, chez Bérénice, chez Orode, même dialectique de la liberté et de la dépendance, mise au service de la gloire. Ces jeux subtils sur le sens de la liberté annulent toute puissance extérieure au sujet, et, par contraste, exaltent la sienne. Y recourent ceux auxquels fait défaut la puissance effective. Qui la possède ne cherche pas sa gloire ailleurs: la puissance est si nettement porteuse de gloire que Corneille emploie le second vocable là où le contexte n'admet pas d'autre sens que celui de puissance: telle est la 'gloire' que Flaminius fait miroiter à Prusias dans l'arrestation de Nicomède, alors que seule la dévolution du pouvoir est en cause (1642); la gloire de la France est opposée, dans le prologue de la *Toison d'or* (56-7), au 'dehors brillant' — puisqu'il y a opposition, il faut bien que cette 'gloire' désigne un effet de la victoire distinct de la renommée, effet qui ne peut être que l'accroissement de puissance. La 'gloire' de Syphax était d'être accepté comme médiateur par des ennemis, donc d'avoir assez de puissance pour imposer sa paix. Etc . . . La gloire est attachée à acquérir la puissance, ou à l''enfler' (*Sert.*, 280), ou à l''affermir' (ibid., 392).

Et la puissance est un moyen de se tirer du commun, d'élargir le fossé qui sépare d'autrui. Tout autre prétexte à hiérarchie sert aussi adéquatement l'appétit de gloire. Il importe de devenir 'le premier de Rome et du monde' (*Pomp.*, 1278), ou, à défaut, d'un fragment de ce monde, à condition d'oublier l'existence du reste. Qu'importe que la primauté soit pure affaire de rang, et rituelle? Les médiocres sont obsédés par le rang de roi, signe tangible de la gloire. Une Cléopâtre, une Sophonisbe, un Attila préfèrent le pouvoir au symbole dérisoire, auquel les médiocres se cramponnent jusqu'à la démence. Ptolémée, les comtes de *Don Sanche*, Arsinoë, Palmis, Aspar, etc., sont des maniaques du diadème; Honorie et Domitie en sont les furies. Ils se repaissent d'une illusion de gloire. En font autant ceux qui prétendent exceller dans leur état de sujets, plus que leur souverain dans celui de maître, et se livrent par gloire à une émulation de servilité. A moins qu'ils ne prétendent jouir par procuration de la gloire du maître, instituant une sorte de corps mystique de la gloire, qui la rendrait indivise entre plusieurs individus, membres d'une même entité: nouvelle irruption de structures théologiques dans l'ordre de la gloire.

Les rapports amoureux eux-mêmes deviennent occasion de hiérarchie et donc de gloire. Ils sont conçus soit en termes d'asservissement et de conquête, soit en termes de rivalité. Dans le premier cas la gloire se mesure au nombre et à la qualité (c'est-à-dire au rang hiérarchique) des soupirants soumis. Domitie s'accusera d'avoir pu répondre aux feux du frère de l'empereur — alors qu'il existait un empereur! Laodice répute à 'frénésie' la pensée de préférer un moindre sire au 'vainqueur de l'Asie'. Quant au nombre, Albin se charge d'expliquer qu'on offense la gloire d'une femme en reprenant un coeur dont elle ne fait pas de cas (*Tite*, 1283-90); Andromède, Sophonisbe lui donnent raison, et cette Eurydice qui cause en toute lucidité la mort de son Suréna, pour éviter de l'affranchir: elle retire de sa mort un surcroît de gloire. Dans le cas de la rivalité, être préféré établit une hiérarchie, humilie les rivaux, et confère par là la gloire. Corneille ne se lasse pas de le faire dire. Cette gloire sera l'un des ressorts de *Sophonisbe*, et de la *Toison d'or*, où Junon et Jason ne fléchissent Médée qu'à la considération de l'éclat qu'elle reçoit d'être préférée à Hypsipyle. Amants ou rivaux sont des trophées, des emblèmes de supériorité.

Même ceux qui attachent leur gloire à une vertu conventionnelle — stoïcisme, désintéressement, loyauté filiale, conjugale, patriotique ou autre — se targuent non de pratiquer la vertu, mais d'y surpasser quiconque. Leur gloire se fonde sur une comparaison avec les vertus communes, sur l'énormité des sacrifices qu'ils s'imposent ou sur la rigueur de leur conception des exigences de la vertu; rien n'est plus clair dans les duels de générosité qui opposent Rodrigue à Chimène, Auguste à Emilie, Polyeucte à Pauline, Thésée à Dircé, Othon à Plautine, Tite à Bérénice, etc. Le prétexte de la comparaison reste secondaire; la gloire s'attache à la démonstration de supériorité. La règle vaut pour les criminels: affirmation ou négation de soi, crime, vertu, tout n'est que moyen. Seule importe la fin, l'idée, la gloire, qui se rencontre partout où une hiérarchie peut être établie, quelle qu'elle soit. L'idée fixe des personnages en quête de gloire est de faire reconnaître comme seule significative la hiérarchie où ils savent que le premier rang ne peut leur être disputé.

L'égalité sera donc pour eux l'insulte suprême: Honorie est mise hors d'elle par la similitude qu'Attila voit entre eux, et rétorque par une assimilation de Valamir à Attila, qui outre ce dernier (III, 4). Pulchérie finit par renoncer à son amour, plutôt que de partager le premier rang. Orode achète d'un meurtre le monopole de la gloire. Etc. Le partage déprécie toute chose:

> La liberté n'est rien quand tout le monde est libre,
> Mais il est beau de l'être, et voir tout l'univers
> Soupirer sous le joug et gémir dans les fers (*Sert.*, 1334-6).

Sertorius doit en convenir. Et Viriate renchérit: 'Je périrai plutôt qu'un autre la partage' (1598). Sophonisbe porte le principe jusqu'au bout, en ruinant systématiquement la gloire de tous ceux qui l'approchent; la sienne resplendit d'un éclat d'autant plus vif qu'autour d'elle ce ne sont que ténèbres. Cette entreprise constitue son principal titre à la gloire; elle nous apprend que toute gloire veut la mort des autres gloires. Etre le premier ne suffit pas au glorieux: il lui faut être le seul.

La capacité d'exécution des personnages ne fait aucun doute: leurs difficultés se concentrent sur l'élaboration de l'acte; elles sont affaire d'imagination. Comment, d'une situation quelconque, tirer le plus de gloire possible, sans se laisser prendre de vitesse par un concurrent? Comment concilier la situation avec l'intuition que le héros a de sa gloire, et *signifier* cet accord par un acte? En souscrivant à l'état de choses ou en le contrariant? L'obstacle gît dans la multiplicité des voies, et dans l'éparpillement des hypothèses; ce dont témoignent les nombreux débats que résument ces vers:

> Syphax: Ce soin de votre gloire, et de lui satisfaire . . .
> Sophonisbe: Quand vous l'entendrez bien, vous dira le contraire
> (*Soph.*, 1013-4).

Fréquentes sont les contestations opiniâtres, dont l'objet semble consister à inventer, à force d'analyses et de subtilité, un acte unique dans l'histoire, tout en égarant l'imagination rivale sur des pistes stériles. Pour mieux l'égarer, certains mentent délibérément, sans déshonneur; dans le combat pour la gloire, tout est légitime. Héraclius dévide un chapelet de mensonges sinueux pour rompre l'hymen de Pulchérie tout en lui conservant la vie — c'est qu'il l'a promise à Martian; Ildione et Honorie multiplient les assauts de grandeur d'âme pour se céder mutuellement le privilège — odieux à toutes deux — d'épouser Attila; Suréna est fertile en objections à un mariage qui l'enlèverait à celle qu'il aime, et les puise toutes dans la gloire de celle qu'on lui propose; elles s'appliquent à l'union qu'il projette, mais ne l'en détournent aucunement. La duplicité règne; les protagonistes s'affrontent à renfort de fictions. Contestations et mensonges tissent un voile épais qui obscurcit la situation, mais ces inventions et hypothèses, qui se bousculent, se contrecarrent et s'accumulent servent de brouillons à l'action glorieuse.

De sorte que dans quelque domaine que s'exerce l'émulation glorieuse, l'exigence de surpasser l'imagination des concurrents est fondamentale. Le gibier du glorieux, c'est le singulier, l'inimaginable. De là le prix de l'imagination. Viriate affirme qu''Il est beau de tenter des choses inouïes' (*Sert.*, 1381), et Corneille va jusqu'à réhabiliter l'invraisemblable.[5] L'ambition de se singulariser des héros les oriente vers le paradoxal, l'excessif, le monstrueux. Ils cherchent un acte qui suscite l'horreur et l'effroi (plus essentiels à l'admiration que la pitié): Médée veut surpasser les enfers en superbe et en cruauté (*Médée*); Cléopâtre rêve d'hécatombes au milieu desquelles ensevelir sa mégalomanie; Léontine exulte d'avoir livré son propre fils au bourreau pour faire trébucher un usurpateur (*Héraclius*, 1399); Rodélinde promet sa main au tyran qu'elle abhorre à condition qu'il l'aide à assassiner le fils qu'elle chérit. Pour se tirer plus radicalement de l'ordre commun, il est logique de rechercher l'inhumain. Cléopâtre le comprend et s'écrie: 'Sors de mon coeur, nature'. La nature n'apporte que restrictions: qu'on l'élimine. Le héros nourrit l'ambition nietzschéenne de montrer *ce que peut un homme*, de faire 'rendre à son être toutes les possibilités d'énergie, de dépassement, de souveraineté'.[6] Il s'affirme par la démesure de son appétit, par son avidité de quelque chose de plus grand que ce qu'offre la nature. C'est pourquoi son acte doit être *inventé*, pour dépasser ce qui *existe*. On voit que la création héroïque est le fait de l'imagination, et que c'est elle qui fournit la trame de la gloire.

Elle en fournit aussi la mise en scène. Car l'action glorieuse est forcément banale: meurtre, suicide, sacrifice. La création consiste donc surtout dans l'interprétation de l'acte. Celui-ci n'a pour utilité que de manifester un rapport, une signification, une intention. Il doit être spectaculaire, afin d'attirer l'attention, mais la gloire réside dans l'intention, et ne sera que si celle-ci ne peut être méconnue. C'est pourquoi les personnages s'efforcent de dissiper toute ambiguïté sur le sens à donner à leur geste, supputent perpétuellement la façon dont le public le comprendra et sont à l'affût des conditions propices à ce geste, qu'il faut 'faire éclater' sans que la malveillance ou la sottise puissent en gauchir l'interprétation. Peu importe que celle-ci repose sur un mensonge ou un sophisme, pourvu qu'elle prévale. L'efficacité de la présentation compte davantage que la matière présentée.

La négation d'autrui, nous l'avons vu, est le geste fondamental de l'univers cornélien et de la gloire. Le glorieux a pour essence d'être unique. Il n'aura de trêve qu'il ne façonne le paraître à l'image de ce qu'il ressent comme son être, et n'élimine tout rival par une humiliation qui entraîne la perte de sa gloire, de personne le transforme en objet, en signe de la gloire du vainqueur. Il n'y a pas de milieu entre le rôle de héraut ou de trophée d'une gloire acquise aux dépens de la nôtre, et celui de prédateur triomphant. Etre effacé du plan de la gloire entraîne une chute dans le néant, plus grave, plus radicale que la mort physique.[7] Là réside tout le tragique des pièces tardives. Pour y être sensible, il faut se souvenir de la gravité de l'enjeu, qui est l'être ou le non-être sur le seul plan dont les personnages se soucient.

En niant autrui, en s'élevant 'au-dessus du vulgaire' (*Cin.*, 1526), ils révèlent une perfection *plus grande*; ainsi Sophonisbe surpasse quiconque en puissance (liberté), en insolence, en générosité, en splendeur verbale, et par la 'pompe de son courroux'. Tant d'excellences paraissent vite les indices d'une supériorité radicale. En d'autres termes, il se produit un passage du quantitatif au qualitatif, et les supériorités particulières sont interprétées comme différences de nature. La démonstration d'une supériorité sert de gage au bien-fondé de toutes les prétentions du héros, et son optimisme spontané ne peut que les multiplier à l'infini. Ainsi l'on retrouve derrière la rivalité glorieuse une quête d'absolu. La victoire démontre que le vainqueur est différent du vaincu; ce dernier est — par sa défaite même — immergé dans le relatif; l'antithèse établie par la victoire permet au vainqueur de se convaincre qu'il est affranchi du relatif. Le voilà tiré des compromissions de la vie quotidienne, du divers, qui est toujours impureté. Plus rien ne le divise — bien que son unité résulte non d'une harmonie, mais d'une mutilation, car son acte consiste à s'identifier tout entier avec *une* qualité, à devenir en quelque sorte une idée platonicienne — le généreux, le vertueux, le traître. Il supprime toutes ses autres qualités. Ainsi affranchi du multiple et du contingent, il affirme l'absolu d'un être monolithique — et définitif. Ou qui doit du moins le devenir, s'il ne veut pas que sa quête de la substance se révèle futile. Sur le plan où sa victoire le pose, il n'existe personne d'autre que lui. Il le remplit donc; il y est divinisé. Pour ne pas avoir à le quitter, il se plie à la logique qui veut que son affirmation sur ce plan suprême et grandiose de la gloire s'accompagne de la négation de soi, de la mort, sur le plan concret, et trivial, dans lequel il ne veut pas retomber.

Le terme de gloire recouvre chez Corneille des réalités assez différentes. Ses emplois sont parfois contradictoires: le sens banal de gloire-renommée exclut la gloire sans nom. Inconséquences naturelles sur un concept aussi fondamental, et dont Corneille renouvelait le contenu. Les contradictions peuvent d'ailleurs s'estomper: la gloire-âme, appendice vivant de la personnalité, la gloire-état, jubilation du glorieux d'avoir dépassé lui-même et le monde, la gloire-primauté, promotion à l'absolu à travers la négation d'autrui, sont toutes des figures d'une quête de la substance. Ces gloires occupent une place croissante au fil des ans dans le théâtre de Corneille.

Sort étrange que le sien, et celui de sa génération, qui firent de la gloire le pôle de leur civilisation,[8] sans pour autant s'entendre sur le sens à donner à ce mot; tandis que les uns se contentaient de l'acception traditionnelle, les plus circonspects en sentaient le creux et l'insuffisance, et s'efforçaient de donner à leur passion de la gloire des assises plus solides. Dissociant entièrement la gloire de la renommée, Mlle de Scudéry, Montausier, Rapin, Charles Patin — et Corneille, l'identifiaient avec la réalisation de leur aspiration la plus lancinante, la plaçaient dans l'harmonie de la conscience avec autrui, le monde, et elle-même. Empruntant ses structures et son vocabulaire de tous côtés, à la théologie comme à la politique, Corneille a mis la gloire dans le succès, enfin manifesté concrètement, de l'aspiration héroïque vers un être plus plein, un être 'qui s'avance dans sa magnificence d'être, libéré de ce qui le dissimule, établi dans la vérité de sa présence découverte'.[9] L'originalité de Corneille aura été d'affirmer avec une telle force que l'homme est le temple de cet être et le lieu de sa révélation, conformément au désir timide mais tenace qu'il nourrit.

J-J. Gabas

Notes:

1 En particulier O. Nadal, dans *Le sentiment de l'amour dans l'œuvre de Corneille*, Paris, 1948, pp. 305, 306, 307 et pass.; et dans les articles groupés dans *A mesure haute*, Paris, 1964, pp. 41-76. Et P. Bénichou: *Morales du grand siècle*, Paris, 1946, pp. 13-51. La démonstration particulière a été ajoutée, pour *Horace*, par W. H. Barber, 'Patriotism and "Gloire" in Corneille's *Horace*', *Modern Language Review*, 1951, pp. 368-378; et pour *Polyeucte* par A. J. Krailsheimer, *Studies in Self-Interest*, Oxford, 1961, pp. 54-55. Mon article a été écrit avant lecture de la thèse de S. Doubrovsky, qu'il recoupe en plusieurs endroits.

2 Dictionnaire de Trévoux, article 'Gloire'.

3 O. Nadal, dans 'L'exercice du crime chez Corneille', *Mercure de France*', 1 janv. 1951, p. 383, s'est penché sur le cas de Cléopâtre. Ses conclusions peuvent être étendues aux autres criminels par gloire qui figurent dans cette énumération.

4 J. D. Hubert, 'Le réel et l'illusoire dans le théâtre de Corneille et de Rotrou', *Revue des sciences humaines*, 1958, p. 337.

[5] 'Je ne craindrai point d'avancer que le sujet d'une belle tragédie doit n'être pas vraisemblable' (*Hérac.*, Avis au lecteur). Comparer au *Discours du Poème dramatique*, § 1, à *Rod.*, 'Examen', et à *Oth.*, Avis au lecteur.

[6] 'L'exercice du crime chez Corneille', p. 36.

[7] Si le glorieux ne recule pas devant cette liquidation générale, comment s'étonner de son absence de scrupule devant le meurtre, somme toute moins grave à ses yeux?

[8] Voir sur ce point A. Nadal, 'Une éthique de la gloire', *A mesure haute*, pp. 63-76.

[9] Telle est la définition que donne de la gloire Maurice Blanchot, 'La puissance et la gloire', dans *Le livre à venir*, Paris, 1959, p. 299.

ORGON LE DIRIGÉ

Les personnages de Molière sont profondément ancrés dans la réalité de son temps. Molière était fasciné par son temps, écrivait pour son temps, non pour la postérité, et par un paradoxe qui n'est qu'apparent, cette exclusive préoccupation pour les hommes et la vie de son temps est peut-être l'une des raisons de la permanence et de la vitalité de son théâtre. Peu importe que telle allusion personnelle ou telle intention satirique du poète se soit perdue en route. Qui se soucie, au théâtre, de la Cabale des dévots et de l'abbé Roquette—modèle supposé de Tartuffe? Qui même est jamais entré dans une famille où il lui fût possible de rencontrer un Tartuffe? Et pourtant il suffit à Tartuffe de paraître sur la scène, de couvrir 'ce sein que je ne saurais voir', de lever les yeux au ciel: 'Hélas! . . .', de poser une main de somnambule sur la jambe d'Elvire, pour prendre vie, éternellement énigmatique mais immédiatement accessible, et soulevant d'un coup la risée ou la colère.

Trois siècles cependant nous séparent de Molière; ce serait un miracle si le passage du temps n'avait jamais terni ses couleurs, affaibli la résonnance, au point de fausser la physionomie de telle ou telle de ses créations. C'est le cas, me semble-t-il, pour Orgon. Orgon est, dans toute l'acception du terme, *daté*: il appartient à son temps au point que, sans l'intelligence du milieu qui l'a produit, il est difficile de voir en lui autre chose qu'un personnage de farce, plus proche de Pourceaugnac ou d'Escarbagnas que d'Alceste ou de Don Juan. Ce benêt qui, au récit alterné de la maladie de sa femme et du repas pantagruélique de son héros ne peut que s'exclamer quatre fois d'une voix pleine de larmes: 'le pauvre homme!'—est-il croyable? Ce naïf qui prend pour bon argent les génuflexions d'un exhibitionniste, ce père dénaturé qui, saisi d'une rage incompréhensible, déshérite son fils et fait à l'intrus donation de tout son bien, ce cocu béat que Tartuffe a, comme il s'en vante, 'mis au point de tout voir sans rien croire' porte-t-il la marque de cette 'nature' que Molière se vantait d'‘attraper’, que La Fontaine le louait de ne pas ‘quitter d'un pas’? Ce moronique Orgon d'ailleurs n'est nullement accessoire à l'action de la pièce: son importance dramatique a souvent été soulignée. Ce sont ses initiatives qui ont créé la situation du premier acte, ses décisions qui entraînent bon gré mal gré les personnages le long du chemin qu'il leur trace, jusqu'au moment où, menacé dans son bien, sa liberté, sa vie, il s'effondre soudain, pauvre homme enfin désabusé, que ses proches s'efforcent de sauver, Cléante par ses avis sententieux, Valère par son aide généreuse. Mais c'est Orgon qui a découvert Tartuffe, qui l'a installé dans sa maison, imposé à sa famille. C'est lui qui a décidé de faire de lui son gendre, qui écarte d'une façon à la fois évasive et inflexible les représentations de Cléante, et qui impose silence aux railleries de Dorine, aux raisonnements d'Elmire, aux larmes de Mariane. On aimerait à voir dans un si fol aveuglement l'effet des machinations diaboliques de l'imposteur, menant pas à pas sa victime jusqu'au piège fatal, d'où seules la retirent au dernier moment la Providence royale et la puissance tutélaire de Louis. Mais le fait est que, même s'il est vrai, comme le prétend Dorine, qu' ‘il en tire à toute heure des sommes’, nous ne voyons jamais Tartuffe suggérer à Orgon aucune de ses initiatives. Même dans l'affaire de la cassette, c'est Orgon qui lui a révélé son secret et qui a sollicité ses conseils, et lorsqu'au troisième acte Tartuffe démasqué s'accuse et s'humilie, le comique énorme de la scène vient tout entier de la réaction tout à fait imprévue d'Orgon qui chasse à coups de bâton son champion et tombe aux genoux du coupable. Orgon donc mène le jeu, non Tartuffe. C'est non par l'habileté de Tartuffe mais, semble-t-il, par l'extravagante, l'inénarrable sottise d'Orgon, que s'explique la pièce, et cette sottise ne sort-elle pas des bornes de la vraisemblance? Beaucoup en effet protestent: un tel personnage, disent-ils, ne peut convenir qu'à la farce ou à la comédie-ballet; Molière abuse de la bonne volonté du spectateur. Or dès l'instant qu'Orgon cesse d'être vraisemblable, Tartuffe cesse d'être possible. La Bruyère déjà ne comprend plus Orgon, et non sans pédantisme et quelque acidité refait Tartuffe à sa manière et donne à Molière une leçon de bonne comédie. Au XIXe siècle Veuillot surenchérit: ‘On ne peut imaginer Tartuffe tel que le peint Molière’, écrit-il, ‘dans une autre maison que celle de l'inepte Orgon. Il faut l'entière et rare imbécillité de ce bourgeois pour que le fourbe ne perde aussitôt tout crédit'. Imbécillité qui tombe dans l'artifice le plus flagrant et prouve, selon Veuillot, la mauvaise foi de l'auteur et la médiocrité de la pièce. Construite sur les rapports de deux pantins dont Molière tire les ficelles, *Tartuffe* est plus semblable à *Scapin* qu'au *Misanthrope*—ou plutôt c'est le pamphlet grimaçant d'un libertin anticlérical, dans lequel il est difficile de reconnaître le chef-d'oeuvre dont les manuels entonnent depuis si longtemps la louange obligée.

Molière, il est vrai, a pris soin d'indiquer que son héros n'est pas toujours et partout un imbécile. Dorine nous rappelle que, dans cette guerre de la Fronde que Louis XIV n'oubliera jamais, Orgon a pris parti, et que, dans l'exercice de sa charge, car tout riche bourgeois a sa charge, il a 'en homme sage' montré sa fidélité au monarque. Le raisonnement par lequel il justifie son scepticisme à l'égard des accusations portées contre Tartuffe pèche par la base mais témoigne d'une sorte de pénétration et de logique perverse qui n'a rien de moronique. Lorsque Tartuffe jette le masque, il aperçoit aussitot le péril où il s'est mis, lui, sa famille, son ami: 'Je vois ma faute aux choses qu'il me dit'; il regrette même la colère à laquelle il s'est laissé emporter: 'De mes ressentiments je n'ai pas été maître'. La sottise d'Orgon apparaît donc non comme un trait inné, congénital, mais comme une sorte de parenthèse, un épisode qui commence avec sa rencontre avec Tartuffe et se termine avec leur rupture. Faut-il voir dans le *Tartuffe* une excursion sans conséquence dans le royaume du burlesque, une fantaisie brillante de Molière homme de théâtre, un prétexte pour l'auteur à déployer ses prestiges éphémères à la lueur des chandelles? A l'intérieur de cet épisode, Orgon et Tartuffe, une fois de plus, comme Arnolphe et Agnès, comme Sganarelle et Isabelle, illustrent le thème du dupé et du dupeur; comme M. Jourdain, Orgon prend le masque pour la réalité, confond l'être et le paraître; la pièce, en d'autres termes, est construite selon des schèmes dont Molière a usé bien des fois. Mais les schèmes ne sont que des procédés mécaniques, qui en eux-mêmes ne présentent que peu d'intérêt et qui sont la propriété commune de tous les auteurs; leur identification ne semble pas nous aider à appréhender une œuvre dans ce qu'elle a d'unique ou de génial. Et Orgon, comme nous allons le voir, est loin d'être une création bouffonne sortie tout entière de l'exubérante fantaisie de Molière. Ce qui donne son intérêt ou sa valeur au *Tartuffe* est pour une bonne part dans la manière dont Molière a utilisé le schème, dans la matière qu'il a jetée dans le moule. Et c'est la réalité concrète dans laquelle baignent la pièce et les personnages qui, dans le cas d'Orgon, nous permet d'aller au-delà du fantoche baroque que le personnage paraît être.

La scène du 'pauvre homme', pour commencer par un détail, perd une bonne partie de sa saveur si nous oublions que le mot appartient à la langue des dévots; il sert à exprimer, non pas exactement la pitié mais une sorte de sainte affection, de charité surnaturelle, une union toute spirituelle des âmes, et si la compassion y subsiste, c'est que tous, tant que nous sommes, pauvres pécheurs, hélas! exilés dans cette vallée de larmes, méritons la compassion de nos frères. 'J'en dois répondre à Dieu', dit M. Olier d'une de ses dirigées, 'ce qui me sera aisé si elle continue aussi bien que vous, ma pauvre Fille',[1] et Sainte-Beuve se trompe certainement quand il croit voir une note de condescendance dans l'allusion de la Mère Angélique à 'la pauvre Madame Racine'. Dans un contexte un peu différent, Saint François de Sales s'adressant à Sainte Chantal qui lui a demandé comment se comporter envers celui qui a tué son mari en duel: 'Je n'entends pas que vous recherchiez la rencontre de ce pauvre homme mais . . . que vous témoigniez que vous aimez toute chose. Oui, la mort même de votre mari . . . '[2] J'écris à cette pauvre chère Fille . . . ',[3] dit-il ailleurs, cette fois à propos d'une religieuse récalcitrante. L'intention bouffonne de Molière reste évidente, mais elle se double d'une intention parodique qui du même coup renoue le lien avec la réalité et empêche la scène de tomber dans l'absurde. Il en va de même dans le récit que fait Orgon lui-même de sa première rencontre avec Tartuffe. Nul doute que Molière ne veuille rire et nous faire rire de la crédulité d'Orgon qu'impressionne la piété ostentatoire de Tartuffe. Mais toute la piété de la Contre-Réformation est marquée de ce caractère ostentatoire et théâtral; tableaux et statues nous fourniraient par milliers des exemples de saints extatiques et gesticulants, les bras étendus, les yeux au ciel. Telle était depuis un siècle la forme acceptée et la manifestation (parfaitement sincère) de la dévotion. Et même s'il n'était pas naturel de penser que l'art et la vie ont influé l'un sur l'autre, les textes ne manquent pas pour le confirmer: le biographe de M. Olier nous raconte qu'un jour 'il fut saisi par un de ces transports soudains qui le jeta par terre et lui fit pousser ce cri: "Amour, Amour" . . . ',[4] et Olier nous dit lui-même comment se promenant seul dans un jardin 'les yeux levés au ciel . . . et tout baigné de larmes, je disais "Vie divine! Vie divine!" . . . '.[5] Molière appartenait à une génération dans laquelle ce type de piété était encore largement répandu; mais avec la transformation profonde des mœurs qui se manifeste dans la plus grande dignité des manières aussi bien que dans la sobriété classique, ou, en ce qui concerne le domaine religieux, dans la piété plus austère et plus intérieure du jansénisme, il commençait à créer une certaine gêne. Dans ce moment de transition, Molière pouvait railler Orgon de s'être laissé prendre à des simagrées, sans pourtant le rendre invraisemblable de naïveté. Lorsqu'on riait d'Orgon, ce n'est pas d'Orgon seulement que l'on riait, et nous comprenons l'irritation de l'archevêque Péréfixe lorsqu'il se plaignait de ce que la comédie de Molière 'sous prétexte de condamner l'hypocrisie ou la fausse dévotion . . . donne lieu d'en accuser indifféremment tous ceux qui font profession de la plus solide piété'.

Mais l'aspect le plus manifeste des rapports de Tartuffe et d'Orgon, c'est le rapport du directeur au dirigé. C'est celui qui frappait tout d'abord le premier et le plus violent des critiques de Molière, le curé Pierre Roulès qui accusait Molière de ruiner la religion 'en blâmant et jouant sa plus sainte pratique, qui est la conduite et la direction des âmes et des familles par de sages guides et conducteurs pieux'[6] et Dorine nous dit clairement que Tartuffe 'est de ses actions le directeur prudent'. La direction a dans le catholicisme de la Contre-Réforme une importance extraordinaire: Saint François de Sales déjà insiste sur ce qu'elle a d'indispensable pour tous ceux qui s'engagent dans la voie de la dévotion et s'inquiètent sérieusement de faire leur salut;[7] et Louis Tronson, directeur, puis supérieur de Saint-Sulpice, y voyait l'innovation la plus significative de son siècle. Dieu, sans doute, ajoutait-il, aurait pu, s'il l'avait voulu, nous guider lui-même, ou nous envoyer l'un de ses anges, mais en fait il a voulu 'que l'homme ait un autre homme pour sa conduite'. La direction n'est pas réservée à ceux qui visent aux sommets de la perfection chrétienne: elle est 'nécessaire à toutes sortes de personnes, à chaque personne, nécessaire pour toute sorte de temps, pour chaque temps . . . Nécessaire pour ceux qui commencent, pour ceux qui avancent, pour ceux qui sont parfaits'.[8] Le premier acte de Don Juan après sa conversion est de demander à son père de lui choisir un directeur. Il est donc naturel qu'Orgon, 'honnête, bon et crédule', comme l'appelle La Harpe, Orgon veuf et bourgeois sur le retour, et songeant plus sérieusement aux choses de la religion, se choisisse un directeur. L'évidente ferveur de Tartuffe, son humilité chrétienne, sa charité (Orgon ne l'a-t-il pas *vu* distribuer aux pauvres ses aumônes?) lui paraissent des garanties suffisantes dans un choix d'une importance aussi capitale. S'il avait eu les moindres doutes, le caractère parfaitement orthodoxe de la direction de Tartuffe les aurait certainement dissipés: Tartuffe désapprouve la vie mondaine, les papotages mondains, 'les propos oisifs'; il souligne—car ici Mme Pernelle est certainment un écho fidèle—les dangers que représentent pour la vie spirituelle 'ces visites, ces bals, ces conversations'; il déplore le luxe et l'ostentation, les riches vêtements, les splendides équipages et les chevaux qui piaffent à la porte de l'hôtel d'Orgon . . . Et que disent d'autre Saint François de Sales, et M. Olier, et Tronson, et tous les auteurs de manuels de direction, et sans doute tous les directeurs obscurs et inconnus qui se règlent sur d'aussi illustres modèles? C'est la présentation de Molière (Mme Pernelle, aussi bornée que le Sganarelle du *Don Juan*, et *seule* contre toute la famille en armes), c'est l'éclairage, c'est l'art de Molière, cet art 'diabolique', qui mettait hors de lui le curé Roulès, qui réussissent à faire passer pour des austérités inouïes, pour des restrictions d'un autre âge, pour une véritable tyrannie les exigences de Tartuffe, alors qu'elles ne sont en réalité que le minimum qu'attend tout directeur de son dirigé et le commun dénominateur de tous les manuels de dévotion contemporains. 'Oui vraiment, Madame', écrit Saint François, 'il faut aller tout bellement à retrancher de notre vie les superfluités et mondanités',[9] et toute une partie de *l'Introduction à la vie dévote* développe la même idée; c'est un lieu commun à l'époque. Pourquoi Orgon se méfierait-il? quelles raisons aurait-il de modérer le zèle de son directeur? S'il est faible ou sot de s'y soumettre, cette sottise est en son temps fort répandue. Ici encore il n'y a dans le personnage rien d'extravagant ou même d'exceptionnel.

Parfaitement orthodoxe aussi la doctrine du détachement que Tartuffe apparemment s'efforce d'enseigner à Orgon. Orgon, il est vrai, n'est pas l'homme des nuances, et il résume la doctrine de son maître avec une rare brutalité:

> Et je verrais mourir frère, enfants, mère et femme,
> Que je m'en soucierais autant que de cela. (278)

Mais s'il manque d'onction en vérité, et de tact, et de charité, peut-on dire qu'Orgon divague? ou que Tartuffe l'égare? Le détachement non seulement des biens mais des affections terrestres est un des points sur lesquels la sévère Ecole française du XVIIe siècle revient avec insistance. 'J'ai su à mon très grand regret que vous étiez dans une extrême désolation pour le départ de notre chère nièce . . . Quoi donc! ma chère Fille', s'exclame M. Olier, 'vous vous aimez encore jusqu'au point de pleurer le départ de ce qui vous console! Et l'amour de la Croix vous apprend qu'il faut se réjouir de l'absence des objets qui nous donnent du plaisir . . . Mais vous direz: Ne suis-je pas obligée d'aimer une personne qui m'aime tant? Et je vous dis que vous devez aimer encore plus ce Dieu, lequel vous aime davantage . . . Foulez vos passions et leur mettez le pied dessus la gorge'.[10] Et à une religieuse qui vient de perdre sa mère: ' . . . Si Dieu vous a ôté . . . ce doux et innocent objet de vos inclinations, avec cela faut-il pas se séparer de toutes choses? . . . Contentons-nous de Dieu seul . . . Bien est avare à qui Dieu ne suffit'.[11] 'S'il y a un Dieu, il ne faut aimer que lui, et non les créatures', dira Pascal. Orgon fait de son mieux pour s'élever à ces hauteurs. Non sans difficulté, qu'on le regrette ou qu'on lui en sache gré. Il s'exhorte à rester insensible aux larmes de Mariane: 'Allons, ferme, mon cœur, point de faiblesse humaine', et le conseil qu'il donne à sa fille ('Mortifiez votre chair avec ce mariage') est strictement conforme aux conseils des directeurs: 'Prenez donc garde de ne point vivre selon la chair et de ne souffirir jamais qu'elle soit principe de vos entreprises et de votre conduite. Soyez soigneuse de renoncer à tout ce qui est d'elle en ce que vous entreprendrez, soit en particulier soit en public. Que tout soit mort en vous, ou bien mortifié aussitôt que vous y verrez quelque marque de vie . . . La chair est tout ce qui est de propre en nous et que l'on nomme nature, et ne peut être que principe de mort'.[12] La belle maxime d'Orgon, est, il est vrai, un peu gâtée par l'accès de mauvaise humeur qui suit: 'Et ne me rompez pas la tête davantage . . . '. Car le pauvre Orgon n'est pas fait pour ces grands sentiments; ils sont pour lui comme des armes trop lourdes qu'il brandit avec quel effort, avec quelle gaucherie! Mais cela n'enlève rien à sa vraisemblance: ce n'est pas un héros ou un saint que Molière a voulu peindre, et ne voit-on pas que les Orgons ont dû être autrement plus fréquents que les Saints François? Orgon est bien en effet ce 'little man' dont le comique est dans la disproportion entre ses forces et ses efforts, non dans je ne sais quelle invraisemblable, phénoménale sottise. Comme Alceste partant en guerre contre la société, comme Arnolphe affrontant les forces conjuguées de la jeunesse et de l'amour, le bourgeois Orgon, tentant la noble aventure de la dévotion ('L'âme dévote est celle dans laquelle Dieu ne rencontre plus aucune résistance') est voué au même échec et au même ridicule.

Cependant, la principale critique dirigée contre Orgon vise son incroyable aveuglement à l'égard de Tartuffe, cet entêtement 'inepte', comme dit Veuillot, dont Molière a dû le douer pour que la pièce existe, et dont l'artifice est, dit-il, trop visible pour être convaincant. Une pareille critique témoigne d'une ignorance totale de ce que l'on entendait par conduite et direction au XVIIe siècle et de ce qu'étaient les rapports véritables du directeur et du dirigé. L'Eglise de la Contre-Réforme, obsédée par les conséquences désastreuses de la 'désobéissance' de Luther, avait porté l'essentiel de son effort à réaffirmer son autorité et à la faire prévaloir. Il ne suffisait pas pour cela que les papes et les conciles promulguassent leurs décrets; il fallait qu'ils fussent appliqués et suivis. La direction est, après la réorganisation de l'enseignement, l'instrument principal du rétablissement de son ascendant spirituel; les directeurs travaillent à la base, comme nous dirions aujord'hui, en contact quasi-permanent avec les fidèles, et toute une littérature naît pour définir leurs droits et leurs fonctions, et surtout les devoirs et les égards qui leur sont dûs. Et le premier devoir du dirigé envers son directeur, c'est une obéissance absolue. 'Quand vous l'aurez trouvé', écrit Saint François de Sales, 'ne le considérez pas comme un simple homme, et ne vous confiez pas en son savoir humain, mais en Dieu, lequel vous favorisera par l'entremise de cet homme, mettant dedans le cœur et dedans la bouche d'icelui ce qui sera requis pour votre bonheur; si que vous le devez écouter comme un ange qui descend du ciel pour vous y mener'.[13] Les directeurs, dit Tronson, sont 'les coadjuteurs de Dieu', et la nécessité de se soumettre à eux est 'si grande qu'il y va du salut'.[14] Lorsque Dorine avec gaieté, Damis avec colère, se plaignent de ce que Tartuffe 'vient usurper ici un pouvoir tyrannique', de ce qu'il 'contrôle tout', et que 'c'est une chose aussi qui scandalise/ De voir qu'un inconnu céans s'impatronise, / En vienne jusque là . . . / De contrarier tout et de faire le maître', ils ne font que décrire à leur façon une situation qui est celle que tous les auteurs qui ont écrit de la direction présentent comme désirable et nécessaire. 'Sans cette facilité à se laisser gouverner', dit le jésuite Surin, 'il n'est point de direction utile'.[15] 'Jusqu'où doit s'étendre la soumission?' se demande le Révérend Père, toujours à propos de la 'Conduite des âmes'; et il répond: 'Elle ne doit point avoir de bornes . . . Nous devons obéir à ceux que Dieu nous a donnés comme supérieurs ou que nous avons choisis nous-mêmes, comme nous obéirions à Dieu'.[16]

Lorsque Dorine s'amuse de l'admiration éperdue d'Orgon pour son 'héros':

> Il l'admire à tous coups, le cite à tous propos,
> Ses moindres actions lui semblent des miracles,
> Et tous les mots qu'il dit sont pour lui des oracles. (196)

elle-même ne croit peut-être pas si bien dire, et les expressions qu'elle emploie sont à peine des hyperboles. Telle est bien en effet, vis-à-vis de Tartuffe, l'attitude qu'Orgon s'efforce d'adopter, car telle est celle que la tradition et l'autorité lui présentent comme souhaitable et louable. Car, dit Tronson, paraphrasant Saint Jean Climaque, 'n'est-ce pas Dieu qui parle, quand le directeur parle, et n'est-ce pas Dieu même que nous écoutons en l'écoutant? . . . Car de même que le Père était en son Fils . . . ainsi J.C. a voulu être dans les prêtres et dans les directeurs'.[17] Quoi! ce curé souffreteux, borné ou colère, faut-il que je voie en lui Jésus Christ? Oui, sans aucun doute, car, dit Saint Ignace, 'Gardons-nous de considérer dans la personne du Supérieur un homme, sujet aux erreurs et aux faiblesses, mais le Christ lui-même'.[18] Quoi! ce Tartuffe pansu, 'gros et gras, le teint frais et la bouche vermeille', et qui rote quand il a fini de dîner, faut-il que je révère en lui Dieu le Père?

Oui, très certainement, car il ne faut pas 'nous arrêter aux apparences du directeur, mais s'en approcher comme d'un sacrement'. Les disciples n'ont-ils pas su reconnaître le Fils de Dieu sous le 'faible extérieur' de Jésus?[19]

Tout ceci, nous l'avons vu, s'applique fort bien aux rapports de Tartuffe et d'Orgon avant que commence la pièce. Mais dans la comédie elle-même, ce que nous voyons, c'est Orgon s'obstinant à prendre Tartuffe pour son gendre, refusant d'écouter contre lui et son fils et sa femme et les aveux, fort astucieux d'ailleurs, de Tartuffe lui-même, enfin lui faisant donation de tout son bien, après avoir déjà mis entre ses mains les papiers compromettants de la fameuse cassette. N'y a-t-il là qu'une extrapolation fantaisiste de Molière, même si l'on admet une réalité contemporaine, difficile à imaginer, mais indubitable? Aucun manuel de direction n'enjoint au dirigé de marier sa fille à son directeur. Et quel besoin Orgon avait-il de confier à Tartuffe sa cassette, de faire même la moindre mention d'un secret qui ne lui appartenait pas? Cette indiscrétion gratuite n'est-elle pas un autre signe de cette sottise effusive et bavarde qui fait du personnage un grotesque et donne à l'intrigue son caractère artificiel? Le directeur de Saint-Sulpice va nous répondre: 'Avec le directeur, ouverture de cœur et confiance . . . Intégrité: Il faut tout dire . . . Epanchez votre cœur comme de l'eau . . . ne retenez rien, pour petit qu'il puisse être'.[20] Le directeur doit être en état de faire 'l'anatomie de votre cœur et la dissection de votre vie'.[21] Il faut lui dire toutes nos actions passées, mauvaises, bonnes, indifférentes, lui révéler nos tentations, même si on y a résisté, nos inclinations et passions, les dispositions du cœur et du corps, les maladies où on est sujet, aussi bien que les emplois 'que nous avons eus, que nous espérons, que nous aurions voulu avoir'.[22] En révélant à Tartuffe l'intrigue compliquée que nous soupçonnons derrière l'histoire de la cassette, Orgon n'a fait que se conformer à la règle: il aurait péché gravement en dissimulant cette histoire à celui qui a droit à une sincérité totale: 'Ne pas user de déguisements, ou parler à demi-mot',[23] tel est l'avertissement sévère de Tronson. C'est à une stricte discipline que l'honnête Orgon se soumet, non une sotte démangeaison de parler qui l'a fait s'ouvrir à Tartuffe. Imprudence que de lui confier la cassette? Si la pensée a effleuré l'esprit d'Orgon, il l'a aussitôt écartée ou se l'est reprochée comme une offense à Dieu même. Ne doit-il pas à son directeur une confiance absolue? Le directeur n'est-il pas par définition 'le médecin le plus charitable, . . . l'ami le plus fidèle' . . . Et si le procédé suggéré par Tartuffe nous paraît excessivement adroit, '. . . N'est-ce pas Dieu qui parle quand le directeur parle?' [24] Déjà Saint François de Sales affirmait: 'Ce doit toujours être un ange pour vous'.[25] Qui est le pauvre Orgon pour discuter les conseils des anges de Dieu?

Et pourtant il n'est pas, par nature, si aveugle que cela. Lorsque Damis, au troisième acte, accuse ouvertement Tartuffe de le tromper, Orgon est troublé et le doute entre dans son âme; Molière ne lui a pas donné la rigidité d'une marionette: 'Ce que je viens d'entendre, ô ciel, est-il croyable?' Son fils l'assure, sa femme le confirme, Tartuffe ne le nie pas. Ne serait-il pas normal, conforme à la 'nature', qu'avec tout le respect possible, avec tous les égards dûs à un saint personnage, Orgon, s'il n'est pas totalement dépourvu d'intelligence, privé de jugement au point de ne plus être humain, s'enquière, pose des questions? Tartuffe, cela va sans dire, joue son rôle d'une façon admirable, mais c'est d'Orgon non de Tartuffe que nous nous occupons ici, et ce dont il faut nous rendre compte, sous peine de nous méprendre entièrement sur le personnage, c'est qu'en lui demandant d'examiner, même avec toute l'impartialité et toute la bienveillance possibles, la conduite ou les motifs de Tartuffe, de les considérer objectivement, de s'ériger en juge, nous lui demandons exactement et littéralement l'impossible: c'est un sacrilège que nous exigeons qu'il commette. Orgon ne peut pas juger Tartuffe sans renier des engagements solennels, car la nature même des rapports du dirigé avec son directeur consiste en ce que le dirigé se remette pour toutes choses entre les mains du directeur, qu'il renonce une fois pour toutes au droit d'examiner sa conduite ou de peser librement ses avis, acceptant les uns, refusant les autres, qu'il accepte une fois pour toutes de soumettre son jugement propre au jugement du directeur. Toute autre attitude relève du libre examen des hérétiques. Je pourrais sur ce point remplir des pages de citations, des Pères orientaux à Saint Ignace, de Saint François de Sales à M. Olier. Car de même que l'obéissance dûe au supérieur est 'un véritable abandon de la volonté et du jugement', un acquiescement total 'non seulement dans l'exécution effective mais dans l'accord affectif',[26] de même l'obéissance que le P. Surin réclame du dirigé doit être accompagnée 'd'humilité, pour s'estimer en effet comme des enfants qui n'ont rien de meilleur à faire que de se laisser conduire . . . de simplicité pour s'aveugler saintement, renonçant à tout examen, à toute réflexion, et à toute vue contraire aux avis du directeur'.[27] La soumission que réclame Tronson est aussi, comme on peut s'y attendre, une soumission 'aveugle, pour ne point examiner, raisonner, disputer, chicaner sur ce qu'on nous dit; soumettant notre jugement aussi bien que notre volonté, et faisant un sacrifice de l'un aussi bien que de l'autre entre les mains de la personne qui nous conduit; par conséquent louer ce qu'il loue, approuver ce qu'il approuve, estimer ce qu'il estime, craindre ce qu'il redoute, blâmer ce qu'il blâme, condamner ce qu'il condamne, *sans vouloir en juger par nos propres lumières*'.[28] La pratique de la direction correspond rigoureusement à la théorie. 'Il me semble', dit M. Olier parlant d'une religieuse, 'qu'elle doit passer par-dessus ses sentiments, qui ne lui doivent pas servir de règle . . . La soumission et l'obéissance n'ont jamais rien gâté. Il n'y a point d'obéissance en enfer, dit notre bienheureux Père [Saint François de Sales] . . . *Une âme stablement humble n'est pas capable de retour et jugement sur son supérieur et directeur*'.[29] Et s'adressant directement à une autre: 'Vous me dites que vous n'avez pas acquiescé au conseil de M. Basseline [son directeur], à cause que vous n'étiez inspirée de le faire. Ma très chère Fille, au nom de Dieu, regardez toute inspiration comme fausse quand elle contrarie au conseil d'un supérieur' . . . car Dieu 'nous a voulu donner la voie claire et sensible des directeurs pour notre assurance et pour notre repos'.[30] 'Notre assurance et notre repos': mots significatifs et qui éclairent en partie le sacrifice démesuré qui semble attendu du dirigé. Car l'abandon de tout jugement et de toute volonté personnels, l'abandon explicite et volontaire du libre examen lui assure non seulement le salut éternel mais dans ce monde même la tranquillité de l'esprit et des joies ineffables. 'Car rien n'est d'un plus grand profit pour l'homme que d'extirper sa volonté particulière . . . Celui qui se soumet aux Pères (directeurs) est délivré de tout souci et vit dans le repos'.[31] Ou comme le dit Orgon: 'Qui suit bien ses leçons goûte une paix profonde'. Lorsque, au troisième comme au quatrième acte, Orgon refuse de porter un regard critique et sacrilège sur les actions de Tartuffe, ange descendu sur la terre et porte-parole de Dieu, ce n'est pas seulement son salut mais son bonheur qu'il défend, c'est l'enthousiasme et l'ivresse de marcher sur les pas d'un saint, c'est aussi l'immense soulagement d'avoir renoncé à toute 'volonté particulière' et à toute responsabilité personnelle: 'Il n'y a pas de plus grand malheur que d'être sans directeur', disait Saint Dorothée. Ne l'a-t-on pas averti d'ailleurs que, parce que le directeur est son plus puissant défenseur contre les embûches de Satan, c'est contre lui que le monde s'acharne avec le plus de furie? 'Entre toutes les grandes et importantes vérités de la morale chrétienne, je n'en trouve point que le démon attaque avec plus de violence et aussi avec plus d'artifices que celle de la direction. Comme ces instructions sont de la dernière importance, il n'est pas imaginable combien il emploie de moyens différents pour en arracher la créance et pour empêcher qu'on ne s'y soumette . . . Il sait . . . qu'une âme à l'abri de son directeur et retranchée sous sa conduite est en assurance contre ses attaques et qu'il ne peut l'ébranler par ses efforts ni la surprendre par ses ruses'.[32] D'où le caractère à la fois violent et concerté de la défense ou plutôt de la contre-attaque d'Orgon:

> Vous le haïssez tous; et je vois aujourd'hui
> Femme, enfants et valets déchaînés contre lui:
> On met impudemment toute chose en usage
> Pour ôter de chez moi ce dévot personnage. (1129)

Au quatrième acte, après avoir fermé la bouche à Dorine, il se débarrasse avec esprit de l'homélie attendue de Cléante. Et lorsqu'Elmire entre en lice, qu'il ne peut récuser si facilement, il imagine tout un roman qui doit enlever à son témoignage sa valeur: Elmire, jeune et belle, a un faible pour le jeune et séduisant Damis. Prévoyant la colère d'Orgon, elle cherche à protéger son fils et se garde de le démentir ouvertement. Mais son calme n'est pas celui d'une honnête femme qui vient de recevoir des propositions scandaleuses de la part d'un abominable hypocrite. Pour nous qui savons à quoi nous en tenir, la scène est comique parce qu'il est évident qu'Orgon a d'avance décidé ce qu'il veut croire et que rien ni personne ne prévaudra sur cette décision. Mais cet entêtement buté, s'il est aussi ridicule que le sera celui de Mme Pernelle, n'est nullement incroyable ou artificiel, comme se l'imaginait Veuillot; il a la valeur d'un acte de foi: Orgon refuse de douter de Tartuffe comme il refuserait de douter de Dieu, quelques arguments ou 'faits' qu'on prétendît lui apporter, parce que dans un cas comme dans l'autre le doute lui-même, qui est à la base de tout véritable examen, lui apparaît comme un péché mortel. Le mécanisme psychologique d'un pareil personnage peut bien nous paraître extravagant et, dans l'occurrence, comique, mais il suffit de le rattacher au rigoureux conditionnement de l'époque pour qu'éclatent sa logique et sa vraisemblance.

Au cours de la longue période durant laquelle l'idée de direction s'était élaborée, les problèmes qu'elle pose s'étaient naturellement présentés à ceux qui l'avaient énoncée. Il était évident que le directeur, étant humain, ne pouvait éviter l'erreur et la faiblesse; n'était-il pas dangereux de lui conférer une autorité divine, une infaillibilité qu'il démentirait peut-être de façon trop manifeste? Saint Ignace se bornait à poser l'autorité inconditionnelle du directeur: 'Même s'il manquait de prudence ou de sagesse, on ne doit pas pour cela lui être moins obéissant'.[33] D'autres, plus subtilement, répondaient que le directeur, non le dirigé, devenait responsable des conséquences d'une erreur, et que d'autre part l'obéissance à un ordre de direction, même erroné, avait aux yeux de Dieu plus de valeur qu'une confiance arrogante en son propre jugement: 'En obéissant au directeur . . . nous devenons en quelque sorte impeccables, jusque là que, quand même le directeur se tromperait dans les avis qu'il nous donne . . . nous ne nous tromperions jamais dans la soumission que nous lui rendons, dit Saint Vincent Ferrier; car c'est le privilège de l'obéissance: elle porte avec elle sa justification et nous excuse toujours devant Dieu':[34] Orgon donc risque moins à croire Tartuffe qu'Elmire. Dans des textes traduits et connus au XVIIe siècle, même si on préfère ne pas les citer, les Pères orientaux vont plus loin encore. Même si le 'Père' abusait de son autorité absolue sur le 'disciple', même s'il était inhumain et brutal, le disciple pouvait, à force de soumission et d'obéissance, faire de cette brutalité l'instrument de son perfectionnement et de sa sanctification. Il ne s'est trouvé personne au XVIIe siècle pour suggérer qu'Orgon aurait dû accepter avec humilité l'épreuve sanctifiante du cocuage. Coupable timidité. Au temps héroïques on n'avait pas de ces médiocre scrupules: même un manquement grave de la part du directeur, n'autorisait pas le dirigé à manquer lui-même à son devoir d'obéissance et de respect: 'Même si tu le surprenais dans l'acte de fornication', dit Saint Jean Climaque, 'reste-lui fidèle'.[35] Elmire ne savait pas à quoi elle s'exposait en poussant son mari sous la table, et Molière est ici resté en deçà de ses modèles.

Sur bien des points donc, Orgon ne fait que suivre docilement les enseignements de ses maîtres. On ne saurait lui reprocher de manquer d'intelligence ou de lucidité alors qu'ils exigent de lui le sacrifice délibéré de la 'volonté particulière' et du jugement personnel. Ni M. Olier ni M. Tronson cependant n'eussent été satisfaits d'Orgon. S'ils demandent inlassablement du dirigé le détachement des affections terrestres, ils se montrent particulièrement vigilants à l'égard des sentiments du dirigé envers son directeur. Le danger était réel, particulièrement pour les femmes peut-être, mais dirigés aussi bien que dirigées, privés de toute relation passionnelle ou émotive même avec leurs proches, risquaient de déverser sur le directeur le trop-plein d'un cœur sans objet. Pour ceux qui, au prix d'un long effort avaient arraché de leur âme l'amour des créatures, c'était l'ultime tentation, d'autant plus puissante que la nature particulièrement intime de leurs aveux, le secours spirituel même qu'ils avaient reçu de lui favorisaient un 'transfert' familier aux psychanalystes modernes. Les directeurs dénoncent de pareilles complaisances avec une sévérité particulière: 'Je ne crois pas que vous deviez vous arrêter, comme vous faites, à vouloir toujours entendre la messe de votre confesseur[36] et à ne communier que de sa main. C'est une attache qui ôtera beaucoup à votre âme et qui diminuera de l'opération de Dieu et de sa complaisance en vous; car il est impossible que cela ne vous expose, aussi bien que votre Directeur, s'il est également porté d'affection pour vous, à avoir quelque inclination, complaisance et satisfaction intérieure qui ira à vous reposer, à vous appuyer, à vous complaire en quelque chose de créé, et non pas en Dieu seul . . .'[37]. Frère, enfants, mère et femme, Orgon peut bien s'en soucier autant que de cela, son attachement pour Tartuffe crève les yeux. Il y a même dans son affection quelque chose d'attendri, presque de féminin, qui apparaît clairement dans la scène ridicule du 'pauvre homme', et Dorine l'exprime sans ambages à son ordinaire:

> Il le choie, il l'embrasse, et pour une maîtresse
> On ne saurait, je pense, avoir plus de tendresse. (189)

Orgon constamment parle de Tartuffe comme de son 'frère'; l'idée bizarre de le faire entrer dans sa famille ne lui a certainement pas été suggérée par Tartuffe, qui ne marque jamais le moindre intérêt pour Mariane; elle n'a pu naître que du désir de voir en Tartuffe son fils. Si l'on ajoute à ce double rapport celui que Dorine fait plus que suggérer, on se fera une idée de la violence et de la confusion des sentiments d'Orgon pour Tartuffe. Et certes nous sortons ici de l'orthodoxie. Mais ce qu'il y a de significatif, c'est que la faute dans laquelle tombe Orgon est celle-là même contre laquelle les théoriciens de la direction mettent en garde les dirigés et les directeurs, celle, en d'autres termes, dans laquelle on risquait le plus de tomber. Ce trait complète le personnage de Molière: Orgon n'est certes pas le modèle idéal du dirigé, mais il offre un admirable portrait d'un dirigé tel qu'on pouvait le rencontrer vers 1660.

Si la situation d'Orgon écoutant Tartuffe séduire sa femme est unique dans le théâtre de Molière et n'est pas sans rappeler Boccace, le comique que le poète extrait de la scène est de nature semblable à celui que nous trouvons dans les *Précieuses* ou l'*Ecole des Femmes*. Car, logique jusqu'au bout, Orgon n'a nullement accepté de soumettre son héros à une épreuve: Molière sait qu'Orgon ne le peut sans cesser d'être lui-même. C'est à son corps défendant, ou plutôt sans comprendre ce qu'Elmire a dans l'esprit qu'il se laisse pousser dans sa cachette:

> —Approchons cette table et vous mettez dessous.
> —Comment? — Vous bien cacher est un point nécessaire.
> —Pourquoi sous cette table? — Ah, mon Dieu! laissez faire:
> J'ai mon dessein en tête, etc. . . . (1360)

Car Orgon ne nourrit pas le moindre doute sur Tartuffe; il n'attend que la déconfiture d'Elmire; c'est elle en fait, non Tartuffe, qu'il met à l'épreuve. 'De votre entreprise il vous faut voir sortir', commente-t-il ironiquement. Il entre dans son jeu en parfaite sécurité, et c'est de cette monumentale sécurité que Molière aime à faire choir ses héros. C'est au moment où le marquis de Mascarille est à son plus raffiné, où les précieuses sont au comble de la vanité satisfaite qu'entrent La Grange et Du Croisy, qui administrent à leurs valets une magistrale correction. C'est alors qu'il se croit triomphant qu'Arnolphe voit s'écrouler en quelques minutes le résultat de ses longs et patients desseins. Orgon tombe lui aussi de son haut. Mais est-il purement comique? Il est clair qu'avec toute sa naïveté et ses erreurs de jugement, le comportement d'Orgon dépasse le cas d'une sottise individuelle; dans une large mesure, son malheur vient de plus loin. Molière ne le jetterait pas dans d'aussi grands dangers s'il ne voulait pas que nous lui accordions quelque sympathie. Dupé et ridicule presque d'un bout de la pièce à l'autre, comme Arnolphe, Orgon est cependant victime non seulement de Tartuffe, mais, comme Alceste, d'un ordre de choses que nous ne pouvons approuver.[38] Risible mais pitoyable, aveugle mais non insensible, crédule mais non inepte, absurde mais non abject, Orgon est loin d'un quelconque Sganarelle. Il appartient non à la farce mais à la comédie de mœurs et à la haute comédie.

Philip F. Butler

Notes:

1 *Lettres de M. Olier*, édit. Levesque, Paris, 1935, I, p. 88.
2 Saint François de Sales, *Lettres de direction et de spiritualité*, édit. Le Couturier, Lyon, 1952, p. 166.
3 *Id.*, p. 343.
4 P. Pourrat, *J. J. Olier* . . . Paris, 1932, p. 197.
5 *Ibid.*
6 P. Roulès, *Le Roy glorieux au monde* . . . 1664. Voir Molière, Coll. des Grand Ecrivains, vol. 6, *Tartuffe*, Notice préliminaire.
7 Saint François de Sales, *Introduction à la vie dévote*, Ière Partie, chap. IV.
8 *Œuvres complètes de M. Tronson*, Migne, Paris, 1857, p. 241.
9 Saint François, *Lettres* . . . I, p. 164.
10 Olier, *op. cit.*, I, p. 53.
11 *Id.*, p. 47.
12 *Id.*, I, pp. 200-201.
13 *Introduction* . . . Ière Partie, chap. IV.
14 Tronson, *op. cit.*, p. 240.
15 J. J. Surin, *Catéchisme spirituel de perfection chrétienne* (1657?), IV, 1; Migne, Paris, 1842, T.II, p. 1239.
16 *Id.*, p. 1247.
17 Tronson, *op. cit.*, pp. 263, 257.
18 S. Ignatii Lojolae *Epistolae* . . . Bononiae, 1837, p. 485 (*Lettre sur l'obéissance*).
19 Tronson, *op. cit.*, p. 257.
20 *Id.*, p. 258.
21 *Id.*, p. 259.
22 *Id.*, pp. 260-262.
23 *Id.*, p. 262.
24 *Id.*, p. 263.
25 *Introduction* . . . Ière Partie, chap. IV.
26 S. Ignatii *op. cit.*, pp. 477, 479.

[27] Surin, *op. cit.*, p. 1240.
[28] Tronson, *op. cit.*, p. 264.
[29] Olier, *op. cit.*, I, p. 133.
[30] *Id.*, I, pp. 135, 136.
[31] S. Dorothei *Expositiones* . . . pp. 1636, 1640.
[32] Tronson, *op. cit.*, p. 266.
[33] S. Ignatii *op. cit.*, p. 478.
[34] Tronson, *op. cit.*, p. 245.
[35] S. Johannis Scholastici *Scala Paradisi*, p. 724.
[36] Exceptionellement, le confesseur et le directeur sont ici une seule et même personne.
[37] Olier, *op. cit.*, I, p. 272.
[38] L'Eglise catholique moderne exige du dirigé non plus *l'obéissance* mais simplement la *docilité*.

MAHELOT'S 'NIGHTS': A TRADITIONAL STAGE EFFECT

In any discussion of early seventeenth century stage conditions one of the most intriguing questions confronting the theatre historian concerns the playing of nocturnal scenes. Scenes of this kind are extremely common in plays of the period and their dialogue is full of rich evocative descriptions of the prevailing darkness, but no evidence exists to indicate exactly how they were staged. That night was physically represented in some way, and not left entirely to the audience's imagination, is certain, for in his section of the manuscript *Mémoire pour la décoration des pièces qui se représentent par les Commédiens du Roy*, which is an invaluable source of information about mise en scène at the Hôtel de Bourgogne in the 1630's, Laurent Mahelot, the company's decorator, frequently notes that he was required to supply 'une nuict'.[1] Unfortunately his brief remarks do not take us much further: more often than not he contents himself with such blunt matter-of-fact statements as 'Au troisiesme acte, il se faict une nuict', or 'Il faut aussy une nuict au premier acte', or even 'Il se fait une nuict, si l'on veut'. Clearly these entries were intended merely as aide-mémoires and are of no help to us in determining the method he employed.

It has been generally supposed that the effect was produced, as in the theatre of today, by means of a lighting change — by the extinguishing of all, or of the majority, of the candles or oil-lamps on the stage. Certainly, Lancaster in his classic *History of French Dramatic Literature in the Seventeenth Century*[2] takes this view and other modern critics have either echoed his words or disregarded the problem altogether. In her recent *Histoire de la mise en scène dans le théâtre français à Paris de 1600 à 1673*, Mme. Deierkauf-Holsboer states the position guardedly: 'Dans les pièces des jeunes auteurs dramatiques, la nuit devait souvent être feinte, mais nous ignorons si cet effet était obtenu par une simple extinction des lumières ou par un autre procédé'.[3]

How such a lighting-change could have been conveniently effected in the course of a performance is not easy to explain. Every theatre did of course possess one or more 'moucheurs' (an office apparently discharged by the decorator himself, at times[4]), whose regular function it was to trim all candle- or lamp-wicks during the intervals in order to prevent smoking, but it is scarcely credible that the performance should have been interrupted in the middle of an act to allow the 'moucheurs' to come on to the stage and adjust the lights before and after each night-scene. The only alternative is that some mechanical device was employed which made it possible for the stage lighting to be controlled from the wings. Such a device was indeed in use in Italy and is fully described by Nicola Sabbattini in his *Pratica di fabricar scene e macchine ne' teatri*, first published at Ravenna in 1638.[5] It consisted of a system of small metal cylinders, open at the bottom and closed at the top (except for a narrow ventilation hole), which were suspended above the lights and could be lowered or raised by means of cords passing over pullies and operable from a single point.[6] It has been thought that a similar device may have been used by Mahelot at the Hôtel de Bourgogne, but in view of the great disparity between French stage technique and that of Sabbattini in most other respects, this is not an altogether safe assumption. Not until the sumptuous performance of Desmaretz de Saint-Sorlin's *Mirame*, sponsored by Richelieu at his private theatre, the Palais Royal, apparently in an attempt to emulate the glories of Italian mise en scène, do we find any indication of the effect of night being produced by the gradual dimming of lights and dawn being suggested by the gradual reillumination of the stage,[7] and the very enthusiasm which greeted these effects seems to intimate that they were, in French eyes, something new and extraordinary. The *Gazette* for 19th January, 1641, for instance, reports the performance in the following terms:

> La beauté de la grand' salle où se passoit l'action s'accordoit merveilleusement bien avec les majestueux ornemens de ce superbe theatre: sur lequel, avec vn transport difficile à exprimer & qui fut suivy d'vne acclamation vniverselle d'estonnement, paroissoient de fort delicieux jardins, ornez de grottes, de statuës, de fontaines & de grands parterres en terrace sur la mer, avec des agitations qui sembloient naturelles aux vagues de ce vaste élement, & deux

> grandes flottes dont l'vne paroissoit éloignée de deux lieuës, qui passérent toutes deux à la veuë des spectateurs. La nuit sembla arriver en suitte par l'obscurcissement imperceptible tant du jardin que de la mer & du ciel qui se trouva éclairé de la Lune. A cette nuit succéda le jour, qui vint aussi insensiblement avec l'aurore et le Soleil qui fit son tour d'vne si agréable tromperie qu'elle duroit trop peu aux yeux & au jugement d'vn chacun.[8]

Among the spectators on this occasion was Michel de Marolles, who has left a similar eye-witness account of the performance in his *Mémoires*; [9] his opinion of the effects is less favourable but the implication of novelty remains equally strong.

In these circumstances one should not overlook the possibility that Mahelot's representation of night was a purely stylised one: such an approach would in fact be entirely consistent with the overall tone of his staging technique as revealed in the *Mémoire*, stemming as it does from the underlying principle of 'décor simultané'. We know that in the medieval Mystery plays night was indicated by the use of a black-painted sheet, decorated sometimes with little stars,[14] and it is perhaps not unreasonable to suggest that this convention may have persisted, along with many other aspects of medieval staging, even down to Mahelot's day. Admittedly, Mystery performances normally took place out of doors in broad daylight, when it would have been difficult to represent night in any other way, but there is evidence of a similar device in use for an indoor performance at the end of the sixteenth century, a mere generation before Mahelot's time. The 'Au lecteur' to Nicolas de Montreux's pastoral *Arimène* gives an extraordinarily detailed account of the decoration of the stage at the first performance, which took place in the Château de Nantes before the duc de Mercueur. In the Paris edition of the play, published by two separate houses in 1597, we are told that 'Le dessus [of the stage[estoit tendu d'vn ciel estoillé (parce qu'en la nuict, et aux flambeaux ces vers furent recitez)', while the Nantes edition, also of 1597, which describes the staging in rather different but even more detailed terms, observes: 'Sur le Theastre estoit un grand ciel portant la face nocturne pour supporter les corps célestes representez aux Intramèdes'.[11] It seems clear that here, at least, a painted cloth was used to indicate the night.

Again, one can find support for this view in the text of plays contemporary with the *Mémoire*. The frequency with which the metaphor of darkness or night is encountered in descriptions of 'chambres funèbres' is striking. Rotrou, for instance, calls the funeral chamber in his *Crisante* (1639) 'vn lieu sombre', presided over by 'les tenebres . . . vne obscure nuict'.[12] Now, he has already remarked, in a stage direction in the preceding scene, that this chamber is 'tapissee de deuil' and, in any case, we know from the *Mémoire* that Mahelot always draped the 'chambres funèbres' in his sets with black hangings.[13] Similarly, in Marechel's *L'Inconstance d'Hylas* there is the stage direction: 'Icy se découure le Tombeau des deux Amants dans vne Grotte toute en deuil & remplie de lampes ardantes'; [14] and in the subsequent text one finds the lines:

> Lieux sacrez à la nuict . . .
> . . . cet espace enserre
> La clarté dedãs l'ombre. . . .

It is not perhaps too rash to suggest that, in such descriptions, the dramatists were not evoking in a purely metaphorical way the lugubrious atmosphere of a funeral chamber but rather were actually identifying the hangings of the chamber with the idea of night — for the simple reason, presumably, that night was normally represented on the stage with the aid of black draperies.

It is possible, then, that when Mahelot writes 'il faut une nuict' he alludes not to a change of lighting but to the unfurling of a black cloth. Indeed, in his note on Rotrou's *Les Occasions perdues* — 'l'on faict paraistre une nuict, une lune et des estoilles' [15] — the very choice of verb and the close association of the three phenomena, night, moon and stars, seem to indicate a device akin to Montreux's painted canvas 'ciel estoillé'. In all of Mahelot's drawings one observes at the back of the setting, above the rear compartment, an expanse of sunlit sky, which, on the stage, presumably consisted of a length of suitably painted canvas, and it may have been in front of this that the night-cloth was dropped or drawn laterally. It is also to be supposed that the coming of dawn, an effect which is frequently demanded by the plays,[16] was represented by nothing more complicated than the removal of the black cloth.

Finally, the suggestion of night was often further imparted by means of lanterns or torches carried on to the stage by the actors: Mahelot provides some such lights for several nocturnal scenes, as for instance, in the notice relating to Boisrobert's *L'Heureuse Tromperie*, where, together with 'une nuict', he records that

> il faut . . . deux flambeaux d'argent ou d'étain garnis de chandelles, un flambeau de cire pour un page . . . une lanterne sourde et de la bougie.[17]

In this connection it is interesting to note that for Durval's *Agarite*, in which there is a textual reference to darkness being produced for the performance of a ballet by the extinguishing of candles,[18] Mahelot is careful to provide 'flambeaux' amongst the other properties required by the dancers.[19] The implication is clear: it was these lights which were put out while the normal stage lighting remained unchanged.

We may be sure that Mahelot's audiences saw nothing strange or incongruous in a purely stylised presentation of nocturnal scenes; spectators nurtured on the conventions of multiple decoration, on the 'mer haute de deux pieds 8 pouces' which he provides for *Agarite* or the 'precipice, ou se precipite un berger' in the setting for Baro's *Clorise* which cannot have been much taller than the unfortunate shepherd himself,[20] would have no difficulty in accepting a black cloth as a sufficient indication of night. We do not know if playwrights were equally amenable: they may of course have felt that the evocative power of their language was proof against any shortcomings of staging. At the same time it may not be too fanciful to speculate that in such lines as

> Estends heureuse nuict tes ombrageuses toiles. . . .[21]

and

> Quoy? ne voyez-vous pas que partout les tenebres
> Enuelopent le Ciel de leurs voiles funebres?[22]

they are employing not an exclusively poetic image but a conceit owing its immediate suggestion to a stage convention.

Donald Roy

Notes:

1 For Rotrou's *Les Occasions perdues*, Gombauld's *Amaranthe*, Du Ryer's *Lisandre et Caliste*, Scudéry's *Le Trompeur puny*, Rampalle's *La Melite* [i.e. *La Bélinde*], Du Ryer's *Aretaphille*, Pichou's *L'Infidelle Confidente*, Durval's *Agarite*, Auvray's *La Prise de Marcilly* [i.e. *La Dorinde*], Pichou's *La Filis de Scire*, Du Ryer's *Clitophon*, Boisrobert's *L'Heureuse Tromperie*, Mairet's *La Silvie*, Claveret's *La Place royalle*, Passar's *L'Heureuse Inconstance*,

and the same author's *Cleonice*. (See H. C. Lancaster, *Le Mémoire de Mahelot, Laurent et autres décorateurs de l'Hôtel de Bourgogne et de la Comédie-Française au XVIIe siècle*, Paris, 1920, pp. 66, 68, 69, 77, 78, 80, 81, 82, 84, 86, 89, 91, 95, 97 and 105.)

2 Part I: The Pre-Classical Period, 1610-1634, vol. 2, p. 723.

3 Paris, 1960, p. 53.

4 See, for example, Chappuzeau's *Le Théâtre françois*, Lyon, 1674, p. 245, and Rotrou's *Le Véritable Saint-Genest*, 1647, Act II, scenes 1 and 5.

5 Book II, Chapter 12.

6 The existence of such a device is implicit also in some of the remarks in di Somi's *Dialogues*: for instance, 'in quell' istante la maggior parte de i lumi de la scena che non servivano alla prospettiva furono velati o spenti' (quoted by A. Nicoll, *The Development of the Theatre*, London, 1948, 3rd ed., p. 96).

7 The *modus operandi* of this effect is also outlined by Sabbattini (*Pratica*, Book II, Chapter 55).

8 *Recveil des Gazettes, Novvelles, relations extraordinaires, et avtres recits des choses avenves tovte l'année mil six cens quarante-vn*, Paris, 1642, p. 35.

9 Paris, 1656, pp. 125-6: 'Il y eut aussi cette mesme année force magnificence dans le Palais Cardinal, pour la grande Comedie de Mirame, qui fut representée deuant le Roy & la Reine, auec des machines qui faisoient leuer le Soleil & la Lune, & paroistre la Mer dans l'eloignement, chargée de vaisseaux . . . '

10 See G. Cohen, *Histoire de la mise en scène dans le théâtre religieux français du moyen âge*, Paris, 1926, p. 159.

11 For the full text of these descriptions and an analysis of their differences, see T. E. Lawrenson, 'La mise en scène dans *l'Arimène* de Nicolas de Montreux', *Bibliothèque d'Humanisme et Renaissance*, XVIII (1956), pp. 286-290.

12 Act V, scene 2.

13 His set for Hardy's *L'Inceste supposé*, for example, contains 'une chambre funebre, a un des costez ou il y ayt une piramide pleine de bougies et un cœur dessus, le tout tendu de noir avec des larmes' (*Mémoire*, p. 78). Cf. his descriptions of Du Ryer's *Aretaphille* (pp. 77-8) and Rotrou's *Hercule mourant* (p. 103) and his drawing for Mairet's *Cryséide et Arimand*.

14 Act I, scene 5.

15 *Mémoire*, p. 66.

16 E.g. Gombauld's *Amaranthe*, Prologue; Pichou's *La Filis de Scire*, I.1. (cf. *Mémoire*, p. 84); Mairet's *Silvanire*, V.2; Auvray's *Dorinde*, IV.1; Baro's *Celinde*, I.1; Scudéry's *Le Vassal généreux*, I. 1; Corneille's *Clitandre*, I. 1; and Gougenot's *La Comédie des Comédiens*, inner play, I. 2.

17 *Mémoire*, p. 89.

18 Act III, scene 3.

19 'Des ardans, un moulin, habits de ballet, des fiolles, des aisles pour les vents, des perruques de filace, deux flambeaux de cire, quatre flambeaux d'étain garnis de lumieres . . .' (*Mémoire*, p. 81).

20 *Mémoire*, pp. 80 and 67.

21 Rotrou's *Les Occasions perdues*, Act V, scene 2.

22 Pichou's *L'Infidele Confidente*, Act I, scene 3.

LES *LETTRES D'UN FRANÇOIS* de L'ABBÉ LE BLANC

Parmi les nombreux ouvrages qui ont révélé l'Angleterre au public français de la première moitié du 18e siècle, les *Lettres d'un François* de l'Abbé le Blanc [1] sont d'un intérêt particulier. Publiées vingt ans après les *Lettres sur les Anglois et les François et les voyages* de Muralt [2] et onze ans après les *Lettres anglaises* ou *Lettres philosophiques* de Voltaire,[3] elles ne cèdent à celles-ci que la priorité. Le succès du livre de Le Blanc fut immédiat: quatre éditions françaises en parurent entre 1745 et 1758, et il fut bientôt traduit en anglais (1767), en italien (1753) et en allemand (1764). Mais depuis cette date personne n'a songé à le rééditer. Les critiques se sont contentés de le feuilleter pour en rendre compte dans les études ayant trait aux relations intellectuelles entre la France et l'Angleterre. Dans ce court travail nous nous bornerons à donner une idée générale du contenu de ces *Lettres*, tout en suggérant les ressemblances qui s'imposent entre elles et d'autres ouvrages contemporains concernant le même sujet, aussi bien que la place qu'elles occupent dans le mouvement anglomane.

Le Blanc, fils d'un geôlier de Dijon, partit pour l'Angleterre en février 1737, abbé de compagnie du duc de Kingston, qui enlevait madame La Touche. Le duc, neveu de la célèbre Lady Mary Wortley Montagu, possédait à Thoresby, dans la province de Nottingham, un beau château. Dans ce plaisant décor notre abbé fit un séjour agréable d'un an et demi—jusqu'en juillet 1738, faisant bonne chère, admirant les beaux tapis de verdure qui s'étendaient devant la maison. Le séjour fut également instructif: d'après une lettre adressée à Bouhier le 25 février 1737, et citée par les Goncourt,[4] Le Blanc, qui prétendait qu'on ne doit voyager que pour chercher la sagesse, profita de la belle 'bibliothèque de prince et de savant . . . Bibliotheca Kingstoniana,' acquérant ainsi une connaissance étendue de la littérature anglaise. Il y étudia aussi la vie anglaise, les mœurs, les institutions et le caractère des habitants. Thoresby lui offrait notamment une occasion unique de se mettre en contact avec la haute gentilhommerie tory: il connaissait Bathurst, l'ami de Pope; mais il rencontra également Horace Walpole, l'un des Whigs les plus en vue, et visita son château pseudo-gothique à Strawberry Hill. Ce fut encore son hôte, vraisemblablement, qui lui accorda les facilités pour voir fonctionner les organismes politiques du pays: il assista à des débats parlementaires dans les deux Chambres et entendit parler les meilleurs orateurs de l'époque; notamment Pitt, Robert et Horace Walpole, Chesterfield, Carteret, Granville, Delawar.

Pour connaître le pays et ses habitants, il fit, de Nottingham, de nombreuses excursions dans plusieurs coins de l'Angleterre. Londres, qui 'n'est réellement étonnante que par sa grandeur', l'attire à cause des théâtres et des endroits intéressants à visiter plutôt que par sa beauté. 'Après avoir vu l'Italie', écrit-il à Buffon, 'vous ne trouverez rien dans les Edifices de Londres qui puisse vous satisfaire' (I, 233). D'après lui, c'est parce que la fumée de charbon de cette ville 'fort grande, fort riche et fort triste' empoisonne l'air qu'on y respire, que les Anglais aisés n'y demeurent qu'autant que leurs affaires les y obligent (II, 17). En revanche, les environs de la capitale sont bien agréables, notamment Kensington, où il admire 'les plus beaux bosquets touffus d'arbres toujours verds' (II, 163), Greenwich, réputée pour ses allées magnifiques de châtaigniers (II, 212), et Richmond: 'Le vaste Pays qu'on découvre du haut de Richemont, signale-t-il, a moins l'air d'une Campagne que d'un Jardin immense. Il offre en quelque sorte aux yeux une image du Paradis Terrestre'. Les maisons simples et jolies qui bordent la Tamise lui semblent préférables aux édifices magnifiques qu'étale la 'Seine orgueilleuse'. En province, il assiste aux courses de Newmarket et visite Bath, station thermale si courue à l'époque, Doncaster, Grantham, Northampton, Newark, York et Stamford. Bath, prétend-il dans une lettre amusante (la LXXXVIIIe), est le lieu de l'Angleterre où l'on se porte le mieux, et où l'on tire le meilleur parti de sa santé. C'est ici qu'il faut venir pour apprendre l'anglais aussi bien que pour connaître les dames d'Angleterre: à Londres elles sont 'farouches et inaccessibles', ici, au contraire elles sont 'du commerce le plus doux et le plus facile'.

Ces excursions à travers les villes anglaises lui révèlent la richesse de l'Angleterre — la prospérité de son agriculture, soutenue par le gouvernement, de ses industries et de son commerce. Comme Voltaire, il est vivement impressionné par l'aisance des paysans:

> Le Paysan Anglois est riche, et jouit avec abondance de toutes les commodités de la vie: s'il laboure pour le Commerçant, il participe comme les autres Hommes de sa Nation aux avantages du commerce. En plus d'un endroit, le Valet d'un Fermier prend son Thé avant d'aller à la Charrue. (II, 64),

> en Angleterre . . . les Villages sont plus riants et mieux bâtis qu'en France; tout y annonce la richesse de ceux qui les habitent: on s'apperçoit dans les Maisons des Paysans Anglois, qu'ils sont assez aisés pour avoir le goût de la propreté, & qu'ils ont assez de goût pour le satisfaire. Je les ai trouvés partout bien vêtus. (II, 66)

Une autre preuve de cette aisance est le fait que, tandis qu'en France les paysans ne plantent guère que des pommiers et des choux, en Angleterre ils ont non seulement un potager bien fourni et bien tenu, mais encore un parterre ou ils cultivent la rose et le muguet (II, 98).

> Le Peuple est réellement plus riche ici que partout ailleurs (I, 138),

conclut-il.

Muralt trouve le peuple anglais paresseux. Le Blanc, au contraire, admire sa diligence et sa patience, qualités auxquelles il doit en partie son opulence.

La beauté de la campagne le frappe également:

> Il suffit d'avoir des yeux (écrit-il de Newark dans le comté de Nottingham), pour être ici frappé de la beauté de la Campagne, du soin avec lequel la Terre est cultivée, de la richesse des Pâturages, des nombreux Troupeaux dont ils sont couverts, de l'air d'abondance et de propreté qui règne dans les moindres Villages. Ceux qui ne regardent pas l'Angleterre comme un Pays très fertile, sont en effet dans l'erreur. Les Anglois retirent en effet tous les ans plusieurs Millions de superflu de leurs bleds. (I, 234)

> La Campagne ici me paroît toujours riante, parce que je la vois toujours verte: à la vérité elle n'est pas aussi variée qu'elle l'est en France . . . Rien n'y étonne les regards, mais tout les satisfait . . .
> (I, 234)

> Enfin il paroît que la Verdure est plus belle ici qu'en France, si nous en exceptons la Normandie, qui ressemble en tout si fort à

> l'Angleterre. Le Parc S. James a offert à mes yeux une couleur que je ne connoissois pas. C'est dommage que l'on doive cet agrément à un défaut, c'est-à-dire, à l'humidité du terrain. (I, 234)

Au cours de ces excursions Le Blanc ne se contente pas d'observer les choses purement extérieures. En lisant beaucoup, et en fréquentant des gens de différentes classes sociales, de différents milieux politiques et sectes religieuses, il s'efforce surtout de comprendre les habitants, leur caractère, leurs us et coutumes, et leurs institutions, leurs distractions, d'apprécier leurs productions littéraires et artistiques aussi bien que scientifiques. Tout ce qui sert à éclairer ces matières l'intéresse. De là, l'immense diversité de ses Lettres, l'un de leurs plus grands attraits: le jardinage et les sports, pour lesquels les Anglais se passionnent (lettres XLI, XLVI, XLVII, LII), les modes des femmes (XVIII), le contenu des journaux quotidiens (XXII), les plaisirs de tables et les 'tostes' (XLII), l'habileté et la friponnerie des marchands de vins (LIV), la description du petit maître, le 'dandy' (IV), la magnificence des Anglais dans leurs funérailles (XIII), la manière dont la noblesse passe son temps à la campagne (XXXIV), la tenue des domestiques, qui lui plaisent par leur propreté mais dont il censure la vénalité et 'l'air gauche & les manières maussades en tout ce qu'ils font' (XVI), les mariages illégaux et clandestins (X), ces sujets reçoivent autant d'attention qu'un débat à la Chambre des Communes en 1737 (XLV), ou une nouvelle comédie de Steele (XLIV), ou les Quakers (VI), ou les progrès que les Anglais ont faits dans les sciences (VIII & XLI), ou la gaieté des Français et la mélancolie des Anglais (XIX), ou l'état de la peinture et de la sculpture en Angleterre (XXIII).

Bref, le voyageur nous raconte tout ce qu'il voit et entend. Il a déjà abordé ces sujets, décrit ses expériences en Angleterre, dans des lettres écrites de ce pays à des amis français, dont Bouhier et Buffon.[5] Ce fut Buffon qui lui proposa de composer un ouvrage sur ses expériences à l'étranger: 'Je vous invite,' écrit-il le 2 Septembre 1738 dans une lettre citée par Looten, 'à prendre là le canevas de quelque ouvrage.'

De retour en France, il tire donc le fond de son livre des lettres écrites entre février 1737 et juillet 1738, les retouche, supprimant les dates et ajoutant des allusions à des événements littéraires et politiques bien postérieurs à son séjour en Angleterre. Les retouches, et surtout celles qu'il ajoute aux nouvelles éditions, attestent que Le Blanc continuait à se tenir au courant des choses anglaises. Les origines de l'ouvrage expliquent le manque d'ordre dans les matières: au lieu de traiter une question à fond une fois pour toutes, il l'aborde dans une lettre, la quitte, la reprend, y renonce à nouveau, et l'achève beaucoup plus tard.

Il est de toute évidence que Le Blanc n'eût pas examiné à ce point tous les aspects de la vie anglaise sans une connaissance de la langue du pays. Cette connaissance n'était chez lui sans doute pas parfaite: Grimm, parlant de sa traduction des *Discours Politiques* de Hume, constate:

> M. Hume méritait un autre traducteur.[7]

Cependant, il lisait couramment l'anglais en 1737. D'après Buffon, il l'écrivait 'très correctement'.[3] Dès son arrivée à Thoresby il s'applique à perfectionner sa connaissance de l'anglais qui, constate-t-il au début de la lettre LXII de l'édition de 1751, 'est mis à présent en France au rang des Langues Sçavantes'. Il cite des mots ou des phrases anglais assez rarement, et se contente de traduire en français des extraits d'ouvrages anglais. Mais c'était exactement ce que faisaient ses contemporains, qui avaient été également coupables de la fausse graphie de certains mots, tels Boolinbroke, Tumbridge, Richemont (Richmond), Cantorbery et Shakespear. Comme Voltaire, Fréron et d'autres contemporains, il ressent la dureté du parler anglais. 'La Langue que parlent aujourd'hui les Anglois, est remplie de sons si durs que, comme le dit un de leurs Auteurs, il n'y a qu'une oreille du Nord qui les puisse souffrir' (I, 108); et il attribue le peu de succès des opéras italiens traduits en anglais à la rudesse de la langue (III, 77). Malheureusement, étant Bourguignon plutôt que Breton, il n'a pas demandé, comme Fréron l'avait fait dans une lettre insérée par Desfontaines dans ses *Observations sur les écrits modernes*,[8] 'Hé, pourquoi MM. les Anglois ont-ils renoncé à leur langue galloise qui est si douce à en juger par la langue de Basse-Bretagne qui est la même et qui est ma langue maternelle?' Il n'ignore pas, cependant, comme beaucoup de Français de nos jours, même, que le Pays de Galles a sa propre langue—'l'ancien Breton de Galles' (I, 103)—et que le Pays de Galles se distingue de l'Angleterre (III, 313).

Comme Fréron, il condamne l'excès de monosyllabes en anglais; d'après lui c'est une preuve de l'amour pour le silence et la réflexion parmi le peuple d'outre-Manche!

Enfin il déclare que ce n'est qu'à l'Académie française que la langue française est redevable de ce point de perfection où elle a été portée, et prétend que 'le judicieux M. Dryden, ainsi que Swift et Locke, a senti que l'anglais ne pouvait jamais devenir une langue polie et régulière sans le secours d'une Académie qui en fût uniquement occupée' (III, 2). Il critique également la tendance au racourcissement des mots, et l'inversion fréquente qui suscite l'obscurité et l'équivoque. Cependant il y reconnaît aussi des qualités, notamment énergie, abondance, grande liberté d'expression:

> leur Langue, quoique plus dure que la nôtre, me paroît plus favorable à la poésie. Les Vers doivent leurs principales beautés à la force et à la hardiesse des expressions, et les Anglois ont raison de revendiquer l'une et l'autre comme des caractères particuliers à la Langue. (I, 305)

De là, selon lui, la supériorité du *Virgile* de Dryden et de l'*Homère* de Pope sur les traductions françaises de ces chefs-d'œuvre.

Pour Le Blanc il importe surtout de savoir parler l'anglais. Il est heureux de constater dans la lettre XIX:

> à présent que la Langue de ce Pays-ci commence à m'être familière, j'étudie moins les Livres que les Hommes: cette Etude a toujours été plus de mon goût, & peut-être est-ce la plus utile. Je profite davantage à écouter la conversation des gens avec qui je me trouve, qu'à lire dans mon Cabinet un Volume du *Spectateur*. J'en fais moi-même ici de tems en tems les fonctions.

D'ailleurs, déclare-t-il au début de sa première lettre, 'L'étude la plus digne de l'Homme est celle de l'Homme même', phrase qui nous rappelle le célèbre, 'The proper study of mankind is man' de Pope. Il nous convient de résumer très brièvement le portrait que le Blanc nous a laissé de ce pays et de ses habitants. 'Quant à moi je ne prétens pas les juger, mais seulement les représenter tels qu'ils me paroissent', écrit Le Blanc au sujet des Anglais (I, 19). On sent, pourtant, que l'impression qu'ils ont faite sur lui est, à tout prendre, défavorable. Il ne manque pas de signaler chez eux certaines qualités: goût pour la liberté et les sciences, courage, adresse et application, sens de l'humain:

> aucun Peuple n'a plus d'humanité. (I, 15)

> Les Anglois passent pour la Nation la plus raisonnable de l'Europe. (I, 2)
>
> Ce peuple qui a une si grande réputation de sagesse. (I, 3)

Mais il souligne davantage leurs défauts: esprit de parti, esprit conservateur, manque de goût, affectation de singularité. Il critique surtout l'excessive fierté nationale de cette nation qui se croit le premier peuple du monde (I, 12 et 94), et la haine qu'elle porte envers la nation française:

> le Peuple de Londres est dur, grossier, & surtout ennemi des François . . . Le gros de la Nation Angloise a pour les François une haine invétérée, que l'on ne prend pas toujours la peine de nous déguiser. (I, 32)

Les réflexions qu'il fait au sujet du contraste entre la gaieté des Français et la mélancolie des Anglais sont plus justes:

> Rien n'est si rare parmi les Anglois que cette douceur d'esprit & cette gayeté d'humeur, qui font le charme de la Société, & ils y perdent beaucoup; ils seroient plus heureux, s'ils étoient plus sociables. Sans leur faire tort, on peut assurer qu'ils ne sçavent pas si bien jouir de la vie que les François. Cela ne prouveroit-il pas qu'ils ne sont pas aussi Philosophes qu'ils pensent l'être . . . Après tout la Philosophie n'est autre chose que l'art de se rendre heureux. (I, 171)

En outre, les Anglais, trouve-t-il, négligent trop le commerce des femmes.

Cette insociabilité provient, d'après lui, du sérieux ou de la mélancolie, qui est propre aux habitants de cette 'Patrie des Philosophes'. Le Blanc revient à plusieurs reprises sur ce trait du caractère anglais qui avait frappé Voltaire, Muralt, Prévost et d'autres voyageurs, ainsi que Boissy, qui s'en moque dans sa comédie *Le François à Londres*.[9] Il en parle dès la première lettre, l'attribuant au brouillard dont leur île est presque toujours couverte. Plus tard il distingue entre l''ennui' et le 'spleen', qui avec la mélancolie conduit tellement facilement au suicide (I, 117), et il consacre la XXVIIe lettre entière à une autre forme de cette maladie anglaise, les vapeurs, qui conditionnent d'autres traits du caractère national: passions violentes, mécontentement, inquiétude:

> Les Vapeurs sont plus communes en Angleterre qu'ailleurs, parce que c'est le Pays oú il y a le plus de gens qui s'inquiètent et qui s'ennuyent, parce que c'est le Pays où on se livre de meilleure heure et avec plus d'emportement à toute sorte d'excès. (I, 243)

D'ailleurs, ajoute-t-il, 'une humeur triste et noire tombe aisément dans le Fanatisme, et le Fanatisme mène à tout'. Et il lui semble que l'attention que mettent les Anglais à la manière dont ils se font enterrer, ferait croire qu'ils ont plus de plaisir à mourir qu'à vivre.

Le Blanc n'est pas le premier — ni le dernier — à se moquer de l'humeur noire des Anglais: Voltaire, comme Le Blanc, l'attribue au vent d'est; deux siècles plus tard Félix de Grand'combe dans son livre amusant *Tu viens en Angleterre*[10] en rend responsable la mauvaise cuisine; et, en 1950 un speaker de la radiodiffusion française, parlant des élections en Grande Bretagne, ne pouvait s'empêcher de faire allusion à 'ce peuple qui n'est pas malheureux . . . ce peuple qui traîne son ennui dans une existence monotone'. Au théâtre, d'ailleurs, l'humeur noire et le caractère peu sociable des Anglais ont été raillés dans de nombreuses comédies, à partir du *François à Londres* de Louis de Boissy (1727), et de l'*Isle de la Raison* de Marivaux (1727).[11] Ce qu'écrit Marivaux dans cette pièce:

> Sont-ils sages? c'est avec une austérité qui rebute de leur sagesse . . . leur badinage n'est pas de commerce; il y a quelque chose de rude, de violent, d'étranger à la véritable joie; leur raison est sans complaisance, il lui manque cette douceur que nous avons, (I, i)

semble anticiper la critique que nous venons de citer dans la lettre XIX, qui porte entièrement sur la gaieté des Français et la mélancolie des Anglais.

Le Blanc reproche également aux Anglais leur manie pour l'excentricité ('chacun ici se pique de vivre à sa fantaisie; ils appellent les Français une nation moutonnière'), aussi bien que leur esprit égoïste et matérialiste:

> Les Anglois sont un Peuple raisonnable et commerçant, qui ne cherche qu'à s'enrichir' — 'l'intérêt' — n'est servi nulle part avec plus de dévotion qu'en Angleterre; il y a un Temple aussi solidement bâti pour le moins que celui de la Liberté, sûrement beaucoup plus fréquenté, (III, 306 et 295)

et le fait qu'ils sont peu galants:

> Les François sont souvent galans sans être amoureux; les Anglois sont toujours amoureux sans être galans. (III, 298)

Le Blanc constate cependant que les Anglaises qui craignent de mourir dans le célibat, ou les sages veuves qui ne peuvent se consoler de la perte d'un premier mari que dans les bras d'un second, mettent des annonces dans les 'Papiers Publics' dont on se sert également pour tâcher d'emprunter de l'argent, vendre des chevaux, ou retrouver une tabatière perdue. Il cite un extrait d'un de ces 'papiers publics' où une femme précise les qualités qu'elle souhaite trouver dans le mari qu'elle cherche: Nous citons cet extrait, malgré sa longueur, parce que c'est un des extraits les plus amusants des *Lettres:*

> Ceci est pour donner avis à qui il appartiendra, qu'une Veuve d'entre trente & quarante ans, dont la condition est honnête, & les biens assez considérables, d'une constitution forte, quoique blonde, & pour la figure, du moins passable, veut dans le courant du mois rendre possesseur de sa personne & de ses biens, en qualité de vrai & légitime Mari, un homme en qui se trouvent les qualités suivantes.
>
> Premierement. On veut qu'il soit d'un âge mûr, c'est-à-dire, d'entre vingt & vingt-cinq ans.
>
> Secondement. Qu'il soit d'un bon tempérament, qui n'ait point été altéré par la débauche, & qui ne soit sujet ni aux vapeurs, ni à aucune autre affection mélancolique, ou maladie de la Ratte.
>
> Troisiémement. Qu'il soit de poil brun, & d'une taille moyenne; on a des raisons pour ne pas vouloir d'un homme trop grand, & l'on croit qu'il ne faut pas toujours se fier aux petits. Pour le visage on se contente qu'il ne soit pas difforme; mais on ne veut point absolument d'Adonis, parce qu'on ne veut un Mari que pour soi.
>
> Quatriémement. A l'égard des Biens on ne lui en demande point, pourvû qu'il ait toutes les autres qualités requises. On n'exige pas même qu'il ait voyagé en France; si d'ailleurs il a été bien élevé, s'il est doux, complaisant, & sçait comme on doit vivre avec les Femmes. Toutes choses égales cependant s'il s'en trouvoit quelqu'un qui eût vécu deux ans à Paris, il auroit la préférence.
>
> Cinquiémement. On veut qu'il fasse profession, du moins extérieurement de la Religion dominante, de peur qu'un Non-Conformiste, sous prétexte de soumettre sa Femme à la sévérité de l'Evangile, ne voulût l'asservir à ses caprices, fixer l'heure & le tems de sa toilette, réduire sa parure à ses vêtemens, régler ses occupations, lui interdire les Spectacles, & la priver de tous les amusemens honnêtes & permis.
>
> Ceux qui auront quelques prétentions, n'auront qu'à écrire leur nom & celui des personnes auprès desquelles on pourra s'informer de leurs qualités dans un Billet cachetté & adressé sous double enveloppe, à M. Tompson Banquier *in Fleet Street*.
>
> N.B.—On avertit tout Ecclésiastique, quelque jeune & quelque prévenu de sa figure qu'il puisse être, de ne prendre pas cette peine. Ceux de cette Robe sont exclus du concours, à cause de la tristesse qu'ils répandent toujours dans les Familles.

> On ne veut pas non plus d'aucune personne sujette à fumer, attendu que ceux qui ont contracté cette vilaine habitude, ou ne gardent point la Maison, ou y attirent mauvaise Compagnie. (I, 200-202)

Le Blanc ajoute un commentaire (supprimé après la première édition) où il prétend ne pas condamner les mœurs de ses voisins, et demande,

> Combien trouveroit-on à Paris d'Ecrivains assez bas pour se faire les Entremetteurs de semblables Négotiations? (I, 202)

Hélas, notre abbé, le pauvre homme, est mort avant la parution du *Chasseur français* et de 'telles épiceries', comme aurait dit Du Bellay.

Le Blanc attribue le manque de galanterie des Anglais au fait qu'ils préfèrent boire dans les cabarets: l'habitude du vin détruit chez eux la finesse du sentiment. L'ivrognerie est le trait des mœurs de ses voisins d'outre-Manche que Le Blanc critique le plus sévèrement: il en parle à plusieurs reprises, même en discutant la constitution et les élections, comme nous allons voir. Il condamne également les sports cruels, tels les combats de vils gladiateurs qui font honte à l'humanité, et le jeu, notamment les jeux de hasard qui sont ici diversifiés à l'infini:

> Les Dez en Angleterre sont travaillés avec un soin et une exactitude, qu'ils feroient mieux d'employer à quelque Ouvrage utile de Mécanique.

Les Anglois, prétend-il, se ruinent tous les jours aux Jeux de Hasard, dont ils font leur principale étude (III, 224).

Et il est étonné par les paris considérables qu'on fait aux courses de Newmarket, aussi bien que par le fait que l'Anglais se soucie peu de porter des habits brillants ou d'avoir une table délicieuse: il préfère hasarder cent guinées sur un cheval.

D'ailleurs, c'est en allant aux courses qu'on risque le plus d'être volé — notamment par Turpin, 'le Cartouche de sa Nation'. Dans ce pays mal policé les voleurs de grand chemin ne manquent pas.

Le Blanc regrette que Le Gouvernement ne réprime pas la dépravation des mœurs. A Londres,

> Le Peuple est . . . rarement retenu par les Loix, les Grands ne le sont pas toujours par la Décence; en un mot, la Profession du Vice y est aussi publique qu'aucune Profession honnête. (I, 279)

Cette corruption des mœurs s'est accentuée depuis la

Réformation, qu'il attaque à tout propos, soulignant l'avilissement du clergé: comment le peuple aurait-il honte des vices dont le clergé ne rougit pas? demande-t-il. Voltaire, au contraire, déclare dans les *Lettres philosophiques* qu'à l'égard des mœurs le Clergé Anglican est plus réglé que celui de France.

Ceux qui ont lu le *Trivia* de Gay [12] (mieux connu pour son *Beggar's Opera*) aussi bien que les ouvrages de certains historiens tel *London Life in the 18th century* de Dorothy George [13] apprécieront que la critique des mœurs anglaises dans les *Lettres d'un François* est, au fond, bien juste.

Le Blanc écrit, au sujet de Muralt:

> quoiqu'il fût sans prévention, ses Jugemens ne sont pas sans partialité . . . on pourroit dire de lui qu'il a l'Esprit François, mais qu'il a le cœur Anglois.

Au contraire Le Blanc lui-même a plutôt le cœur français. Il n'est certes pas anglomane, voire peu anglophile. Il y avait à peine vingt ans que les Français s'intéressaient vivement à la culture et aux constitutions d'Angleterre quand parurent ses *Lettres*, et cet intérêt n'était pas encore une véritable 'manie'. Cependant Le Blanc prévoyait déjà les dangers de l'anglomanie, surtout quand les étrangers n'imitaient pas les meilleurs aspects de la vie et des coutumes des 'fiers insulaires'.

> Heureusement pour nous, la Singularité est un défaut aussi rare en France, qu'il est commun en Angleterre, & il faut espérer que ceux qui ont transplanté parmi nous cette production étrangère, ne réussiront pas à l'y multiplier. Il est vrai que l'on pourroit tout craindre à cet égard du grand commerce que nous avons aujourd'hui avec cette Isle. Les Nations échangent plus aisément leurs Vices que leurs Vertus. Nos Petits-Maîtres en fait de Sciences, car il est vrai qu'il y en a dans tous les genres, affectent beaucoup aujourd'hui les Mœurs Angloises. Mais ce n'est pas en ce qu'elles ont de bon qu'ils les imitent: ils n'ont communément d'Anglois que l'habit. Un de nos jeunes gens, après avoir lû le Spectateur de M. Addison, & les Ouvrages de M. Pope, dit un jour à un de ses Amis: *Je pense à présent*. Notre Etre pensant étoit vêtu de vert, son habit étoit sans pli, ses cheveux sans poudre, il avoit le chapeau sur la tête. *Hé bien*, continua-t-il, *comment me trouvez-vous? N'ai-je pas l'air tout-à-fait Anglois*? Plusieurs de nos Sçavans se sont déja rangés sous la Banniere Angloise; les Géométres leur en ont donné l'éxemple. Ceux-ci veulent que la Nation qui regarde la Géométrie comme la premiere des Sciences, soit elle-même la premiere Nation de l'Europe. Avec quelle emphase n'exaltent-ils pas tout ce qui nous vient de ce Pays-ci? Avec quelle ardeur ne cherchent-ils pas à faire des

> Prosélites? Si l'on en croit ces especes de Fanatiques, il n'y a d'Hommes véritables que les Anglois, on ne peut faire un pas dans la Philosophie & dans les Lettres sans l'étude de leur Langue: elle est, selon eux, la Clef de toutes les Sciences, ils la regardent comme la seule qui soit riche, la façon de penser des Anglois, comme la seule qui soit juste, & leur maniere de vivre, comme la seule qui soit raisonnable. Il ne tient pas même à ces Messieurs que nous n'empruntions des Matelots de la Tamise, la façon de nous mettre & de nous nourrir. (I, 91-93)

De retour en France, cependant, notre auteur avoue qu'il n'a pas connu tout le mérite des Anglais lorsqu'il a vécu parmi eux (III, 379).

Pourtant, ce qui est plus significatif, c'est que la critique des institutions anglaises, notamment l'Eglise et le gouvernement, révèle que Le Blanc était plus orthodoxe en matière de religion et de politique que les Encyclopédistes. La première édition des *Lettres* renferme un avertissement d'une page et quelques lignes. Mais dans la troisième édition nous trouvons une préface de 56 pages où l'auteur nous prévient, dès le début, que,

> Le Lecteur dans cet Ouvrage trouvera que la Religion, le Gouvernement, les Mœurs, tout ce qui doit être sacré pour un honnête homme, y est traité avec un respect qu'on ne trouve pas toujours dans les Ecrivains de ce siècle . . . L'Auteur respecte trop l'autorité pour se plaindre même des abus qui en sont une suite presque nécessaire.

Au contraire Diderot déclare 'Imposez-moi silence sur le gouvernement et la religion et je n'aurai rien à dire'. De même Montesquieu, dans les *Lettres Persanes*,[14] traite le pape de 'vieille idole, qu'on encense par habitude' et le roi de 'grand magicien . . . qui fait penser ses sujets comme il veut'. Quant à Voltaire, sa vie fut une série de polémiques avec le gouvernement et l'Église et, grâce à ses critiques, il se trouva embastillé plus d'une fois, avant même son séjour en Angleterre. C'est à la Bastille qu'il ébaucha son poème épique *La Ligue*[15] où nous lisons,

> Et périsse à jamais l'affreuse politique,
> Qui prétend sur les cœurs un pouvoir despotique.

et

> Reine l'excès dez maux où la France est livrée
> Est d'autant plus affreux que leur source est sacrée.
> C'est la Religion dont le zèle inhumain
> Met à tous les Français les armes à la main.

Cinq ans avant *La Ligue*, d'ailleurs, dans sa première pièce, *Oedipe* (1718)[16] Voltaire avait osé déclarer,

> Nos prêtres ne sont pas ce qu'un vain peuple pense;
> Notre crédulité fait toute leur science.

Ces critiques sont réitérées pendant le reste de sa longue carrière. Tout ce que Le Blanc a dû admirer chez Voltaire, en matière de religion, c'est son admiration pour les Quakers, qui

> sont tous honnêtes gens. Ce sont aujourd'hui les seuls Fanatiques qui ne cherchent point à troubler la Société, & qui ne respirent que la Paix et la tranquillité. (I, 40)

et sa dérision des Presbytériens dont notre abbé aussi se moque dans une lettre amusante (la XIXeme) où, prétend-il,

> si les Anglois rient peu, au milieu de l'Angleterre il se trouve une Nation qui ne rit jamais, c'est celle des Presbytériens; ils ont fait du Rire un huitième péché mortel. Selon eux, une Femme qui rit péche autant que pécheroit, selon nous, une Femme qui manqueroit à la Pudeur et à la Modestie. Aussi y a-t-il parmi eux des Familles où de Père en Fils on n'a jamais ri.

Plus tard il les juge plus sévèrement:

> C'est sur-tout en Ecosse que les Presbytériens fougueux tâchent de rallumer le flambeau des Guerres civiles, & de faire de nouveau triompher par le glaive leur fameuse & redoutable Confédération. Ces prétendus Prédicateurs Evangéliques, sont encore animés du même esprit que leur célébre Knox, qui établit en Ecosse sa Réformation, par le fer & par le feu. Orgueilleux dans leur humilité, insolens dans leur bassesse, ils ne respectent aucune autorité: leurs Sermons sont des Satires, & leurs Prieres des imprecations. Partout où cette Doctrine ennemie de toute subordination, a pris racine, la Rébellion & les Guerres Civiles en ont été la suite. Les semences en furent jettées en Angleterre du tems de la Reine Elizabeth; les fruits empoisonnés, qu'elles produisirent, ne purent mûrir que sous le Régne de Charles I, & déshonorérent également & la Nation Angloise & la Religion Protestante. Les Anglois réverent aujourd'hui comme Martyr un Prince qu'ils ont fait expirer sur l'echaffaut comme un Criminel. (II, 172)

Mais, tandis que Voltaire avait loué la multiplicité des sectes religieuses en Angleterre, parce que cela était un signe de liberté de conscience et décourageait le despotisme, Le Blanc condamne la scission en de nombreuses sectes créée par la liberté religieuse:

> Si la Liberté consistoit dans la variété des Cultes Religieux, & dans une Licence effrénée de parler et d'écrire, on pourroit dire que les

> Anglois en jouissent aussi pleinement qu'aucun peuple de la Terre en ait jamais joui. Mais peut-être que pour constituer la vraye et parfaite Liberté, il faut quelque chose de plus qu'un son vuide, & que la Licence et de la Langue et de la Plume. (III, 304)

Le Blanc est évidemment plus conscient des dangers que des avantages de la liberté de la presse dans un pays où on ne distingue pas entre la liberté et la licence. C'est toujours d'un ton sarcastique qu'il parle de la liberté en Angleterre:

> Avec ce grand mot on pallie tout, & l'on ne remédie à rien. (III, 213)

> C'est ici un Pays de liberté, et où chacun se pique de ne se gêner en rien. (III, 294)

C'est peut-être l'esprit anti-philosophe des *Lettres d'un François* qui en explique le ton nettement moraliste, didactique, et qui les distingue des *Lettres philosophiques*, par exemple.

Quant à la politique, Le Blanc est plus conservateur que ses éminents compatriotes. A l'opposé de Voltaire qui, dans les *Lettres philosophiques*, a l'air d'approuver — sournoisement — le supplice de Charles Ier, Le Blanc condamne 'les factieux' qui ont fait couper la tête de leur roi, ainsi que les guerres civiles d'Angleterre:

> Ces mêmes séditieux qui ont fait briser le sceptre de Charles I, ont armé d'une Verge de fer un Homme, qui, sous le nom de Protecteur, est devenu le Tyran de sa Patrie. (III, 354)

Il souligne, d'ailleurs, l'importance d'un rapport entre la monarchie et l'église. Nous devons estimer, prétend-il, une religion qui nous enseigne à respecter dans les rois les images de la divinité, et qui les oblige de traiter leurs sujets comme leurs frères; une religion 'qui rappelle incessamment aux Peuples que l'obéissance est un devoir, et leur soumission une vertu; et qui apprend aux Rois que leur pouvoir n'est point arbitraire, que leur Justice sera jugée' (III, 356).

Le Blanc n'est pas très fort en histoire: selon lui la Grande Charte 'a été accordée au Peuple par Henri III, dans le (sic) neuvième année de son Règne' (c'est-à-dire en 1224). Il s'est trompé de date et de roi! Il a pourtant raison de prétendre que la Grande Charte est la base des lois et des libertés de l'Angleterre (III, 232). Il comprend également que ce que l'Angleterre a conservé de liberté, elle le doit à la Chambre des

Communes, mais il reproche aux Anglais de ne pas être attentifs dans le choix de ceux à qui ils confient le soin de les défendre. C'est à plusieurs reprises qu'il revient à ce sujet: à son avis une nation où le bon sens abonde, où l'esprit de liberté règne, où le zèle du bien public est en honneur, confie la garde de ses privilèges à des hommes qui n'ont aucune des qualités nécessaires pour y veiller. Il va jusqu'à se demander, dans la lettre XCI adressée à Montesquieu, si les Anglais ne paient pas trop cher leur prétendue liberté.

L'analyse de la constitution anglaise dans les *Lettres d'un François* est non seulement plus superficielle que dans l'*Esprit des Lois* [17] — il fallait s'y attendre — mais aussi moins favorable: en 1745 ce sont ses défauts plutôt que ses mérites qui sont soulignés. D'abord le nombre excessif de conseillers est un désavantage:

> Dans une multitude de Conseillers, il entre souvent de la sagesse, rarement du secret . . . Le Ministre trop contrarié ne peut toujours exécuter ce qu'il tente pour le bien de la Nation. (III, 200)

Le Blanc est convaincu que ce gouvernement si vanté n'est qu'un projet idéal qu'on ne peut réduire en pratique:

> Il a peut-être le plus grand de tous les défauts, c'est de supposer dans les hommes une perfection que l'humanité ne comporte pas. (I, 5)

En fait le point faible de la constitution britannique est la corruption, car la nation anglaise, à son avis, est

> presque entièrement corrompue par l'or, le plus actif et le plus dangereux de tous les poisons. (I, 57)

> Pendant ces temps d'élection, ceux qui y aspirent, ou soutiennent les Aspirants, sont obligés de tenir Table ouverte. Ils y ont quelquefois trois cents personnes à régaler par jour. Celui qui enyvre le plus de Peuple peut compter sur un plus grand nombre de voix: Ici on fait tout ce qu'on veut du Paysan avec de la Bière forte. Ceux qui sont sobres, on les gagne avec de l'argent. A l'égard du Bourgeois intéressé, l'un vend son suffrage vingt Guinées, l'autre ne le donne qu'à trente; pourvû qu'on y mette le prix, on est sûr de les tous avoir. (I, 37)

Sa prévention l'aveugle au fait qu'en matière de politique 'le peuple' anglais était impuissant en 1738: deux pour cent des habitants seulement avaient le droit de vote.

Les dangers de la jalousie entre le roi et le peuple lui paraissent grands. Puisque l'équilibre ne peut subsister longtemps dans une monarchie, parce que la puissance du roi ira toujours en augmentant, Le Blanc prévoit qu'au gouvernement mixte d'Angleterre succédera soit une véritable république soit une monarchie absolue :

> il y a ici une guerre perpétuelle entre le Roi et son Peuple; . . . on doit craindre un embrasement général. (I, 135)
>
> Le Peuple est réellement plus riche ici que partout ailleurs, et il doit du moins en partie cet avantage à la sagesse de ses Loix. Mais au milieu de toute cette abondance, la Nation est tellement désunie et déchirée par des Factions continuelles, qu'elle semble à tout moment menacée des horreurs des guerres civiles. (I, 135)

Le Blanc se révèle ici peu prophète : c'est en France qu'éclata, une quarantaine d'années plus tard, la Révolution. Il est également moins perspicace qu'un Montesquieu quand il prétend

> S'il est vrai que ce Governement soit un des plus parfaits qui ayent jamais été imaginés, n'est-ce pas à la honte de la Sagesse humaine? (I, 57)

Et, à l'opposé de Voltaire, loin d'apprécier qu'une noblesse puissante peut servir de rempart contre un roi despotique, l'abbé juge que

> la Chambre des Communes n'a tant d'autorité en Angleterre, que parce que celle des Pairs est presque entièrement dans la dépendance de la Cour . . . Les Grands étant toujours unis au Souverain, leur pouvoir qui devroit tenir la balance entre le Roi et le Peuple ne peut servir qu'à en rompre l'équilibre. Ils ont plus contribué à étendre les Prérogatives de la Couronne, qu'à conserver les Privilèges des Sujets. (I, 190 sqq)
>
> De même le clergé [prétend-il] est toujours d'accord avec celui qui gouverne et favorise tous ses projets. En outre, il tance vertement les membres des deux Chambres qui s'absentent de réunions importantes pour s'occuper de leurs affaires particulières ou pour se livrer à leurs plaisirs (I, 190 sqq).

Le Blanc est également sceptique au sujet de l'encouragement qu'on donne en Angleterre aux sciences et aux arts. Desfontaines, comme Prévost et Voltaire, admire la manière dont les Anglais encouragent le progrès des lettres et des sciences en honorant les savants. En revanche Le Blanc constate qu'il y a en France plus de récompenses pour les gens de lettres qu'en Grande Bretagne : ici la Société Royale de Londres est la seule compagnie établie pour faciliter le progrès des sciences; la seule pension fondée pour un homme de lettres est celle dont jouit le Poète Lauréat:

> . . . encore ne fait-elle que l'exposer à la satire et au mépris de tous ses confrères, c'est la payer cher. (I, 190 sqq)

et tandis que les différentes Académies de France ont fondé des prix pour la poésie, l'éloquence, les mathématiques, chez le peuple d'outre-Manche il n'y a de prix fondés que pour les courses de chevaux. Bref, selon lui, il n'y a point de pays où les talents soient plus honorés qu'en France.

Quant aux productions artistiques et culturelles de l'Angleterre, Le Blanc y prête une attention particulière. En tant qu'admirateur de l'art antique, il ne goûte ni le style gothique ni le style Tudor de Hampton Court. Il est encore plus sévère pour la peinture anglaise, dont il souligne l'état 'primaire':

> Il n'y a pas encore eu de Peintres en Angleterre,

déclare-t-il dès la Préface, et dans la lettre XXIII, lettre qui lui attira une réponse de Richardson (dans son *Essay on the Theory of Painting*) [18], il précise:

> La Peinture, la Sculpture, et tous les Arts qui dépendent du dessein, ou sont encore ici dans leur enfance, ou n'y sont pas encore connus.

La connaissance de la littérature anglaise chez Le Blanc nous impressionne d'abord par son étendue. Signalons, par exemple, que dans le *Supplément du Génie* ajouté en appendice à la lettre LXXVII il cite cent onze pièces de théâtre jouées sur la scène anglaise sous le règne d'Elizabeth, sous la restauration des Stuarts et à l'époque de la reine Anne. Il est également au courant des ouvrages de critique parus en Angleterre, aussi bien que de la poésie anglaise, de Chaucer à Pope, 'le Despréaux d'Angleterre', et des œuvres en prose, y compris les ouvrages philosophiques, notamment ceux de Bacon 'le Père de la Métaphysique et du Philosophe . . . celui qui a préparé les voyes à Descartes et à Newton' (III, 247 et 250). Il donne assez d'importance à Waller, et traduit sa fable, *Apollon et Daphné*. Quoiqu'il méprise 'les misérables romans', il parle de la *Clarisse* de Richardson avant que ce livre ait été traduit en français. Parfois ses analyses de ces ouvrages sont assez détaillées: la lettre LVI entière roule uniquement sur la pièce de Southern tirée du roman de Mrs. Behn, *Oroonoko*, dont il cite de longs extraits. De même, la comédie de Steele, *The Conscious Lovers*, fournit la matière de la lettre XLIV. *Tamerlan*, tragédie de Rowe, lui est également familière. Cependant on sent parfois que sa connaissance de cette littérature est en grande partie superficielle: il ne parle de Chaucer que pour signaler que sa langue est assez proche de l'ancien français. Aucun poème de Pope n'est analysé en détail, et le commentaire qu'il ajoute après avoir traduit deux vers bien connus du *Rape of the Lock*:

> Dans ce Palais superbe où votre Majesté
> Prend quelquefois Conseil . . . et quelquefois du Thé

indique qu'il n'a pas apprécié l'esprit de Pope: 'Si Pope n'a voulu que surprendre il a atteint à son but; s'il a cru trouver du plaisant, je doute qu'il y ait réussi' (III, 337). Dans *Pamela* il trouve un puissant intérêt, 'malgré les longueurs et un fond de Mœurs basses qui peuvent révolter la plupart des lecteurs', et il affirme que la nature y est peinte sous les couleurs les plus vraies et les plus touchantes. C'est tout ce qu'il nous apprend au sujet de ce roman qui fit sensation à l'époque.

De même, il loue l'originalité de Fielding dans l'*Enfant Trouvé*, mais il ne précise pas en quoi consiste cette originalité. Il ne parle qu'en passant du *Caton* du 'Sage et ingénieux M. Addison' (I, 324). Ses allusions au génie de Swift sont également vagues. Il est moins élogieux que Voltaire au sujet de cet auteur. Avant de traduire un pamphlet de Swift, *Projet infaillible pour payer les dettes de l'Irlande*, il commente 'L'Auteur a voulu faire rire, il révolte. Une Satire qu'on eût pu relire avec plaisir, eût sûrement fait plus d'effet qu'un Ecrit que le dégoût fait tomber des mains' (III, 283, en note). Mais une autre remarque se rapproche du célèbre passage des *Lettres Philosophiques*:

> bien qu'il ne soit que son écolier, (Swift) peut passer pour le Rabelais d'Angleterre. (I, 115)

On le souhaiterait plus précis au sujet de Milton aussi. Cependant il exprime pour ce poète une admiration assez rare à l'époque: 'il est peu [de poètes] dans aucune nation, déclare-t-il, qu'on puisse comparer à Milton' (I, 204).

Et il est suffisamment en avance sur son temps pour goûter chez ce poète le sentiment de la nature:

> Un Poète, un Peintre, un Homme de goût, voyent la Nature toute différente des autres Hommes. Milton ne l'a peinte ou si noble

> ou si riante, que parce qu'il l'avoit bien vue . . . Milton peint non seulement la fraîcheur du matin, & la beauté de l'émail d'une Prairie, ou du verd d'une Colline, il exprime jusqu'aux sentimens de joie & de plaisir que ces objets excitent dans notre âme; il nous donne la satisfaction de penser, que puisque nous éprouvons les mêmes sensations que lui, nous avons le bonheur de voir la Nature des mêmes yeux. (II, 206)

Mais c'est la critique de Shakespeare qui nous intéresse surtout chez Le Blanc. C'est la partie la plus importante et la plus significative de sa critique de la littérature anglaise, d'autant plus qu'elle provoque avec Guthrie, la première controverse internationale dont Shakespeare soit l'objet, controverse analysée en détail par Looten.

Sans compter des allusions accidentelles, Le Blanc consacre les lettres XXXIX, LIX, LXX et LXXIII à discuter la valeur du théâtre de Shakespeare. Dans sa critique nous relevons deux innovations intéressantes. D'abord, comme l'a signalé P. Van Tieghem (III, 60),[19] il fut un des premiers sur le continent à constater que ce dramaturge suit de très près ses sources et n'invente guère:

> Il n'y a aucune invention dans ses pièces, écrit-il à Bouhier le 3 Janvier, 1738, elles sont toutes des histoires. (I)

Il fut également — F. C. Green a déjà insisté là-dessus dans son *Minuet* (p. 90) [20] — le premier en France à discerner le génie du style de Shakespeare.

> A l'égard du style, c'est la partie qui distingue le plus Shakespear des autres Poètes de sa Nation. C'est celle où il excelle. Il peint tout ce qu'il exprime. Il anime tout ce qu'il dit. Il parle pour ainsi dire une Langue qui lui est propre, & c'est ce qui le rend si difficile à traduire. (II, 80)

A la fin de cette lettre notre critique ajoute donc avec un jugement sûr:

> il ne sera jamais connu que de ceux qui le liront en Anglois. On ne peut le traduire sans le tronquer à chaque page; & quand on l'aura tronqué, ce ne sera plus lui.

Chez Shakespeare Le Blanc relève d'autres qualités: il a une imagination vive et forte, un génie sublime; son comique est original.

> Peut-être qu'en ce qu'il a de beau il ne le cède à aucun Auteur Ancien ou Moderne. (II, 73)

Il est sans contredit un grand génie, le premier auteur dramatique anglais. Cependant les défauts de ses pièces l'emportent sur leurs beautés. Le Blanc réprouve la vénération trop grande des Anglais à son égard. Trop influencé par le théâtre classique français, il est déconcerté en face des nouveautés du théâtre Shakespearien. Comme les critiques traditionnalistes de son époque, il y désapprouve notamment le mélange du beau et du puéril, le mélange du tragique et du comique; trop de grossièreté, d'injures, de vulgarité et de violence; trop d'apparitions 'dangereuses pour les mœurs', et surtout la négligence des règles:

> Leur fameux Shakespear est un exemple frappant du danger que l'on court à s'écarter [des règles]. Ce Poète, un des plus grands Génies qui ayent peut-être jamais existé, pour avoir ignoré les Règles des Anciens, ou pour n'avoir pas voulu les suivre, n'a pas produit un seul Ouvrage qui ne soit un Monstre dans son espèce; s'il y a dans tous des endroits admirables, il n'y en a pas un dont on puisse soutenir la Lecture d'un bout à l'autre. (I, 318. cf. Préface XXXI-IV et XL)

Enfin Shakespeare, de même que les écrivains Anglais en général, pèche surtout par manque d'art et de goût. Le Blanc est bien caractéristique de son époque par son insistance sur la supériorité de la littérature française à cet égard. La littérature française, à son avis, était la plus évoluée et la plus parfaite en Europe:

> pour le présent, déclare-t-il, la balance du commerce Littéraire est totalement en notre faveur. (Préface, XLVIII)

Il ajoute:

> On ne peut rien reprocher aux Anglois du côté du génie, mais ils ont peut-être un peu trop négligé de perfectionner l'Art. (I, 164).

Et il insiste à tout propos sur le manque de goût chez les Anglais: autant il admire leur invention dans les arts mécaniques, autant il est blessé de toutes leurs productions dans les arts de goût. De même il lui paraît qu'

> autant la Philosophie et les Sciences abstraites ont fait de progrès en Angleterre, autant le Goût et les beaux Arts y sont peu avancés. Les Anglois à bien des égards ne sont pas encore au point où nous étions il y a deux Siècles. On ne peut nier qu'ils ne se soient veritablement distingués dans la Poésie. Mais si chez eux elle a pris l'essor le plus hardi du côté du génie, elle s'est peu perfectionnée du côté du Goût. Cette finesse d'esprit sans laquelle on ne fait rien de vrayement beau dans quelque genre que ce soit, manque à la

> plûpart de leurs Auteurs; Waller, Addison, le Comte de Shaftesbury, Pope & quelques autres exceptés, on ne peut guères louer dans leurs Ecrivains que la justesse du raisonnement, ou la force de l'imagination. Ils ont beaucoup d'ouvrages marqués au Coin du Génie; ils en ont bien peu qui portent le caractère des graces. Avec un peu plus de sagesse et de goût, Milton eût fait un Chef-d'œuvre de son Paradis Perdu.

Les Lettres d'un François ne sont certes pas dépourvues de partialité. L'auteur proteste qu'il ne prétend pas juger les Anglais, mais seulement les représenter tels qu'ils lui paraissent. Cependant il s'est parfois laissé guider, dans les jugements, par ses préventions personnelles. Son éducation classique très bornée l'empêche d'apprécier à leur juste valeur les nouveautés de la littérature anglaise. De même ses réflexions outrées sur la religion et la constitution du pays sont dictées par ses préjuges religieux et politiques. Ses lettres n'ont pas, pourtant, la portée satirique de celles de Muralt, qui ose mettre les Anglais au-dessus des Français, ni la portée philosophique des *Lettres Anglaises*, qui sont un pamphlet contre une France bourgeoise et rampante devant toute autorité. Le Blanc a joué un rôle moins important que ses illustres prédécesseurs dans le mouvement anglomane, d'autant plus qu'il ne faisait que suivre leurs traces, mais il nous donne un tableau beaucoup plus complet qu'eux de l'Angleterre. D'aucuns voyaient dans ce tableau un portrait idéalisé du pays: l'auteur anonyme du *Préservatif contre l'Anglomanie* classait Le Blanc parmi les adulateurs des antiques ennemis de la France. En revanche Richardson et Guthrie lui reprochaient une haine exagérée de leur patrie, et des critiques de nos jours ont cru voir dans son ouvrage les commencements de la réaction contre l'anglomanie. Le Blanc est, en fait, à tout prendre, plus conscient des défauts que des qualités de la vie anglaise. Cependant il a aidé à répandre en France la connaissance de ce pays, ses habitants, ses mœurs, sa littérature. La publication des *Lettres d'un François* marque son premier pas dans cette voie. En outre, à une époque où la litterature est devenue 'non un art, mais une arme', Le Blanc regrette qu'en France 'le goût de la philosophie a presqu'entièrement détruit celui des Belles-Lettres' (II, 331); rendons-lui justice d'avoir accordé une place assez importante aux belles-lettres anglaises. Lui, qui prétend qu'on ne doit voyager que pour chercher la sagesse' (I, 47)—puissent nos étudiants se souvenir de ce conseil — a bien profité de son séjour à l'étranger.

Enfin Le Blanc se rendant compte que le parallèle entre ses *Lettres* et celles de Voltaire est inévitable, et désirant imposer silence aux 'esprits brouillons' qui ont déjà publié que Voltaire avait parlé des *Lettres d'un François* 'de la manière la plus désavantageuse', termine la préface de la troisième édition avec une lettre où Voltaire remercie l'auteur de lui avoir envoyé un exemplaire de son livre, et lui fait des compliments:

> The reading of your Letters has assuag'd for some time the continu'd tortures nature has doom'd me to. Had I often such cordials would not complain any more of my ills. I support life when I suffer, I enjoy it when I read you. I will you had travell'd through all the world and wrote on all Nations. It becomes only a wise man to travel and to write. But our travellers, our writers and our Lectors are for the most part very far from being wise. Thank you again, and shall read you again.

Voltaire aurait été moins flatteur s'il avait lu la lettre adressée au Président Bouhier en 1732, lettre où Le Blanc dénigre *Zaïre*, dont le succès fut prodigieux. C'est pourquoi Desnoiresterres critique sa 'fielleuse correspondance' et le juge

> un de ces contempteurs sournois de Voltaire qui le déchirent en dessous et lui font extérieurement mille caresses.[21]

Thelma Morris

Notes:

1 L'abbé J. B. Le Blanc, *Les Lettres d'un François*, La Haye, 1745, 3 vol. (s.n.d.) Nos chiffres se rapportent aux pages de cette édition. Nouvelles éditions, 1747, 1751, 1758. L'édition de 1751, publiée avec une préface de 56 pp., porte le titre de '*Lettres de Monsieur l'abbé Le Blanc*, historiographe des bastimens du roi'. Les *Lettres* furent traduites en anglais (1747), en italien (1753) et en allemand (1764).

2 J. Béat de Muralt, *Lettres sur les Anglois et les François et les voyages*, Paris, 1725.

3 François-Marie Arouet de Voltaire, *Lettres philosophiques*, Amsterdam, 1734.

4 E. et J. de Goncourt, *Portraits intimes du 18e siècle*, Paris, 1892, pp. 267-277.

5 Ses lettres à Bouhier sont contenues dans le T.IV de la correspondance manuscrite de Bouhier conservée à la B.N. Ses lettres à Buffon sont apparemment disparues; mais les réponses de Bouhier figurent dans sa *Correspondance inédite*.

6 C. Looten, *La Première Controverse internationale sur Shakespeare entre l'abbé Le Blanc et W. Guthrie*, 1745-47-58, Lille, 1927, p. 13.

7 Le baron de Grimm, *Correspondance littéraire*, Paris, T.1, p. 209, 15 août 1754.

8 L'abbé P. F. Guyot Desfontaines, *Observations sur les écrits modernes*, Paris, 1735-43, vol. XXIII, p. 287.

9 L. de Boissy, *Le François à Londres*, comédie, Paris, 1727.
10 F. de Grand'combe (pseudonyme de Félix Boillot), *Tu viens en Angleterre*, Paris, 1932.
11 P. de Marivaux, *L'Isle de la raison* ou *Les Petits Hommes*, comédie en 3 actes, Paris, 1727.
12 J. Gay, *Trivia: or the art of walking the streets of London*, London, 1716(?).
13 M. D. George, *London Life in the 18th century*, London, 1925.
14 Charles de Secondat, baron de Montesquieu, *Lettres persanes*, 1721.
15 Voltaire, *La Ligue* ou *Henry le Grand*, poème épique, Genève, 1723.
16 Voltaire, *Œdipe*, tragédie achevée en prison.
17 Montesquieu, *L'Esprit des lois*, Paris, 1748.
18 S. Richardson, *Essay on the theory of painting*, in *The Works* (of Richardson) with a sketch of his life and writings by the Rev. E. Mangin, London, 1911.
19 P. Van Tieghem, *Le Préromantisme. La Découverte de Shakespeare sur le continent*, Paris, 1947.
20 F. C. Green, *Minuet*, London, 1935.
21 G. Desnoiresterres, *Voltaire et la société française au 18e siècle*, Paris, 1867-76, T.1.

THE USES OF NATURE IN THE POEMS OF BAUDELAIRE

That Baudelaire was not a 'nature poet' in any of the senses in which these words can be used of Wordsworth is only worth stating for the sake of distinctions to be drawn later. Here we shall consider a strand or a trend in the complex of the poet's thought and art; we are not proposing a new or even a partial reinterpretation of his work. What we hope to show is that many of his poems in verse and in prose reveal more interest and more subtlety in his attitude to nature and his references to the physical elements than seem generally to have been recognized. First, however, one or two points of terminology — even if they have to be modified when we come to apply them. Our use of the word 'nature' will refer to aspects of the external world as distinct from human nature. Here an ambiguity arises which cannot be removed at the outset. External nature is, of course, nature as man experiences it through his senses. In the poetic usage the phrase has no meaning apart from the author's attitude, feeling or vision. It is Baudelaire's reactions that we perceive in evidence derived from his poems, that is from some of them, for many, it must be admitted, show no reaction of any significance to aspects of the external world. In others again no more than a conventional use may appear to be made of the names of the major elements, sun, moon and stars, sea, wind and rain, a considerable number of references occurring simply in the form of unqualified substantives suggestive of atmosphere or mood. To base distinctions on such indecisive instances might soon prove deceptive. But we need scarcely argue the point further when we find in his appreciation of the work of that supremely natural poetess, Mme Desbordes-Valmore, a confession as direct as this: 'Je me suis toujours plu à chercher dans la nature extérieure et visible des exemples et des métaphores qui me servissent à caractériser les jouissances et les impressions d'un ordre spirituel'.

And indeed a wide sweep of inspection persuades us that the number of references to the physical world in its familiar features is surprisingly high for a town-bred, city-centred poet, especially in the first subdivision of *Les Fleurs du Mal*. Not only that: a more intimate glance will show how frequently Baudelaire had recourse to visible and audible elements of the external scene for images, symbols and comparisons to be applied in personal situations. In such cases his selections of natural imagery are more often appreciative. They tend to contribute a recurrent touch of brightness, an air of relief to balance or bring out effects of depression and gloom derived from introspection, ennui or the contemplation of a decadent humanity conceived as having fallen into the mirk of modernity from the virginal purity of the natural state:

> Dis-moi, ton cœur, parfois, s'envole-t-il, Agathe,
> Loin du noir océan de l'immonde cité,
> Vers un autre océan où la splendeur éclate,
> Bleu, clair, profond, ainsi que la virginité?

False as it would seem to think of Baudelaire as a poet primarily inspired by nature, his feelings for the elements, to say nothing of the beauties, of the external world are at times so firmly implied or finely expressed that we are bound to concede their sincerity and strength.

Les Fleurs du Mal is far from being a series of depressing poems. In many of them the brighter moods of existence are suggested by comparisons with the light of the sun, the verdant earth, the swift changes of water under freshening winds. In others the sickly scents of 'les fleurs maladives' are differentiated by contrasts with the health-giving, expansive movements of the natural air. What is conspicuous by its near absence from the collection is the *description* of a natural scene offered as the main theme of a poem. That among the juvenilia an impression of a remote mountain vista [1] recalls a journey the youth made to the Pyrenees in 1839 must be regarded as one of a very few exceptions.

The first part of the collection bears the subtitle 'Spleen et Idéal'. A glance through the individual titles of the poems might suggest the reverse order of arrangement. Most of those that bespeak idealism come early, whereas the set of poems called 'Spleen' are placed near the end and are followed by others with foreboding titles like *Obsession*, *le Goût du Néant* and *l'Irrémédiable*. Too much, however, should not be made of this external aspect. The strength of Baudelaire's idealism lies in his being fundamentally a realist. The contrast suggested by the rubric, 'Spleen et Idéal', becomes perceptible once we look into the individual poems and compare them with their immediate contexts. What could better support the order of the rubric than the violent contrast drawn within the poem, *Bénédiction*, between the triple curse of maternity, maturity and society, whose hostile attitudes threaten the budding poet while still a child, and the anxious sympathy of his Guardian Angel who finds him delighting in sunshine, wind and cloud?

> L'Enfant déshérité s'enivre de soleil . . .
>
> Il joue avec le vent, cause avec le nuage,
> Et s'enivre en chantant du chemin de la croix;
> Et l'Esprit qui le suit dans son pèlerinage
> Pleure de le voir gai comme un oiseau des bois.

Nature, we begin to see, is not merely an incidental utility providing background effects. It is a source of symbols of generous potential, rich in motifs of broad, life-enhancing aspiration, although, as we shall also see, the powers of nature are sometimes used to evoke effects of an opposite character. To appreciate these distinctions we must step back and interrogate rather closely some of the first poems in the collection. This will dispense us from considering too many examples later.

It would be pedantic to omit from our survey the splenetic address, *Au Lecteur*, simply because it introduces the whole book and not specifically the first subdivision. Having pronounced this violent diatribe against the mean, cowardly, crapulous and sinful failings of man that ultimately precipitate him into the pit of Ennui, the poet appears to cast off his role as censor. The pieces that follow compensate with touches of sympathetic insight variously applied. *Bénédiction*, the poem already glanced at, ends with a flight of splendid verses celebrating the spiritual assumption of the Poet as a recompense for his sufferings. This use of religious language is exceptional. But with *L'Elévation*, which follows, the poet's aspiration soars above 'the confines of the starry spheres' to penetrate remoter regions of space, where he acquires the insight of those who comprehend

> Le langage des fleurs et des choses muettes.

The effectiveness of this little piece derives from a basic sense of physical space as spiritually exhilarating and purifying. Its 'uplift' is conveyed through the use of single commonplaces, the names of natural phenomena, arranged in an ascending order to produce the invigorating contrasts and reactions which the poet recommends to anyone caught in the mephitic corruptions of earthly existence:

> Envole-toi bien loin de ces miasmes morbides;
> Va te purifier dans l'air supérieur . . .

The fourth poem, the sonnet *Correspondances*, introduces us to a theme which, as the editor of the Pléiade edition observes, was a favourite of Baudelaire's. What interests us here is that the theme of Correspondence is presented by means of symbols drawn from nature. The first phrase, 'La Nature est un temple', is an ancient commonplace which the poet develops with the aid of comparisons originally made by Chateaubriand between the Gothic nave and a grove of forest trees. From this it seems probable that both the 'vivants piliers' and the 'forêts de symboles' derive.[2] The significance and depth of the sonnet lie in the octet. Together with the sestet it illustrates the mysterious analogies perceptible sometimes visibly, more often intuitively, between nature and our experience of life's aesthetic attributes. Or to put it a little differently the sonnet persuades us of the depth and diversity of the natural sources of analogy on which the arts depend. Nature is the inexhaustible forest of symbols.

So far the contrasts we have noticed show the 'ideal' suggested by references to attractive aspects of nature treated symbolically. What is curious in the case of a poet so observant of human failings is to find how rarely Baudelaire contrasts the condition of the culpable or decrepit individual, the criminal or the rogue, with a model of the sound man or woman. The fifth poem is an exception. Here the contrast between health and decay is presented through physical aspects of the human body perceived, or rather imagined, at widely different historical periods. With the primitive phase are associated health, strength, freedom and perfection; with contemporary life the prevalence of disease and corruption. The deterioration in physical nudity between the two types is deplored as a result of the modern régime of utility, although here the poet makes allowance, cynically perhaps, for a decadent type of personal beauty. The point of interest to our enquiry is that the finer forms of humanity are assumed to have developed in conditions, not of superior culture, but of proximity to nature's unspoilt resources, and are compared to her perfect products:

> Fruits purs de tout outrage et vierges de gerçures.

The language of the poem is strong enough to bear this touch of Rousseauistic primitivism without blemish.

A similar attitude inspires a sonnet about travelling gipsies (XIII). The men of the tribe raise their eyes in vain to the unresponsive heavens and have to rely on their 'armes luisantes' under the protection of Cybele. It is not the Christian Providence but the primitive Earth-goddess that provides them with natural means of sustenance:

> Cybèle qui les aime augmente ses verdures,
> Fait couler le rocher et fleurir le désert . . .

Not that Baudelaire has forgotten that the life of nature has its inevitable phase of decay. One of the most notorious items in the *Fleurs du Mal* is the courageous study of a carcase. *Une Charogne* might appear to be a ghastly *memento mori*, a horrifying sermon on death. But is it? I suggest it could be shown to support, not a moralist's caution, but an audacious lesson in aesthetic realism.

Une Charogne owes its staggering effect to being precisely what Baudelaire's poems very rarely are: descriptive. The first nine of the twelve stanzas are perhaps the most realistically detailed in his verse: a direct study of natural decomposition perceived in an exposed setting. The poet confronts his companion with this disgusting spectacle, but he draws no moral. The significance of the piece lies in the last three stanzas, in the contrast between the attractions of health and the repulsiveness of decay. This is presented as an *aesthetic* contrast between the horror of the carrion and the beauty of the woman who observes it. 'Spleen et Idéal' is nature's supreme lesson.

No element in the physical universe seems to have made more appeal to Baudelaire than the sea. From its visible moods, extensive vistas and cleansing action he drew some of his finest imagery, although at times his reactions can be basically conventional. A brisk view of human potentialities is suggested by the comparisons in number XIV, *L'Homme et la Mer*. Far from being one of his best poems, this set of four quatrains shows as well as any the recourse he can make to the dynamic elements for vigorous metaphors and effects that are the reverse of langorous. Here the free man, the lover of liberty — one of the rare human types beside the artist that Baudelaire expressed approval of in his verse — is extolled with the phrase: 'la mer est ton miroir'.

This extroverted exercise serves to enhance the depth and intimate beauty of the sonnet called *La Vie antérieure*. Its tone suggests a dream in which the visible data reminiscent of incidents in the poet's voyage to Mauritius had been enlarged and 'distanced', giving an impression of antecedents not quite on the level of earthly contingencies and touched with the sublime. Yet the sonnet is not a fantasy. Memories of Southern seascapes are recreated in a structure which is consciously controlled and stylized. For example the 'grottes basaltiques' of l.4 may well recall features of the coastline perceived on the voyage and transposed as the 'vastes portiques' of the first line. The scene, however, is the exteriorization of a personal mood, not the setting for one. And it is the contemplation of this glimpsed anterior existence that is the inspiration and the significance of the poem.

This sonnet of reminiscence prepares us for numbers XXII, XXIII, and prose-poem XVII, which we take together as variations on a theme. The second of these, *La Chevelure*, is one of the most distinctive of all Baudelaire's poems; the first, one of the most attractive of his sonnets; while the third, called *Un hémisphère dans une Chevelure*, is a prose-poem of much less distinction but useful for the light it throws on the other two. It would involve needless repetition to consider each separately.

The initial motif in both the verse poems is the 'parfum exotique'. Evocation is stimulated by the scent of the woman's bosom or of her dark tresses, and scenes associated with these olfactory memories rise in the visual memory: glimpses of exotic vistas and again maritime impressions of the South. Among these a distinctive choice is at work and the few details selected fall appropriately into the rich, langorous verse, itself one of the finest features of the poem. But neither of the verse poems can be effectively appreciated through analysis: the fusion of qualities is complete. Details of the scene are not precisely differentiated as they would be in a description. They pass into the lines effortlessly to create a haunting, obsessive impression which is itself complex, composed of visible, audible and olfactory effects fused intuitively, one might even say instinctively, together:

> Fortes tresses, soyez la houle qui m'enlève!
> Tu contiens, mer d'ébène, un éblouissant rêve
> De voiles, de rameurs, de flammes et de mâts:
>
> Un port retentissant où mon âme peut boire
> A grands flots le parfum, le son et la couleur;
> Où les vaisseaux, glissant dans l'or et dans la moire,
> Ouvrent leurs vastes bras pour embrasser la gloire
> D'un ciel pur où frémit l'éternelle chaleur.

External nature, as we have already seen, is one of Baudelaire's most constant sources of those positive symbols that suggest life-giving counterparts to balance his condemnations of decadent human failings. In the examples we have looked at nature has been given a lofty role as the source of ideal standards, corrective models and salutary aids. Once again it may be worth indicating that the poet's moods and movements of appreciation and of self-admonition are not habitually associated with human models but with natural amenities, invigorating conditions of sea, sky and landscape and the tonic effects of high winds and fresh air. Here too it may be repeated that recourse to nature for background or even for metaphor is often, though not always, productive of elevating, invigorating or purifying influences.

The examples I am now going to refer to are incidental to our theme, but attractive in themselves. Instances derived from a natural setting are sometimes used for purposes that might be called ethical in the sense that they imply or actually point to ideals of activity or behaviour that are invigorating. But it is rare that they do not have as well some aesthetic value.

The sonnet called *L'Ennemi* is a good example of the art of interweaving a state of mind — the poet's self-reproach for procrastinating — with hints drawn from a natural setting — the aspect of an abandoned garden. Note that the details are not presented in the form of a simile, equating two pieces of description. The two sides of the comparison are effectively fused into an extended metaphor that blends the motif of self-reproach with the disordered image of the garden's neglect:

Ma jeunesse ne fut qu'un ténébreux orage,
Traversé çà et là par de brillants soleils;
Le tonnerre et la pluie ont fait un tel ravage,
Qu'il reste en mon jardin bien peu de fruits vermeils.

Voilà que j'ai touché l'automne des idées,
Et qu'il faut employer la pelle et les râteaux
Pour rassembler à neuf les terres inondées,
Où l'eau creuse des trous grands comme des tombeaux.

From these restrained comparisons with a neglected garden we can gauge the degree of imaginative excess Baudelaire can at times impose on imagery drawn from a highly personal view of nature.

To compare the mood or beauty of a woman with an attractive aspect of the natural scene is of course to employ a well-worn device. But the *dimensions* implied in many of Baudelaire's comparisons, whether physical, emotional or aesthetic, are specially characteristic. To suggest degrees of great size recourse must be had to images drawn from the external world. Height, breadth and depth of sea and sky, vast desert tracks and mountain peaks are frequently made to contribute. The odour of a woman's hair can evoke continents, its colour, prospects of still wider scope:

Cheveux bleus, pavillon de ténèbres tendres,
Vous me rendez l'azur du ciel immense et rond.[3]

The woman of the moment may be compared to a variable movement of the sky or, without incongruity, to a phase of some astronomical luminary. One of his finest openings is that of sonnet XXXVII, *Le Possédé*:

Le soleil s'est couvert d'un crêpe. Comme lui,
O Lune de ma vie! emmitouffle-toi d'ombre . . .

Another fine example of the same kind is this from *Les Yeux de Berthe* (*Galanteries*):

Mon enfant a des yeux obscurs, profonds et vastes
Comme toi, Nuit immense, éclairés comme toi!

The four quatrains called *Ciel Brouillé* (L) are entirely composed of comparisons between the moods of the woman and those of the climate. The masterpiece in this line, however, does not rely on moods but presents a magnification of the female form itself.

La Géante (XIX) is perhaps the strongest plastic conception in Baudelaire's work. Here the woman's body, harmoniously amplified, is modelled on proportions co-extensive with those of nature. The blend of the supine figure with the hints of telluric lines and undulations is perfectly done. I do not suggest that nature came first in the poet's intention and prompted the carnal symbol: that would seem too abstract a process. The impulse behind the vision was, I think, sensual in the purest sense and the aesthetic achievement lies in the modelling, the formal power and restraint with which the eternal feminine is realized as a chaste giantess reposing on a vast countryside. Only a great plastic poet could treat such a subject frankly while preserving it from vulgarity. Note that 'ses magnifiques formes' are not explicitly compared to landscape: the two interpenetrate with the succinctness of metaphor. Only the last line contains a simile.

And now an important divergence, hinted at already, has to be more fully admitted. Most of our examples have been based on an acceptance of nature as a source of beneficent, salubrious and aesthetically flattering comparisons. But it would be unlike the audacious poet Baudelaire was to ignore the sacred terror that the elements can inspire in sensitive minds. He was not likely to confine his tastes to their placid and soothing moods, allowing himself to be outdone by romantic predecessors like Byron and Hugo, both of whom were powerfully moved by the elements in tumult. What is distinctive in Baudelaire's case is that he competes with them, not in productions of similar length, but most often by condensing effects like those that moved them into the 'narrow plot' of the sonnet form. Thus in a quatrain from *Obsession* (LXXIX) we find his love-hatred of the sea condensed thus:

> Je te hais, Océan! tes bonds et tes tumultes,
> Mon esprit les retrouve en lui; ce rire amer
> De l'homme vaincu, plein de sanglots et d'insultes,
> Je l'entends dans le rire énorme de la mer.

When depressions follow these agitated moods their correlations are found in sombre, stagnant images of inclement seasons and frigid climates exaggerated to Dantesque proportions, again within the limits of a sonnet. In *De profundis clamavi* (XXX) the vast horror of prolonged obsession is impressively contracted into the image of a nightmare world:

> C'est un univers morne à l'horizon plombé,
> Où nage dans la nuit l'horreur et le blasphème.

The alternate season brings no alleviation. The pallid sun appears for six months to haunt the poet's mind with an equal menace of spleen. One recalls that the pit of Dante's hell was cold.

To the end, however, Baudelaire's art triumphs over such desolate, dissolvent moods. The last poems in this section show some of the strongest effects of his skill in dominating overwhelming fits of despair and abandonment that threaten to wreck the order, even the coherence, of the imagery in which they are presented. Here in a number of morbidly self-inquisitorial confessions natural objects are distorted into macabre shapes:

> Je suis un cimetière abhorré de la lune . . . (LXXVI)

And even with Shelley's sonnet to Ozymandias in mind, could one imagine a poet's despair striking a more powerful image of desolation than this:

> Désormais tu n'es plus, ô matière vivante!
> Qu'un granit entouré d'une vague épouvante,
> Assoupi dans le fond d'un Saharah brumeux. (LXXVI)

Such examples show how often Baudelaire treats natural phenomena, not descriptively, but as expressive symbols of his moods. As these deteriorate his way of handling external objects can change significantly. Two of the shortest but not the least subtle of these pieces (LXXXI and LXXXII) are actually devoted to differentiating the effects of a distraught frame of mind on one's view of nature in a way similar to the distinction Coleridge drew in his ode, *Dejection*:

> O Lady! we receive but what we give,
> And in our life alone does nature live:
> Ours is her wedding-garment, ours her shroud!

Baudelaire's *Alchimie de la Douleur* begins:

> L'un t'éclaire avec son ardeur,
> L'autre en toi met son deuil, Nature!
> Ce qui dit à l'un: Sépulture!
> Dit à l'autre: Vie et Splendeur!

The other little piece explicates his method by illustrating it in the poem itself:

> Cieux déchirés comme des grèves,
> En vous se mire mon orgueil;

Vos vastes nuages en deuil

Sont les corbillards de mes rêves,
Et vos lueurs sont le reflet
De l'Enfer où mon cœur se plaît.

'Spleen et Idéal' contains over a third of the collected poems that Baudelaire wrote in verse, including a high proportion of the best. None of the other *Fleurs du Mal* shows any distinctive difference in the use of natural imagery from what we have observed. That of the charming idyll which opens the *Tableaux Parisiens* is obviously invented in the lightest vein:

Alors je rêverai des horizons bleuâtres,
Des jardins, des jets d'eau pleurant dans les albâtres, . . .

It is in the prose-poems collected after their author's death and published under the title, *Spleen de Paris*, that we find further examples worth attention. Of most interest for our enquiry is the third of the series. It bears the title *Le Confiteor de l'Artiste*, but it is a poem not a theoretical argument.

The first paragraph confessing that acute love of autumn evenings to which Baudelaire reverts so often we may treat as incidental. The richer and deeper reactions illustrated in the second paragraph must be quoted as an essential résumé of what for him was evidently a fundamental source of inspiration:

> Grand délice que celui de noyer son regard dans l'immensité du ciel et de la mer! Solitude, silence, incomparable chasteté de l'azur! une petite voile frissonnante à l'horizon, et qui par sa petitesse et son isolement imite mon irrémédiable existence, mélodie monotone de la houle, toutes ces choses pensent par moi, ou je pense par elles (car dans la grandeur de la rêverie, le *moi* se perd vite!); elles pensent, dis-je, mais musicalement et pittoresquement, sans arguties, sans syllogismes, sans déductions.

Nor should the conclusion be missed. It expresses a mood of exasperation prompted by the intensity of the impression made upon the poet by the main aspects of nature. This he identifies with what the artist feels in the presence of overwhelming beauty.

Several of the other prose-poems show uses of visible aspects of nature similar to those noted in some of the verse examples we have discussed. A state of climate, a condition of the weather, the character of a land- or sea-scape are used to confirm, or to contrast with, a human mood, either the author's or that of the person or figure referred to in the poem. In some cases the opposition implied between the mood of the scene and that of the actor is so marked that we could not even speak of the scene as a 'setting': it might almost be called a protagonist in the drama of the poem.

In *Le Fou et la Vénus*, for instance, the statue of the indifferent goddess plays a very minor role. The real contrast lies between the splendour of the day which the narrator emphasizes ecstatically and the dejection of the clown who laments his indigence and absurdity. An even greater force of contrast is contrived in the piece called *Le Gâteau*, where the narrator's exultancy in a glorious landscape which makes him feel at peace with himself and the universe — *grâce*, he says, *à l'enthousiasmante beauté dont j'étais environné*—is rudely disturbed by the appearance of an urchin who mistakes some bread he is eating for cake and begs for it.

Incidentally it may be observed that two impressions recur at intervals throughout the prose-poems, one of the beauty of earth, sea and sky, the other of deep sympathy with human suffering and poverty. With the exception of the *Confiteor*, however, none has so great an interest for us as *L'Invitation au Voyage*. This, it must be admitted, is not so fine an aesthetic achievement as the verse poem of the same name — 'cette admirable chanson', as the editor of the Pléiade edition calls it. In the prose-poem the ideal Never-never land of the poet's quest, his 'pays de Cocagne', is defined as a 'Pays singulier, supérieur aux autres, comme l'Art l'est à la Nature, où celle-ci est réformée par le rêve, où elle est corrigée, embellie, refondue'. The object of this enhancement of nature is to produce the mystical correspondence between the ideal country and the woman the poet hopes to bring there: 'Ne serais-tu pas encadrée dans ton analogie, et ne pourrais-tu pas te mirer, pour parler comme les mystiques, dans ta propre *correspondance*?'

The elaboration of the 'correspondences' of the beloved becomes the main interest of the poem, absorbing and surmounting the theme of nature itself.

In *Les Projets*, another variation on the same idea, the ideal locality to bring the beloved to, is found at hand. The landscapes that one rejected in favour of this solution are the 'projects' that compose most of the substance of the poem. They are, of course, imaginary scenes, but not fantastic in the sense of being denaturalized or surrealistic.[4]

In the one poem of Baudelaire's that could be called surrealistic there occurs the phrase

> Par un caprice singulier,
> J'avais banni de ces spectacles
> Le végétal irrégulier . . .

The exclusion of all references to nature in a world of fantastic architecture is an obvious exception to the poet's normal vision. Yet the reader may need reminding that our examples have been chosen from among a total number of poems many of which show little trace or none of the uses of picturesque externals, vegetal or cosmic, for either decorative or symbolic effects.

Of the considerable nucleus that employ natural imagery, in many we have noticed it has been used to show up moral defects and depressions of spirit in opposition to which the spectacle of nature displays the beauty and radiance of life at its most beneficent. Even the harsh extremities of the earth's climate contribute skilfully handled parallels to differentiate subtleties of ennui, dejection and despair, the effects of which would be lost if conveyed simply by psychological abstractions.

Exhilarating contrasts enliven the collection. Some poems are lit with reflections of brighter, freer and loftier possibilities high above the tawdry and twisted ways of mankind which the poet may be exposing or censuring at the moment. His tendency is, we have noticed, to contrast moral debility or decadence, not with the moral beauty of the exceptional male, but with aspects of the beauty of nature. With only rare exceptions, his poems show no admiration for the male unless he is a superior artist. Baudelaire has no songs of praise to man as man. In his attitude to woman there is admiration as well as desire; his praises for her (tempered by swift condemnations) are frequent. They are inspired mainly by her beauty, but appreciation of her psychological and moral qualities often pierces through.

The most impressive moral attitude this enquiry has revealed is incidental to our main theme. It is Baudelaire's acute feeling for, and frequently expressed sensitiveness to, suffering and deprivation, especially in the case of the extremely poor, the destitute and the outcast. His expression of this attitude often takes ironic forms, especially in some of the prose-poems. This makes his searching sympathy appear all the more genuine for being indirect. The disasters of his life had given him the penetration of experience and there his sympathy makes no distinction between man and woman.

P. Mansell Jones

Notes:

1 *Incompatibilité. Œuvres complètes*, Pléiade edition, p. 42.

2 A fuller discussion of this subject will be found in my book, *The Background of Modern French Poetry*. C.U.P., 1951.

3 *La Chevelure.*

4 For yet another variation on the Correspondence theme see the prose-poem called *Le Crépuscule du soir.*

CONFLICT AND DUALISM IN TAINE AND IN TAINE CRITICISM

Taine's basic methodological postulate in criticism was that an author, like any other object of study, should be considered as a logical whole, a system, and that, in theory at least, this system could be shown to be explicable by one formula. The aim of the critic was thus to show that diversity and contradiction in an author's work were only apparent. Moreover the scientific nature of the formula was supposed to reduce the diversity of critical opinion and (after making due allowance for human weakness) produce general agreement.

And yet when one surveys the vast quantity of critical and polemical writing that has been devoted to Taine's work, one is intrigued by the universal failure of the method when applied to its creator. The history of Taine criticism is shot through with diversity and contradiction.

Attitudes to Taine's ideas fluctuated considerably in his own lifetime. For example, in his youth he was the *bête noire* of the authorities who failed him at the *agrégation*, refused his theses and drove him from teaching because of his 'dangerous doctrines';[1] in 1863 he was the principal object of a thunderous *Avertissement à la jeunesse et aux pères de famille*;[2] in 1865 critical reaction to his *Introduction* to the *Histoire de la littérature anglaise* included the accusation, by Léon Gautier, that he was 'le plus matérialiste de nos athées', 'un épicurien', writing 'des descriptions lascives' and 'des blasphèmes'.[3] However by the end of his life Taine was on friendly terms with Caro;[4] Dupanloup's *Défense Sociale et Religieuse* had approved his candidature for the Academy[5] and the same Léon Gautier was apologizing profusely for his previous attacks.[6] The immediate cause of this reversal of opinion was the publication in 1878 of the volume of *Les Origines de la France contemporaine* entitled *La Révolution*. Taine's allies now became his enemies and his erstwhile detractors his admiring friends.[7]

The contemporaries saw in *La Révolution* (and later, in the chapter *L'Eglise*) a case of apostasy and they reacted accordingly. And yet Taine's critical method does not allow for apostasy, nor did Taine accept that his work could be divided thus into two unrelated parts—a revolutionary youth and a reactionary old age.

Throughout his lifetime and especially at the time of the *Origines*, Taine was considered a positivist; the various articles which Faguet devoted to him represent best this current of thought.[8] However the publication of the *Correspondance* and Chevrillon's book, together with the work of Lenoir, Rosca, Carcassonne, Kahn, Charlton [9] and others has tended to modify this view: a study of the unpublished material has convinced many commentators that Taine was at heart a rationalist, an idealist,[10] far closer to Spinoza and Hegel than to Mill and Comte. But this latter interpretation has never completely prevailed over the 'traditional' view and René Serreau can still write in a recent book: 'Quand on examine son œuvre, on constate que l'empirisme y occupe toute la place',[11] while Jean Wahl can attempt a synthesis with the formula: 'Son empirisme est une sorte d'idéalisme empiriste'.[12]

Taine was the passionate proponent of a critical system which brooked no exceptions, no aberrations, which viewed all the manifestations of an author as capable of being ultimately placed within a logical system crowned by one all-embracing term:

> La difficulté pour moi dans une recherche est de trouver un trait caractéristique et dominant duquel tout peut se déduire géométriquement, en un mot d'avoir la formule de la chose. Il me semble que celle de Tite-Live est la suivante: un orateur qui se fait historien. Tous ses défauts, toutes ses qualités, l'influence qu'a sur lui son éducation, sa vie, le génie de sa nation, de son époque, son caractère, sa famille, tout se rapporte à cela.[13]

Is it not puzzling then, to say the least, that the founder of such a system should have provoked such reversals of opinion among his contemporaries and that such diametrically opposed views of his philosophical position could have been maintained for three-quarters of a century without providing for the inventor of the term a more satisfactory *faculté maîtresse* than 'idéaliste empiriste'?

Some critics have reacted by dismissing Taine as inconsistent and incoherent;[14] the question of a *faculté maîtresse* does not arise when the author is incapable of coherent thought or consistent use of terms and any confusion among the critics is to be attributed to Taine's own confusion.

Another reaction would be to conclude that the case of Taine himself proves in an exemplary way the absurdity of his method: writers change, these changes are inexplicable or can only be explained by specific events, the change in Taine's outlook around 1870 is to be explained by the effect of the Commune, and so on.

However it is the aim of this article to suggest a possible explanation for the changes of attitude and the conflicts of opinion which Taine has provoked among critics, by showing that they mirror a fundamental, unresolved conflict in Taine himself, and that the results of this conflict can be seen in every aspect of his work, producing ambiguity rather than incoherence. Without wishing to propose, as Taine does, a universal critical theory, I should like to demonstrate that in Taine's case at least the notion of unity (and even, as one might expect, the notion of *faculté maîtresse*) is indeed fruitful, but that this unity is explained by a continuous conflict rather than by an essence.

This conflict is apparent mainly when one compares the published work with the large volume of unpublished notes and papers. The striking difference between the two sources explains to some extent the divergent interpretations of the work, since critics have considered Taine to be an empiricist to the extent that they have been unacquainted with the unpublished material.[15] But the private notes and the published books are the work of the same man; one is not justified in ignoring either one or the other, and so it would be wrong to see Taine as a case of private idealism and public empiricism. The dilemma is apparent in the published work and is the cause of its ambiguity. It is this basic ambiguity rather than any specific political volte-face which explains the reversals of critical opinion in his lifetime and the subsequent divergent interpretations. The value of the unpublished material lies in the difference of emphasis and in the way it reveals Taine's fundamental pre-occupations and unsolved dilemmas, so that the published work is seen, not as the solution but as the continuation of these dilemmas.

I shall therefore be basing this article on personal notes made by Taine between the ages of twenty and twenty-four (1848-1852). I have relied to a certain extent on extracts published by the family, but I am also indebted to Taine's heirs for making available to me manuscripts which are kept in Taine's property in Menthon-Saint-Bernard, 'Boringe'. Where I quote from the original manuscript I indicate this in the notes by 'MS'. Where a manuscript I use has been described by Chevrillon or the *Correspondance*, I give the reference, although the reader will not necessarily find the passage I have used quoted in these works.

My starting point is one of the most important texts for understanding Taine, fifty-two closely-written pages entitled *De la Destinée humaine* and dated March 1848 (the year of Taine's twentieth birthday). In the introduction to this text, Taine reviews his intellectual development, the religious crisis at the age of fifteen,[16] which left him with 'les croyances naturelles', followed by a more serious attack of scepticism three years later: 'Je triomphais dans mes destructions [. . .] J'allais toujours plus avant, jusqu'à ce qu'un jour, je ne trouvai plus rien debout'. His reaction to this crisis is striking: 'Je fus triste alors; je m'étais blessé moi-même dans ce que j'avais de plus cher [. . .] Je me trouvai dans le vide et dans le néant, perdu et englouti'. Knowledge, as distinct from opinion, seemed impossible, and yet: 'Toute mon âme se tournait [. . .] vers le besoin de connaître'. This state of conflict, scepticism with regard to the possibility of knowledge, and desire for that possibility, is unbearable. This is how he escapes: 'Je mis mon esprit au service de l'opinion la plus nouvelle et la plus poétique. Je défendis le panthéisme à toute outrance; je m'attachai à en parler en artiste [. . .] Ce fut mon salut'. The results of this discovery of pantheism (and more specifically of Spinoza [17]) are far-reaching: 'J'arrivai à force de chercher, à une hauteur d'où je pouvais embrasser tout l'horizon philosophique [. . .] j'aperçus l'enchaînement et l'ensemble'. The rest of the text is the exposition of what he has discovered.[18] It is a systematic translation of religious aspirations into metaphysical ones, a contrast between a static first principle, God, and Man, imperfect, but moving towards perfection.

This text is very significant. It shows Taine's loss of religious faith, his real fear before the results of scepticism, his horror of doubt ('le doute, si ce n'est celui de Pascal, est une lâcheté'—(*Corr.* I, p. 36: 1-9-1848), and the extreme nature of his dilemma—complete scepticism or complete intelligibility, 'plus rien debout' or 'l'enchaînement et l'ensemble'.

The pantheism of Spinoza satisfies certain essential demands. The principal one of these is summed up by a phrase occurring in a set of notes entitled *Philosophie-Dogmatisme*,[19] 'bannir la contingence'. It is clear from the texts written at this period that Taine's fundamental impulse is that of a rationalist, opposed to all empiricism, agnosticism, scepticism, hostile to Kant,[20] and to any form of pluralism. He must believe that 'La multiplicité, l'imperfection, la contingence ne sont qu'une illusion de l'esprit qui abstrait'.[21] Spinoza, who wrote: 'In nature there is nothing contingent, but all things are determined from the necessity of the divine nature to exist and act in a certain manner',[22] satisfies this demand.

It is clear, furthermore, from these texts and from the correspondance with Prévost-Paradol, that the origins of this philosophical attitude are aesthetic and moral, a profound distaste for the real world and a desire to escape: 'La terre est si mauvaise qu'il faut s'envoler au ciel'. (*Corr.* I, p. 281: 27-6-1851 .)

If we accept that metaphysical views of the world can be roughly classed as Disorder, Order, and Order coming about, we can say that in *De la Destinée humaine* Taine instinctively rejects the first and tends towards the third attitude: 'Cet état que les chrétiens nommaient Paradis n'est point entièrement idéal ni imaginaire. L'humanité s'avance vers lui'.[23] But Spinoza is in the second category. The world is ordered, now and for ever. Spinoza's world is the seventeenth century world of mathematics. Geometric, necessary, perfect, it banishes contingency but excludes all development. Spinoza could despise history and believe that the idea of time came from the imagination and not from the intellect, that the true causes are not efficient ones but formal ones (*causa sive ratio*); he is concerned with eternal truths, and one does not ask at which moment in time the square on the hypotenuse became equal to the sum of the squares on the other two sides. Spinoza can write:

> But it must be observed that, by the series of causes and real entities, I do not here mean the series of particular, mutable things, but only the series of fixed and eternal things. It would be impossible for human infirmity to follow up the series of particular mutable things, both on account of their multitude surpassing all calculation, and on account of the infinitely diverse circumstances surrounding

> one and the same thing [. . .] Indeed their existence has no connection with their essence, or [. . .] is not an eternal truth.[24]

Taine, writing in what he knows to be the 'century of history',[25] is forced to take more seriously these changing things and to attempt to link existence and essence. He is aware of the problem: 'Spinoza', he writes in March 1849, 'n'est mon maître qu'à moitié. Je crois qu'il a tort sur plusieurs questions fondamentales' (*Corr.* I, p. 75). And in a series of notes on Spinoza he writes: 'L'erreur fondamentale de Spinoza, c'est d'avoir détruit le monde. Au fond il l'engloutit en Dieu.' (*Corr.* I, p. 44, Note Y.) 'Il a donné au mode d'existence qu'il adopte, à la fois la multiplicité du monde et l'éternité de Dieu. Mais la multiplicité ne peut exister que par la succession, qui, développant l'essence, constitue les degrés supérieurs de l'Etre, par exemple l'Etendue, et permet ainsi l'existence et la co-existence d'individus distincts [. . .] *Le monde spinozien ne se développe pas.*'[26]

The intense metaphysical activity which follows is concentrated on the problem of development and succession. Taine, no less concerned than Spinoza to banish contingency, is infinitely more aware of the real world and of history. He attempts then to put movement into Spinoza's static system, explain multiplicity and distinct individuals, and discover the metaphysical basis for the notion of progress. He is constantly aware of two things, and is ceaselessly pulled in two directions: on the one hand, a first principle, perfect, immobile, conceived not perceived—on the other, the real world, mobile, perceived experimentally.

> Au centre du monde est la substance; l'homme court autour d'elle [. . .] roulant dans une variété infinie, mais toutes les lignes aboutissent au centre et il le voit toujours. L'homme [. . .] est mobile, mais l'objet de la science sera immobile.[27]

This conflict causes great difficulty:

> N'y a-t-il pas en ceci une difficulté, et dans ce cas comment la résoudre [. . .] Cette question me semble de plus en plus difficile à mesure que j'avance [. . .] Comment prouver que l'indéterminé est déterminé? [27]

Or, turning the question around, if Taine is going to take the real world as his starting-point, how is he to explain its rationality, its connexion with the first principle which is indeterminate.

> L'idéal est nécessairement et infiniment réel [. . .] Reste à savoir comment il est réel. De deux choses l'une : ou il l'est immédiatement, par un mode infini comme le disait Spinoza . . . Alors la multiplicité n'est pas et le monde n'est qu'une illusion. Ou bien il l'est au bout d'un temps infini par une infinité de réalisations partielles. Et alors l'infinitude de l'acte du réel n'est pas conçue comme existant actuellement, mais elle est conçue comme nécessaire et elle existe virtuellement dans la substance, de sorte que l'esprit peut l'y voir d'un seul coup d'œil et sous la forme d'une vérité éternelle, mais dans ce cas, cette existence infinie du réel n'est que virtuelle et non actuelle.[27]

This latter solution satisfies the demands of the real and the ideal, but raises another problem, the virtual and the actual. If Taine believes that the virtual is becoming actual he has to show how. He has to explain change. And this is the great stumbling block. As an example of his innumerable attempts to solve the problem, one can consider the text entitled *Dogme* (1849-1850).

> Qu'est-ce que devenir? Devenir exprime la relation de deux états A et B; il exprime leur séparation, leur contrariété et l'identité de la chose dans les deux états.[28]

But a little further on we find:

> Il n'y a pas d'identité véritable; A ne devient pas B; il n'y a aucune identité entre A présent et A futur [. . .] ce n'est pas le même je qui devient autre et reste le même qu'il était.[28]

Either everything is identical (multiplicity is an illusion) or nothing is identical. Between Heraclitus and Parmenides Taine can find no way out:

> Il y a là quelque chose d'extrêmement difficile. Quelle est la nature du rapport qu'il y a entre deux successifs? Non seulement ils sont deux mais ils sont successifs. Qu'est-ce que succession? [28]

The end of the text is important because it shows which way Taine leans. He concludes:

> Le plusieurs devrait se définir par l'Un [. . .] Vous voyez là la vanité de l'effort qu'on fait pour diviser l'indivisible et pour pluraliser l'Un.[28]

This failure to account for progress in metaphysical terms corresponds to a waning of enthusiasm in historical terms.[29] The logical consequence of *De la Destinée humaine* was a philosophy of history, history as the story of progress, making clear the virtuality, the principle at work, and also the actuality, what has already been accomplished. Taine seems to abandon such an attempt. If change is inexplicable it must be because Time is an illusion and because changing things are incapable of rational explanation.

At this point we must turn to the curious question of Taine's reaction to Hegel. Taine was not alone in his attempt to reconcile Spinoza with the century of history and revolution. Hegel had already followed a strangely identical path. He too had recognized that Spinoza's system was an a-cosmism.[30] He too was profoundly rationalist and opposed to Kant. He was aware of the real world, of history and science, and had demonstrated the rationality of the real. Above all he had solved the problem of change. The relation between *A* present and *A* future is dialectical. *A* future both is and is not *A* present. *A* present is negated and conserved in *A* future. Thus, unlike Spinoza's, Hegel's world develops in time. What for Spinoza was static and simultaneous becomes for Hegel process and succession,[31] but the essential rationality of the process is evident at any given moment. We have then the situation whereby Taine independently posed and sought a solution to a problem already posed and solved by Hegel. One would expect Taine to welcome Hegel as the answer to a prayer.

Indeed his enthusiasm is very great. His first acquaintance must have been through his philosophy teacher, Ch. Bénard, translator of the *Vorlesungen über die Aesthetik* (a work which Taine analysed in 1849). He read Hegel at the Ecole Normale and above all during his stay at Nevers:

> J'ai lu Hegel, tous les jours, pendant une année entière, en province; il est probable que je ne retrouverai jamais des impressions égales à celles qu'il m'a données. De tous les philosophes, il n'en est aucun qui soit monté à des hauteurs pareilles, ou dont le génie approche de cette prodigieuse immensité.[32]

But after exhaustive study, attested by the volume of papers devoted to analyses of Hegel,[33] Taine rejects Hegel and Hegel's method. 'Cette méthode me semble radicalement fausse.'[34]

His principal objection is that Hegel's attempts to show the real to be rational distort the real world: 'Hegel vole à trois cents pieds au-dessus des faits' (*Corr.* II, p. 125). Hegel's metaphysics is 'abstract'. 'Elle a la même utilité que la géométrie et rien de plus [. . .] Hegel a donc tort d'employer tout son temps à ordonner des abstraits'.[34] In other words Taine condemns Hegel for the same 'positivist' reasons as he had already rejected Spinoza.

But Hegel's great advance over Spinoza was the dialectic. Taine, while aware of this,[35] is insensitive or hostile to it: 'Qui me prouve que tout être est contradictoire? Il a tiré les contradictions de l'identité. Mais par quel artifice le réel se conformeratit-il à cet artifice logique?'[36] Hegel explains change by Time: 'Le Temps est son moyen d'explicitation';[37] for Hegel, says Taine, 'Les formes générales de la pensée [. . .] expriment des réalités successives et séparées dans la hierarchie d'un développement'.[37] This Taine rejects; Hegel, he says, is wrong to claim that 'l'univers se réduit à une naissance successive de déterminations'.[37]

Hegel then has not modified the conclusion of the text *Dogme*. Change, as the Greeks had seen, is inexplicable.[38] In 1851 Taine sums up his position: 'Rien n'est isolé; tout se lie comme dans un corps organisé; le Temps ne sépare point les choses.'[39]

This means that a philosophy of history seems no longer conceivable. Hegel's *Vorlesungen über die Philosophie der Geschichte* would seem to satisfy demands made by Taine in *De la Destinée humaine*, history as the progress of the Idea. But Taine's reaction is again a mixture of admiration and hostility: 'Je viens de lire la *Philosophie de l'Histoire* de Hegel, et c'est une belle chose quoique trop hypothétique' (*Corr.* I, p. 274). In his notes he is more critical. He lists nine objections, starting with a sort of memorandum: 'Prendre une méthode expérimentale; ne pas déduire l'histoire de la métaphysique'.[40] It is as if Hegel, like Macbeth's witches, offers Taine a vision of his own ambitions. Taine sees the vision and renounces the ambitions.[41]

His attitude to Hegel stems from a greater reverence for facts, for the real world of experience. This is the 'positivist' aspect. But this 'experimental' method has the same aim as Hegel's. Hegel built a cathedral in wood, Taine wishes to build it in stone. But it is the same cathedral.[42] This is the 'idealist' aspect. Taine wishes to set out from the *perceived* world and prove *a posteriori* that it is rational, identical to that *conceived* by reason.

This attempt constitutes a synthesis which Taine calls 'la métaphysique concrète'.[43]

> 'Les objets de la nature sont en nombre infini et infiniment complexes. La science consiste à réduire cette multitude en quelques

> termes et à décomposer chacun de ces complexes en ses abstraits' . . . 'La science exprime l'Univers en abrégé'.[43]

This is the synthesis which Taine expresses in the 1860 preface to the *Philosophes Classiques du XIXe Siècle*; it involves setting out from the world of experience, proving the rationality of the world while avoiding a dualism:

> Si l'on prouvait que l'ordre des causes se confond avec l'ordre des faits, on réfuterait à la fois les uns et les autres [positivists and spiritualists]; et les conséquences tombant avec le principe, les positivistes n'auraient plus besoin de mutiler la science, comme les spiritualistes n'auraient plus le droit de doubler l'univers' (pp. vii-viii). 'Elle ['la métaphysique concrète'] recevrait de chaque science la définition où cette science aboutit [. . .] Elle décomposerait ces définitions en idées ou éléments plus simples, et travaillerait à les ordonner en série pour démêler la loi qui les unit. Elle découvrirait ainsi que la nature est un ordre de formes qui s'appellent les unes les autres et composent un tout indivisible. Enfin, analysant les éléments et les définitions, elle essayerait de démontrer qu'ils ne pouvaient se réunir qu'en un certain ordre de combinaisons [. . .] que cette suite idéale, seule possible est la même que la suite observée, seule réelle, et que le monde découvert par l'expérience trouve ainsi sa raison comme son image dans le monde reproduit par l'abstraction (pp. ix-x).

The confusion in this passage between what must be proved and what will be discovered, between the conditional tenses (*découvrirait*, *essayerait*) and the present tenses (*est*, *trouve*) is proof of the precarious nature of the synthesis, and a striking example of the dualism which will underlie all Taine's subsequent work. Here too we have the reason for Taine's encyclopaedic efforts, for the uncritical haste with which he worked to extract the essence of each field of study. He was attempting the impossible task of proving scientifically an *a priori* intuition. One could almost say, thinking back to *De la Destinée humaine*, that Taine's immense labours were directed towards giving God scientific status,[44] and it is because of the urgency of his need that he was so easily deceived as to the empirical nature of his method.[45]

The characteristic of this 'concrete metaphysics' is that, although its starting point is the real world, although by 'abstraction' it accounts for diversity and multiplicity without accepting contingency, it ignores or eliminates one aspect of the real world—change. And we have seen that Taine, having rejected the dialectic,[46] is ready to accept that change is inexplicable and that Time is an illusion. In this way, in spite of his early criticisms of Spinoza, in spite of his insistence on the real world, in spite of his scientism, he remains closer to Spinoza than to any other philosopher and is indeed closer after reading Hegel than before. It is interesting to note that in 1849 he had written that Spinoza's philosophy 'aboutit à cette proposition que les choses particulières ne sont distinctes qu'au regard de l'esprit et non en soi'. This, he said, was part of Spinoza's 'erreur fondamentale'. In 1862 he writes: 'A proprement parler, les faits, les petites coupures isolées n'existent pas; ils n'existent qu'au regard de notre esprit [. . .] *C'est là la propre doctrine de Spinoza*' (*Corr.* II, p. 257, my italics).

This failure to explain change is of course a refusal to explain change. It may be that Taine, by rejecting the dialectic, was more logical than Hegel, and recognized that a belief in ultimate rationality is not compatible with any type of causality other than formal, logical causality.[47] Efficient causes are exterior and anterior to the effect; to admit that they are not reducible to formal causes is to admit contingency, and ultimately the point of view of Mill which Taine calls 'Un abîme du hasard et un abîme d'ignorance'.[48] In this case 'Que l'homme se soumette à la croyance et se résigne à l'ignorance'.[49] Taine refuses to do either. The result is, as he said of Spinoza, that his system does not develop. Cause for Taine is always formal, logical cause, and the expression which occurs frequently in his writings 'produit et explique' should be written 'produit-et-explique', since the 'production' is purely logical and mathematical.

The consequences of this elimination of change and development are far-reaching.

First, it means that Taine's entire work is *static* in form and content. Several critics have commented on this aspect of Taine's style and method of construction,[50] but without offering any explanation. It is clear however that there is a link between the philosophy and the style. The philosophy produces a static picture; none of Taine's characters, neither Napoleon nor Robespierre, neither Racine nor La Fontaine *develop* in any way. And Taine uses highly picturesque, even overwrought language to conceal this fundamental immobility.

Secondly, it means that in spite of Taine's efforts (and all the texts considered in this article have in reality been devoted to the problem) as soon as he deals with history, he fails to avoid a dualism, a scission between an ideal and a real world. This dualism manifests itself clearly in the unpublished material; the following example is one of many. In a text called *Vues générales sur l'Histoire* (1850), he admits there are two developments of the idea, 'l'une *a posteriori* dans laquelle entrent les causes particulières et fortuites qui dérangent le développement de l'idée, l'autre *a priori* qui ne considère pas ce qui a été mais ce qui aurait dû être, si l'idée s'était développée suivant sa nature seule'. (Taine refrains from asking himself what the status or the value of this latter history could be.) In the published work this dualism is less obvious (partly because Taine significantly gave up the idea of writing a philosophy of history) but nevertheless, it is this dualism, stemming from the continuous presence of a suppressed but unexorcised metaphysical imperative in a work ostensibly dominated by science and respect for observed fact, which accounts for the ambiguities in the work itself and the confusion described at the beginning of this article.

A great deal more space would be needed to document the effects of this dualism. To the static qualities of style and content already mentioned I shall add four brief examples.

First, the famous *Introduction à l'Histoire de la littérature anglaise* is only comprehensible as the attempt to reconcile a theory of history based on formal causes ('race', 'moment') with one based on efficient causes ('milieu'). The daunting ambiguity of the text stems from the conflict between 'ideal' history and 'real' history, a conflict maintained in a typically suspended state in the form of an unresolved alternative: 'les circonstances [. . .] *dérangent ou complètent* le naturel qui leur est livré'.[51]

The opposition between the real and the ideal can even be found in the *Origines*, explaining the antagonism of so many parties, and incidentally indicating an interesting link between Taine's metaphysics and his conservative political attitude. Taine is not far from believing that the 'real' history he is describing is an aberration. Consider this letter written in 1876:

> Je suis persuadé qu'il y avait deux routes également ou presque également ouvertes, et qu'on a pris la mauvaise. Quand je dis également ouvertes, je parle *in abstracto*; étant donné les circonstances [. . .] les lois de la Constituante et la culbute finale étaient inévitables (*Corr.* IV, p. 19).

The Revolution was thus a deviation from an ideal path. In his preparatory notes Taine had written:

> Ordre normal de développement pour tous les états de l'Europe: 1) Féodalité 2) Royauté féodale croissante 3) Royauté absolue 4) Monarchie constitutionnelle de plus en plus libérale [. . .] La Révolution a été pour la France la déviation de ce développement.[52]

In abstracto the Revolution could have been avoided; in reality it could not. Once a wrong turning has been taken things can only get worse, and Taine believes a wrong turning was taken in the distant past (or rather at that timeless point where the real world separated from the ideal). So the belief in progress becomes an incipient philosophy of decline,[53] visible in the correspondence but kept from the published work by Taine's customary reluctance to describe development of any kind.

Thirdly, there is the interesting question of Taine's 'classicism'. The thesis of the *Origines* is that the Revolution was the work of 'l'esprit classique'. Here is Taine's description:

> Saisir une idée générale et abstraite très vite, nettement, fortement avec écourtement et suppression de tous ses entours naturels, puis construire par voie déductive toutes les conséquences de ce principe (*Corr.* III, p. 319).

Whether this describes the 'classical spirit' is open to discussion, but there is no doubt that it is a very good, unwitting, self-portrait. 'Bourreau de l'esprit classique, oui, Taine le fut si l'on veut, mais il en a été aussi, et surtout, la victime'.[54] The Jacobins are thus to Taine what Emma was to Flaubert, a part of himself which he strove to destroy. The broad, general sweep of his history, his refusal to limit himself to a small specialized field in spite of the protests of the erudite professional historians, is exactly paralleled by the attitude of the Jacobins suppressing the 'details' (in this case dissenting individuals) in the name of the total vision, and in spite of the protests of liberals like Taine. It is this paradox, this conflict between the author and his subject which makes the *Origines* a unique and ill-appreciated work.

Finally, there is the question of Taine's aesthetics, which is an open door on to an ideal world. The artist depicts not the real world, but the ideal one:

> Le but de l'art est de rendre dominateur un caractère notable [. . .] Si l'art entreprend cette tâche, c'est que la nature n'y suffit pas [. . .] Ce caractère façonne les objets réels, mais il ne les façonne pas pleinement. Il est gêné dans son action, entravé par l'intervention

> d'autres causes. Il n'a pu s'enfoncer, par une empreinte assez forte et assez visible, dans les objets qui portent sa marque. L'homme sent cette lacune, et c'est pour la combler qu'il invente l'art.[55]

This aesthetics is hegelian and the most lasting influence of Hegel on Taine.[56] The dualism is clear, but again Taine masks it when he has to deal with the relations between the real world and the world of art. This confusion is particularly noticeable in that repository of confusions the *Introduction*, where the historian is urged to study literature and art, ostensibly for details about the real world (Saint-Simon), in reality for an insight into the ideal world.

I hope that these brief examples are a sufficient illustration of the way in which the whole of Taine's output can be explained in terms of a conflict. Taine had the idealist's vision of order and the empiricist's sensitivity to facts of experience. But he was profoundly incapable of the empiricist's *nescio*, and completely lacked the historian's feeling for changing things. These are the elements of the conflict; they underlie his criticism, his philosophy, his history and—significantly—his concept of sociology as the static study of institutions or systems.

The contradictions surrounding his work are due to critics being misled by the ambiguities into taking one aspect of Taine as the essential Taine. Thus the Left was misled by his determinism and its ambiguous expression into believing him an ally, whereas his determinism was purely formal, and the Right was misled by his attacks on spiritualism into thinking him a materialist. Later critics leaned heavily on the unpublished papers to show that he was an idealist, but neglected the equally powerful impulse in the published work towards facts and real experience. 'Idéaliste empiriste' may, after all, be an acceptable formula, provided one does not suppose that this can be the description of a system, a synthesis. All it can do is to express an unresolved conflict. But this conflict is nevertheless the reality of Taine.

It is perhaps to his credit that he maintained to the end the two terms of his conflict, and resisted the temptation to 's'envoler au ciel' through art or religion (or Hegelian dialectics). 'Pour être logique', he wrote in his notes, 'il faut [. . .] détruire le monde divin ou [. . .] le monde réel'.[57] Taine refused to be (or never succeeded in being) logical in this way. He gave a basically sympathetic account of the Church (in the *Régime Moderne*), but those who had hoped for a conversion were disappointed. The fact remains that the origin of Taine's dilemma is to be found in *De la Destinée humaine*, in the loss of one faith and the search for another, in the fear of chaos and the search for order.

Colin Evans

Notes:

1 *V. H. Taine, Sa vie et sa correspondance* [*Corr.*], Paris, 1902-1907: Vol. I, pp. 124-129 (agrégation); *id.*, pp. 249-250 (theses); *id.*, pp. 230-231 (letter from Fortoul, Ministre de l'Instruction Publique).

2 Mgr. Dupanloup, Evêque d'Orléans, *Avertissement à la jeunesse et aux pères de famille*, Paris, 1863.

3 Léon Gautier, *Etudes littéraires pour la défense de l'Eglise*, Paris, 1865. Gautier adds the rather plaintive remark: 'Le scandale d'une telle doctrine a été plus que doublé par le scandale d'un tel succès'.

4 *Corr.* IV, p. 215.

5 *La Défense Sociale et Religieuse*, Paris, 8-5-1878 (Renan is still *persona non grata*).

6 Léon Gautier, *Portraits du XIXe siècle*, Vol. II, Paris, 1894 (contains the 1865 article): 'M. Taine a honoré les dernières années de sa vie par une œuvre *qui ne rappelle en rien* les doctrines contre lesquelles tous les catholiques se sont naguère indignés' (my italics).

7 'Toute la réaction est en liesse', writes *Le Siècle* (16-4-1878), and Taine himself mentions the 'silence systématique de toute la presse plus ou moins républicaine' (*Corr.* IV, p. 120). In fact, at one stage or another of his life, Taine incurred the enmity of every party and sect. Catholics, Monarchists, Republicans, Bonapartists were all outraged in turn.

8 E. Faguet, *Politiques et moralistes du XIXe siècle*, 3e série, Paris, 1900, *Histoire de la littérature française*, Vol. II, Paris, 1900, etc.

9 A. Chevrillon, *Taine, Formation de sa pensée*, Paris, 1932 (Chevrillon, Taine's nephew, had unrivalled access to his uncle's manuscripts). R. Lenoir, 'L'Idéalisme de Taine', *Revue de métaphysique et de morale*, November 1916, pp. 859-878. D. D. Rosca, *L'Influence de Hegel sur Taine, théoricien de la connaissance et de l'art*, Paris, 1928. E. Carcassonne, 'Taine et la recherche de l'absolu', *Revue des cours et conférences*, 30thD ecember, 1934 and 15th January, 1935, pp. 105-113 and 254-266. S. J. Kahn, *Science and Aesthetic Judgement—A Study of Taine's Critical Method*, London, 1953. D. Charlton, *Positivist Thought in France during the Second Empire*, Oxford, 1959. The development of Taine criticism is a subject in itself and this account is very schematic. The general development has been towards the recognition of a greater complexity; Professor Charlton's chapter on Taine (*op. cit*) gives the best account of this 'ambiguity'. A. A. Eustis, dealing with the more limited question of Taine's attitude to the 'classical genius' insists that Taine's work is an 'enigma' (A. A. Eustis, *Hippolyte Taine and the Classical Genius*, Berkeley, California, 1951).

10 See for example this declaration (*Corr.* II, pp. 257-258: 24-7-1862): 'Toi [E. de Suckau] qui connais bien mes idées, tu sais bien qu'en somme je suis un idéaliste'.

11 R. Serreau, *Hegel et l'Hégélianisme*, Paris, 1962, p. 92.

12 J. Wahl, *Tableau de la philosophie française*, Paris, 1962, p. 98.

13 *Corr.* II, p. 7: 24-7-53.

14 In particular Paul Lacombe, *La Psychologie des individus et des sociétés chez Taine, historien des littératures, Etude Critique*, Paris, 1906. Also E. Droz, nine lectures on 'L'Histoire de la littérature anglaise', *Revue des cours et conférences*, 1896.

15 Taine was extremely reserved about his private life and opinions. In general it could be argued that the political and religious quarrels he aroused were all based on misunderstandings of his metaphysical position, but he was reluctant to make this position public: 'Ce serait un manque de tact que d'en faire juger les lecteurs ordinaires; autant vaudrait proposer à la foule qui se promène dans les rues de grimper avec les couvreurs sur la pointe d'un clocher' (Letter to *Le Français*, 25-1-1874).

16 'Jusqu'à l'âge de quinze ans j'ai vécu ignorant et tranquille [. . .] La raison apparut en moi comme une lumière [. . .] ce qui céda tout d'abord devant cet esprit d'examen ce fut ma foi religieuse [. . .] Le christianisme me sembla à la fois ridicule et odieux; l'immobilité de ses dogmes, la minutie de ses pratiques, l'absurdité de ses mystères, l'hypocrisie ou la faiblesse d'esprit de ses adorateurs excitèrent mon dégoût et ma pitié.' (MS *De la Destinée humaine*: extracts from this text have been published in the *Correspondance*, Vol. I, pp. 20-26, and by Chevrillon, *op. cit.*, pp. 385-388. The transcriptions are not always accurate, but the *Correspondance* is the more reliable).

17 *Corr.* I, p. 48 and p. 63.

18 'Aujourd'hui j'expose ce que je crois avoir trouvé'.

19 1849-1850 (See *Corr.* I, pp. 115-116 for extracts).

20 *Corr.* III, p. 206: 'Il n'y a plus rien de solide dans votre cher Kant' (letter to Renan), and *id.*, IV, p. 11: ' . . . un philosophe surfait'.

21 *Corr.* I, p. 151: 16-11-1851.

22 Spinoza, *Ethica*, Part I, prop. XXIX, trans. W. H. White, *Selections*, ed. J. Wild, London, 1930.

23 MS. *De la Destinée humaine.*

24 Spinoza, *Tractatus de intellectus emendatione*, *Selections*, p. 39.

25 See *Introduction à l'Histoire de la littérature anglaise*, *Essai sur Tite-Live*, etc. The volume of papers devoted to historical questions is equal to that devoted to philosophy.

26 Notes on Spinoza, quoted by Chevrillon, *op. cit.*, p. 65 (my italics).

27 MS. *Philosophie-Dogmatisme.*

28 MS. *Dogme.*

29 Taine believed wholeheartedly in progress for a very short time. In the *Origines* he writes (Vol. II, p. 12): 'Nous croyons aujourd'hui au progrès indéfini à peu près comme on croyait jadis à la chute originelle.' Lack of space prevents a discussion of the historical texts of this period, but all Taine's notes show a movement away from the idea of a universal history.

30 A. Lalande, *Vocabulaire technique et critique de la philosophie*, 9e éd., 1962, art. *Acosmisme.*

31 'History in general is therefore the development of Spirit in *Time* as Nature is the development of the idea in *Space*' (*Vorlesungen über die Philosophie der Geschichte*, trans. Sibree, p. 75).

32 *Les Philosophes classiques du XIXe siècle en France*, 3e éd., Paris, 1868, p. 132. First edition 1857 under the title: *Les Philosophes français du XIXe siècle.*

33 Chevrillon, *op. cit.*, p. 177, note.

34 MS. *Notes sur la Logique de Hegel* (1851-1852). Section entitled: 'Valeur de la méthode de Hegel'.

35 'Cette méthode est fondée sur le principe suivant que deux contradictoires ne s'annulent pas, que leur produit est un troisième concept plus riche' (*ibid.*).

36 *Ibid.*

37 Quoted by Chevrillon, *op. cit.*, Appendix III (another series of notes on Hegel).

38 Chevrillon, *op. cit.*, p. 148.

39 Quoted by Chevrillon (no reference), *op. cit.*, p. 141.

40 MS. *Notes sur la Philosophie de l'histoire de Hegel* (Extracts, Chevrillon, *op. cit.*, pp. 211-212).

41 In November 1851 he asks De Suckau, 'Feras-tu comme moi une théodicée *historique*?' (*Corr.* I, p. 163). Having read the German theodicy, he abandons the idea.

42 See 'Histoire de la littérature anglaise' Vol. V, p. 249 et seq., and the letter, written

in collaboration with Renan, proposing a statue for Hegel (*Journal des Débats*, 25-1-1870): 'On peut comparer son œuvre à un grand modèle de cathédrale en bois, qu'on tâchera plus tard de construire en pierre'.

43 MS. *Notes sur la Logique de Hegel.*

44 'Une seule chose me fâche dans tout ceci; c'est le peu de chose qu'est mon esprit; et c'est l'immensité de génie et de science qu'il faut pour construire cette connaissance complète et géométrique dont je t'ai parlé (*Corr.* I, p. 53).

45 'Aime trop les formules [. . .] auxquelles il sacrifie trop souvent la réalité, *sans s'en douter il est vrai*, car il est d'une parfaite sincérité'. Vacherot's famous end-of-term judgement (*Corr.* I, p. 123). (My italics).

46 The passage from the *Philosophes* continues: 'Telle est l'idée de la nature exposée par Hegel . . . ' This is only true, it would seem, if one ignores the dialectic. However the relationship in Hegel between the real world developing in time, and the ideal, timeless development has been a source of perplexity to many commentators. E. Meyerson (*De l'Explication dans les sciences*, Paris, 1921, Vol. I, pp. 65-66) writes: 'L'image de la réalité à laquelle il aboutit, *cet univers parfait et hors du temps* [. . .]exclut rigoureusement le devenir' (my italics). H. Sée, 'Remarques sur la *Philosophie de l'Histoire* de Hegel', *Revue d'histoire de philosophie*, September 1927, makes the same point: 'La philosophie de l'histoire de Hegel, comme sa philosophie de la nature, a un caractère essentiellement logique, et à tel point qu'à lire *l'Introduction à la philosophie de l'histoire*, on peut se demander si la *Weltgeschichte* se déroule vraiment dans le temps'.

47 'Les causes des changements d'une chose sont dans la nature de cette chose' (MS. *Vues générales sur l'histoire*—1850). Also See *Littérature anglaise*, V, pp. 369-370 (Stuart Mill): 'la cause ne diffère pas de l'effet . . . '.

48 *Littérature anglaise*, V, p. 355.

49 *Philosophes classiques*, p. 35.

50 'Pour expliquer les faits, Taine les lie, pour les montrer il les arrête. Son histoire ainsi enchaînée et groupée est immobile,' A. Sorel, *Nouveaux essais d'histoire et de critique*, Paris, 1898, p. 130. 'Le procédé d'exposition consiste à faire un tableau au lieu d'un récit, et non pas le tableau de la France à un moment [. . .] mais le tableau de la France pendant presque tout le XVIIIe siècle [. . .] En réalité, les éléments de ce tableau sont empruntés à presque toutes les années du XVIIIe siècle jusqu'en 1789, et groupés en une sorte d'année idéale', F. V. A. Aulard, *Taine, historien de la Révolution française*, Paris, 1907, p. 30.

51 *Introduction*, p. xxv (my italics).

52 Quoted by G. Saint-René Taillandier, *Auprès de M. Taine*, Paris, 1928, p. 116. By thus making England the paradigm of historical development Taine is surely making amends for his summing-up of the English character in the *Philosophie de l'Art*: ' . . . sorte de brute féroce, carnivore et militante' (Vol. II, p. 251).

53 This was always possible. Taine's initial belief was the separation of the ideal One and the real Many. This position can logically lead to a philosophy of progress or to one of decline, and in the early notes Taine is always hesitant.

54 F. V. A. Aulard, *op. cit.*, p. 63.

55 *Philosophie de l'art*, Paris, 1880, Vol. I, p. 37. Taine, quoted as an authority by the realists, and particularly by Zola, is extremely hostile to 'realism' ('Le flot qui l'apporta recule épouvanté', was his reaction to his 'influence' on Zola). This is another contradiction.

56 Cf. Hegel *Aesthetik*: 'Art frees the true meaning of appearances from the show and deception of this bad and transient world, and invests it with a higher reality and a more genuine being than the things of ordinary life.' (Trans. Loewenberg in *Selections*, ed. Loewenberg, p. 315). See D. D. Rosca, *op. cit.*, Chap. IV.

57 MS. *Philosophie-Dogmatisme.*

LANSON'S CONCEPTION OF CRITICAL METHODOLOGY

'On créa les méthodes', wrote Lanson in 1895, 'seules armes de la raison contre le dogme'.[1] Although, in this passage, he was referring specifically to the Baconian and Cartesian revolutions in Western European thought, he might well have applied the same formula to his distinctive conceptions of literary criticism and literary history. From 1894, when he composed the *Avant-Propos* of his well-known *Histoire de la Littérature française*, to the 1920's, and even the early 1930's, he constantly emphasised the importance of critical methodology. His views on the subject were, however, more complex than is generally supposed and they underwent considerable modification.

In the *Avant-Propos* and in the pages of the *Histoire* itself which are devoted to nineteenth-century criticism, we note, in the first place, a significant attempt to reconcile impressionist and positivist criticism, a clear rejection of the tendency of many of his fellow-critics in the 1890's to adopt scientific methods, reflections on the proper place of biography in criticism, and an insistance on the 'résidu inexplicable' which still constituted a final challenge. The main metaphysical assumption underlying his statements is the one he also ascribes to Sainte-Beuve and his successors, namely that 'la critique, dans la seconde moitié du XIXe siècle . . . n'offrait plus aux écrivains un idéal absolu', that there was no 'vérité dogmatique ni rationnelle' to be found, and that, as a consequence, all our results were necessarily 'relatifs et incertains'.[2]

From the strictly methodological point of view impressionism certainly takes precedence over precise erudition. Admittedly, he makes full use of the latter. 'J'ai profité', he writes, 'de tous les travaux qui pouvaient apporter des notions positives'.[3] And he declares quite explicitly that 'l'étude de la littérature ne saurait se passer aujourd'hui d'érudition: un certain nombre de connaissances exactes, positives, sont nécessaires pour asseoir et guider nos jugements'.[3] Nevertheless, his relativism leads him inevitably to the conclusion that his primary duty, in a discipline '(qui) a pour objet la description des individualités (et) pour base des intuitions individuelles' [3] is to 'rejeter la glose et le commentaire' [3] and 'd'apporter les opinions, les impressions, les formes personnelles de pensée et de sentiment que le contact immédiat et perpétuel des œuvres a déterminées en moi'.[3]

In Lanson's view any literary work is 'dépositaire et révélatrice de l'individualité' [3] and it therefore follows, if we accept his contention that Science can be concerned only with the general, that no scientific critical approach is permissible or even conceivable. Thus he rejects Renan's prophecy that 'l'étude de l'Histoire littéraire est destinée à remplacer en grande partie la lecture directe des œuvres de l'esprit humain' [4] as 'la négation même de la littérature'.[5] 'Dans la rigueur du mot', he declares, 'ni l'objet ni les moyens de la connaissance littéraire ne sont scientifiques'.[5] On the contrary, literature for him is principally 'un instrument de culture intérieure',[5] 'un énergique stimulant de la pensée' [5] and, above all' 'une vulgarisation de la philosophie . . . qui entretient dans les âmes, autrement déprimées par la nécessité de vivre et submergées par les préoccupations matérielles, l'inquiétude des hautes questions qui dominent la vie et lui donnent sens ou fin'.[5]

In the chapter of the *Histoire* devoted to Sainte-Beuve and Taine he makes it quite clear that the former was mistaken in his scientific pretensions. Far from actually constituting his 'familles d'esprits', 'il a poursuivi partout l'individualité, en ce qu'elle a de plus distinct'.[6] 'Je ne lui en ferai pas un reproche', Lanson adds, 'mais cette méthode est juste le contraire de la science'.[6] In *Port-Royal*, for example, 'l'auteur nous a présenté un groupe historique, nullement une espèce morale: il y a là autant d'espèces que d'individus'.[6] 'D'une grande valeur artistique par l'expression des caractères individuels', his criticism is, nevertheless, 'd'une insignifiante portée scientifique, parce qu'il n'y a pas de science de l'individu'.[6]

The following year Lanson develops these ideas in the pages on Sainte-Beuve which constitute the *Avant-Propos* to *Hommes et Livres*.[7] 'En réalité', he writes in a passage disparaging the critic's obsession with 'l'histoire naturelle des esprits', 'pendant qu'il formait ces dossiers d'anatomie morale, il abandonnait la besogne de la critique littéraire; et même on peut dire que, si l'on prétendait, sur l'exemple de Sainte-Beuve, la réduire au genre d'études où il s'enfermait, Sainte-Beuve en aurait faussé gravement la méthode'.[8] This is because, 'au lieu d'employer les biographies à expliquer les œuvres, il a employé les œuvres à constituer des biographies . . . L'homme, dans ses études, masque l'œuvre; l'œuvre se subordonne à l'homme, et c'est le contraire qui est juste'.[8] Even *Port-Royal*, albeit 'une magistrale tentative de restitution historique, une plus heureuse encore et plus précieuse tentative de restitution psychologique',[8] shows grave faults of *literary* perspective and is not a model to be hastily imitated. More emphatically, the *Lundis* had much the same effect on Lanson as they had on the author of *Contre Sainte-Beuve*. 'Et lorsqu'il s'applique dans ses *Lundis* aux grands écrivains, n'évite-t-il pas soigneusement d'aborder de front les grandes œuvres? ne les prend-il pas presque toujours par quelque biais, poussant de leur côté quelques pointes rapides, mais dirigeant sa principale attaque vers le portrait de l'homme, et choisissant pour moyens principaux les écrits secondaires qui font partie, si je puis dire, de la vie familière plutôt que de la création artistique de l'auteur?'[8].

This proves, in Lanson's view, '(qu') il ne faut pas généraliser sa méthode, ni surtout l'estimer une méthode complète et suffisante de connaissance littéraire'.[8] On the contrary, he believes that the sensitive critic should cultivate a variety of methods of approach and he concludes with this appeal: 'Gardons-nous d'être trop *simpliste* dans le choix d'une méthode pour nos études littéraires. Il y a de tout dans la littérature; et il faut avoir de tout dans l'esprit pour la connaître comme il faut. Méthode scientifique, sens esthétique, intuition de la vie, tout sert. C'est précisément pour cela que l'éducation littéraire, bien comprise, est peut-être celle qui annonce le mieux le développement complet de l'intelligence: elle en fait jouer toutes les facultés, elle assouplit tout, fortifie tout, et n'en laisse atrophier aucune, comme elle n'en porte aucune à s'hypertrophier'.[8]

It would not be inaccurate to say that, at this stage, Sainte-Beuve, Taine and Brunetière are seen by Lanson in ascending order of merit. His strictures on Sainte-Beuve, as we have already noted, are severe. Taine is also attacked both in the 1894 *Histoire* and in the 1895 'Après Sainte-Beuve'. 'Cette forte doctrine a le défaut de tout expliquer', we read in the *Histoire*, 'elle ne tient pas compte de la nature individuelle'.[9] The 1895 article, however, while it points out that Taine 'anéantissait à vrai dire l'individu',[10] praises him for having utilised 'la biographie et la psychologie de Shakespeare et de Racine pour expliquer les drames de l'un et les tragédies de l'autre'.[10] According to Lanson's assessment, this would amount to a complete reversal of Sainte-Beuve's dangerous practice. Moreover, the 1895 article also makes the important point that Taine 'replaça et maintint au premier plan, comme objet supérieur et constant de l'étude critique, les œuvres littéraires conçues comme des œuvres d'art qui, enfin, se sont détachées de leurs auteurs et . . . existent par elles-mêmes, dans leur unité, identité personnelles'.[10]

Brunetière is represented as having rendered an even greater service to that 'définition de l'individualité' [10] which must be the final object of literary analysis. His work is described as 'résolument objective et impersonnelle',[11] his 'rare puissance d'abstraction, de logique et de synthèse' [11] is related to the 'impressions fines et originales', the 'vives intuitions' and the 'goût sûr et délicat' [11] which provide its basis, and, as Taine's successor, he is shown as having, in his own right, 'ouvert et rempli un chapitre nouveau de l'histoire de la critique'.[11] 'Rectifiant ou complétant la théorie de Taine', Lanson writes in this connection, 'M. Brunetière a gagné, ce me semble, trois points essentiels: parmi les causes que Taine confondait sous ce mot de *moment*, il a isolé celle que constituent les œuvres littéraires déjà existantes . . . en second lieu, il n'est pas vrai de dire que toute œuvre d'art, toute forme de goût soient absolument déterminées par les conditions antérieures qu'on peut analyser. La part faite à tout ce qu'on peut expliquer, il y a parfois des résidus inexplicables. C'est ici que reparaît l'individu . . . Enfin, et c'est le troisième point que M. Brunetière me paraît avoir établi, on ne saurait se soustraire, en critique littéraire, à la nécessité de *juger* les œuvres'.[12]

Sainte-Beuve with his '*sens de la vie*',[12] Taine with his 'forte doctrine' [13], and Brunetière with 'cette théorie de l'évolution des genres dont le nom même emporte un avantage considérable' [14], represent, not only 'les trois grandes étapes que la critique littéraire a faites en notre siècle' [14], but also 'le progrès réalisé en chacune d'elles par la constitution de méthodes de plus en plus exactes et rigoureuses'.[14]

For his own part, however, Lanson does not propose any new critical theory. Instead, he seeks practical ways of transforming literary history and tries to 'recomposer *l'atmosphère* intellectuelle, morale et sociale dans laquelle ont éclos et évolué les œuvres de la littérature'.[14] He is eager to recapture 'la couleur, l'accent de la vie' [15] and, in a most readable article on *La Littérature épistolaire*,[16] he explores in this connection the rich and comparatively uncharted field of private correspondence. 'Cette réalité authentique que le roman, la poésie sont impuissants à créer, elle est dans les lettres', he declares.[17] This, of course, will provide a significant complement to our knowledge of great writers. 'Ne pressent-on pas ce que pourra être au siècle prochain un recueil des lettres de M. Renan?'.[17] But the more obscure and even the anonymous correspondents all contribute by their letters to 'l'impression vive du passé, et même, en un sens, plus fortement encore que les *mémoires*'.[17] 'Les formes oubliées de vie se raniment; les milieux détruits se reconstituent . . . c'est tout un monde qui revit sous nos yeux et des mœurs peu connues et singulièrement intéressantes à contempler'.[17] These long-forgotten epistles 'nous jettent au milieu des obscurités, des illusions, des inachèvements, dont est plein le tourbillon confus des choses réelles'.[17] 'Derrière les théories et sous l'enchaînement inflexible des idées' we sense 'l'immense ondulation et le remous confus de la vie'.[17] And, in a Bergsonian phrase, Lanson asserts that, only through their letters shall we be able to grasp the characters 'dans leur réelle mobilité, dans ce rythme ondoyant des choses vivantes, qui sans cesse se font et se défont et ne sont complètes et fixées que par la mort'.[17]

He does, however, formulate a certain number of methodological prescriptions in this period. While administering a belated *coup de grâce* to Emile Krantz's thesis on Cartesian influence in the seventeenth century[18] and while discussing '*La Notion d'influence*' in 1901,[19] he stresses the elusive nature of literary influences. In the case of the alleged Cartesian influence, for example, 'nous nous tiendrons en garde contre les ressemblances verbales', 'nous éviterons d'attribuer à l'influence de Descartes certains caractères généraux de la littérature classique qui pourraient venir d'autres causes' and, finally, 'on ne saurait trop distinguer ce qui est simplement convenance, harmonie, parallélisme, et ce qui offre réellement une liaison d'antécédent à conséquent, de cause à effet'.[20] It is, however, unfortunate that Lanson follows his destructive scrutiny of Krantz's hazardous thesis by a rather tendentious thesis of his own. He repudiates Krantz on *seventeenth* century Cartesianism but declares that, in the eighteenth century, 'tout ce qu'il y a de hardi, de décisif, d'*a priori* et de révolutionnaire dans l'esprit philosophique est de pure essence cartésienne'.[20] Nor does he hesitate to claim 'qu'il y a une littérature d'imagination cartésienne, dont *Candide* est le chef-d'œuvre et donne la formule'.[20]

He tackles another formidable problem of literary and political history in considering to what extent, if any, eighteenth-century literature exercised a direct influence on the course of the Revolution. The discrepancy between Taine, on the one hand, and Faguet and Aulard, on the other, was enormous and it seemed futile to attempt a solution, as they had done, 'par des hypothèses prématurées ou des décisions arbitraires'.[21] Their common error was not only to present all their facts 'pêle-mêle' but to presuppose 'ce qui est en question, l'homogénéité intellectuelle, l'unité de culture et d'esprit de toute la France'.[21] The practical solution lay in 'un examen méthodique (des) manifestations *régionales* de l'activité littéraire'.[22] And the study should be pursued in sociological depth as well as in geographical breadth. Not only would there be 'une carte à dresser, qui teinterait en noir certaines régions, peut-être la Bretagne, peut-être aussi le Massif Central, etc' [23] but, since 'la médiocrité qui pullule est souvent plus puissante que les chefs-d'œuvre',[23] it would be misleading to ignore 'l'histoire de la culture et de l'activité de la foule obscure qui lisait aussi bien que des individus illustres qui écrivaient'.[23] Thus, for example, 'chacun des journaux du dix-huitième siècle devrait être l'objet d'une étude qui ne serait pas uniquement bibliographique ou anecdotique, et qui porterait sur le caractère, l'intérêt et surtout la diffusion de la publication'.[23] The same would apply, in nineteenth-century studies, to 'la répercussion du développement de la presse périodique sur la littérature, la substitution partielle et, en beaucoup d'endroits, totale de la revue, du *magazine*, ou du journal au livre, la liaison ici ou là des restaurations de littératures provinciales à une presse puissante animée d'un vif esprit régional'.[23] And, for every period, 'ces études de la vie littéraire en province' would clarify 'le problème toujours controversé des influences étrangères'.[23] It inevitably followed that the dual investigation of 'la diffusion dans le pays' and 'la pénétration dans la petite bourgeoisie et vers le peuple' of so many literary phenomena could be undertaken only by a whole team of scholars working simultaneously 'sur vingt points à la fois'.[23] 'Il serait à souhaiter', Lanson continues, 'que chaque province, chaque région qui eut sa vie propre, chaque ville grande ou médiocre trouvât son historien'.[23] And, with proper synchronisation and coordination of effort, very considerable results could be obtained. The one essential requirement was a unified programme and method. 'Si toutes ces recherches', he concludes, 'étaient l'application d'un même programme, d'une même méthode, se proposaient de répondre aux mêmes questions, on conçoit combien ils se donneraient mutuellement de support et se renverraient de lumière, et combien leur rapprochement donnerait d'extension et de force aux résultats particuliers que chacune d'elles aurait dégagés'.[23] The programme is impressive but, for our own part, we may well feel that the unifying process at the centre may, in practice, prove ill adapted to the study of phenomena whose very essence is variety.

A year later, at the Ecole des Hautes Etudes sociales, Lanson delivered an important lecture in which he discussed 'l'étroite connexion du point de vue sociologique et de l'histoire littéraire'.[24] After an introductory passage in which he criticised Emile Durkheim[25] and his school, not only for 'hypothèses vieillies, faits peu sûrs . . . érudition en retard parfois d'un demi-siècle'[26], but also for suppressing or avoiding those 'individualités' which constitute the inescapable subject-matter of the literary historian,[26] he went on to declare that, generally speaking, 'une philosophie de la littérature est forcément un essai de sociologie littéraire'.[26] This applies, in his view, even to dogmatic critics, inasmuch as their various forms of absolutism are more closely related to their particular social environments than they themselves realise. 'Le critique dogmatique . . . juge et classe les œuvres selon un idéal absolu qui, comme tous les absolus, est relatif: c'est l'idéal de son temps, de sa nation, de son école, de sa tradition; c'est, en un mot, une pensée collective que l'on trouve dans tout dogmatisme littéraire'.[26] And he affirms categorically 'que les problèmes les plus importants de l'histoire littéraire sont des problèmes sociologiques, et que la plupart de nos travaux ont une base ou une conclusion sociologique. Que voulons-nous? *expliquer* les œuvres; et pouvons-nous les expliquer autrement qu'en résolvant les faits individuels en faits sociaux, en situant œuvres et hommes dans les séries sociales?'.[26] Contradicting not only his opening remarks but also the standpoint he had adopted ten years earlier, he adds: 'Nous avons substitué partiellement à l'idée de l'*individu* l'idée de ses relations à divers groupes et êtres collectifs, l'idée de sa participation à des états collectifs de conscience, de goût, de mœurs [. . .] Notre étude tend à faire de l'écrivain un produit social et une expression sociale'.[27]

Sociology, he considers, opens up at least four exciting avenues to the literary historian. It stresses the rôle of a public. It shows the considerable importance of misrepresentations of an author's work. It authorises the formulation of laws or general principles in literary history. And, finally, it suggests a novel approach to the study of literary style.

The rôle of a real, potential or merely hypothetical public in the psychology of literary creation is of particular importance in his view. He stresses 'l'impossibilité où l'on est de considérer l'œuvre à part du public, qui est déjà dedans au moment où elle sort de l'esprit de l'écrivain'.[28] Even in the case of lyrical poetry 'le *moi* du poète est le *moi* d'un groupe'.[28] 'Ce qu'un sociologue', he comments, 'a dit des *Psaumes*, que le *je* du poète hébraïque est un *je* collectif, peut se dire presque de tout lyrique. Le lecteur réalise son âme dans le chant du poète'.[28]

But the average reader is more inclined to accept a literary legend than a proven fact and Lanson shows most effectively that widespread distortions of an author's work are more significant, from the historical point of view, than the texts of the works themselves. This, he says, adds a completely new dimension to the study of influences. 'Car l'écrivain n'exerce pas une influence par lui-même, par sa réelle personne, mais par son livre: et le sens efficace de ce livre, ce n'est pas l'auteur qui le détermine (du moins sa volonté n'est pas tout). Le Descartes ou le Rousseau qui agit, ce n'est pas Descartes ni Rousseau, c'est ce que le public lit dans leurs livres et appelle de leurs noms; et cela dépend du public et change avec le public [. . .] Si bien que suivre la fortune d'un chef-d'œuvre, c'est, souvent, moins regarder ce qui passe d'une pensée individuelle dans le domaine commun des esprits, que lire dans un appareil enregistreur certaines modifications d'un milieu social'.[28] [29]

Lanson's ascents from the factual 'sous-sol de la science' [30] into the higher reaches of '*lois . . . faits généraux ou rapports généraux*' [30] are extremely tentative. Any laws he formulates interrelating literature and life will at best, he says, be 'des lois inductives, relatives, approximatives, d'étendue limitée, et qui souffrent à côté d'elles des lois contraires . . . des ombres de lois plutôt que des lois'.[30] But, 'vagues, lâches, flottantes, contradictoires comme elles sont',[30] they will, he considers, enable literary historians 'à préciser les rapports, à leur donner plus de vigueur, plus de certitude, plus de cohésion'.[30] We see, therefore, that, if Lanson's initial phase of investigation 'dans le sous-sol de la science' is characterised by an intelligent positivism, he emphasises, in approaching a subsequent synthesis, the need for relativism, for approximation, and for qualification amounting to contradiction. The Lansonian synthesis is, in fact, presented as the initial element of a further antithesis.

The 'laws' which Lanson actually formulates are ostensibly similar to the sociologist's laws. Comte or Durkheim, for example, could have subscribed to the '*loi de corrélation de la littérature et de la vie*', the '*loi des influences étrangères*', the '*loi de cristallisation des genres*', the '*loi de corrélation des formes et des fins esthétiques*', the '*loi d'apparition du chef-d'oeuvre*' and the '*loi de l'action du livre sur le public*'.[30] They serve to underline the fact that 'la matière de nos études est en grande partie sociologique; que le rôle de l'individu, si apparent et si réel en littérature, la description des individualités, tâche nécessaire de la critique et de l'histoire littéraires, ne doivent pas nous fermer les yeux sur ce fait et nous empêcher de le constater. Les grandes personnalités littéraires sont, au moins pour une bonne part, les figures et les symboles de la vie collective [. . .] L'étude que nous faisons de ces personnalités nous conduit à une connaissance sociologique qu'elle enveloppe'.[30] [31] Lanson, in other words, minimised the writer's rôle in literary creation as compared with the unconscious rôle of the public and he added an æsthetic determinism, not altogether dissimilar from Taine's doctrine of '*le moment*', to the notion of sociological pressures on literature.

But perhaps the most original passage in this lecture is the parenthesis in his first 'law' on the historical and sociological approach to literary style. 'Le style d'un ouvrage', he maintains, 'peut exprimer aussi très précisément un instant de la vie sociale. La qualité littéraire des *Provinciales* révèle que le jansénisme succombe . . . Pour que les *Provinciales* fussent écrites, il fallait, bien entendu, le jansénisme et l'art de persuader de Pascal, mais il fallait aussi l'impossibilité de vaincre par les armes ordinaires de la théologie, la défaite commencée, et, de plus, un commencement de liberté dans l'état despotique, le germe d'une puissance de l'opinion publique'.[32] However controversial this particular example may be, it does indicate that, by interpreting specifically *æsthetic* elements in this way, we can obtain a completely new insight into the past.

But, inevitably, the process involves not only the subordination of literary to non-literary criteria but also the publication of highly controversial conclusions. Lanson's '*loi de corrélation de la littérature et de la vie*', for example, is, by his own admission, frequently invalid, unless we remember to associate with it the formula: '*La littérature est complémentaire de la vie*'.[32] 'La littérature', he adds in this connection, 'exprime aussi souvent le désir, le rêve, que le réel. Elle néglige les trois quarts de la réalité, ce qui est journalier, moyen, insignifiant, le tissu quotidien de la vie [. . .] La littérature ne peint pas toujours les mœurs et l'état social [. . .] La littérature exprime parfois la réalité de demain plutôt que la réalité d'aujourd'hui; elle exprime surtout ce qu'on voudrait que demain fût, et ce qu'il ne sera pas, parce que la vie ne reçoit pas sa forme seulement de la pensée'.[32] We see therefore that Lanson has not resolved the latent contradiction in his sociological approach to style.

Less than a year after his lecture on 'L'Histoire littéraire et la sociologie', Lanson, speaking at Liége, describes Sainte-Beuve as 'le maître de la critique et le patron des critiques'.[33] In terms that are very different from those he uses in the 1895 *avant-propos* to *Hommes et Livres* he praises Sainte-Beuve as a human being, as a poet and novelist, and especially as a critic of outstanding veracity and percipience. 'Son œuvre juge son esprit et sa méthode', we read in an emphatic conclusion, 'elle demeure étonnament solide et jeune, sans cesse encore utilisable, avec un *minimum* de déchet et de poids mort. Elle doit cette jeunesse et cette solidité à ce goût du vrai qui est toute la méthode de Sainte-Beuve et à la fermeté de l'application qu'il en fit jusqu'à sa dernière heure'.[34]

In the course of the article other critics and historians are compared with Sainte-Beuve but this only serves to raise even higher the pedestal which Lanson erects for him. We read, for example, that, in the case of Voltaire, '(le) goût de la vérité s'exprimait par la dérision de Sophocle et l'injure à Shakespeare';[34] that, for Mme de Staël, '(la) haine du despotisme napoléonien . . . organisait et colorait toutes ses impressions sur l'Allemagne';[34] that Guizot conceived 'toute l'histoire de quinze siècles comme une préparation à l'avènement de Louis-Philippe, cause finale et couronnement de tant de grandeurs et de souffrances';[34] and that Michelet 'ne renonçait à enfermer la vérité dans sa foi métaphysique que pour consacrer de ce nom toutes les passions démocratiques'.[34] All the impressionist critics are similarly denounced. Unlike Sainte-Beuve, Lanson claims, 'ces virtuoses étincelants tirent tout d'eux-mêmes et en font vanité: ils ressemblent à l'araignée qui, dit le bon Pline, "tisse sa toile en tirant de son ventre tous les matériaux d'un si considérable ouvrage". Ils amusent, ils éblouissent, ils sont parfois de puissants artistes: il arrive qu'ils nous disent des choses fines ou profondes, mais ils ne s'occupent que d'eux-mêmes en faisant semblant de parler d'un autre. La soumission du bon peintre au modèle leur manque'.[34] And, finally, he dismisses the systematic critics (who had found *some* grace in the lecture earlier in the year at the Ecole des Hautes Etudes sociales[35]), for even greater distortions and a dangerous separation from reality. 'Quiconque croit à un système', Lanson observes, 'incline à recevoir ou rejeter les choses, selon qu'elles consentent ou résistent à se rattacher à l'ensemble des notions qui le constituent. La facilité à s'emboîter dans un cadre logique est le titre que nous demandons aux idées pour leur reconnaître vérité ou importance, et quand nous avons aperçu cette relation, nous oublions souvent de leur demander d'autres titres, de faire les vérifications diverses, les comparaisons multiples par lesquelles les idées se ramènent aux faits, leurs juges naturels'.[36] Even Taine, 'le grave et puissant penseur qui de la critique faisait une création',[36] is now seen as 'le prophète d'une petite église',[36] while Brunetière, so enthusiastically praised in 1895, is not mentioned on this occasion.[37] Sainte-Beuve, 'ce petit homme replet, de tournure peu poétique',[38] clearly out-distances all his possible rivals.

Even Sainte-Beuve's biographical preoccupations are now praised repeatedly as further evidence of his fundamental 'goût du vrai'. 'Il allait aux sources originales', we are reminded. 'Il aimait à dénicher l'édition rare, l'imprimé oublié, l'inédit imprévu [. . .] Il aimait ces gros livres touffus, gonflés de détails particuliers et de documents exacts, où le compilateur . . . avait ramassé tout ce qu'on pouvait savoir sur un homme ou sur un sujet. Boswell, dans sa *Vie de Samuel Johnson*, lui paraissait le modèle des biographes [. . .] Notre critique savait que les idées générales ne sont vraies qu'à la condition de contenir des collections de faits particuliers, et qu'un caractère n'a de réalité que dans les menus actes où il se produit journellement [. . .] Il faisait causer quiconque pouvait le mettre sur la voie de la couleur vraie du passé, si délicate à retrouver, et dont tant de critiques réputés ne se doutent jamais'.[38]

Moreover, Sainte-Beuve's preoccupation with details was fully sanctioned by his relativist philosophy. 'Il donna un beau et large sens à ses minutieux scrupules d'exactitude', Lanson writes approvingly, 'il les rattacha à sa conception philosophique de la vérité relative, que l'effort humain saisit péniblement par parcelles menues . . . Il ne nous offre et il ne cherche que des vérités partielles, parcellaires'.[38] This implied that Sainte-Beuve dissociated himself from the pseudo-scientific metaphysics that were later to bedevil Taine and many others. 'Il ne crut jamais avoir plongé au centre ou remonté au principe des choses; il fut content de s'assurer de la réalité de quelques phénomènes, qu'il mit tout son esprit à observer . . . Il ne postule pas l'unité, ni de l'univers ni de la science, et se garde bien d'imposer à la connaissance littéraire la méthode de la physique et de la chimie, ou de l'histoire naturelle. Etudiant des réalités morales et des productions esthétiques, il se définit des méthodes appropriées à la nature de ces choses spéciales et aux conditions dans lesquelles elles se présentent à l'observation. Voilà pourquoi il n'institue pas tapageusement une méthode "scientifique". La sienne est historique, littéraire, et par là—vu son objet—plus réellement scientifique que s'il la dérobait à Geoffroy Saint-Hilaire ou Claude Bernard'.[38] Moreover, '(il) fut assez guéri de l'absolu pour ne pas inventer une vérité absolue en littérature'.[38] He makes no cult of any particular method but remains as flexible and resourceful as possible in his approach to reality. 'Il ne se fait pas une servitude de sa méthode', Lanson insists. 'Il n'en fait pas une machine pour découper la réalité à l'emporte-pièce et en laisser aller, comme cela arrive souvent, le meilleur dans les rognures. Sa méthode, à vrai dire, ne lui indique qu'une direction générale; ramasser tout ce qu'il peut du vrai, en regardant tout ce qu'il peut du réel. Il demeure toujours libre de chercher ses moyens: il n'en exclut aucun. Il les essaie tous à tour de rôle, pour tâter ce qu'ils donnent. Il regarde déjà le *milieu*, et le *moment*, et la *race*, mais il regarde bien d'autres choses encore: ce n'est pas trois questions qu'il se pose sur un écrivain, c'est vingt. Et il ne croit jamais avoir examiné tout l'homme'.[38]

Sainte-Beuve is also the most important practising critic to influence Lanson in what we may regard as his definitive expression of views on critical methodology, namely the article in *La Revue du Mois* for 10th October, 1910, on 'La Méthode de L'Histoire littéraire'.[39] Here he attempts to resolve the implicit contradictions between the two 1904 texts which we have been considering and he tries to do this by formulating a method or combination of methods that will, on the one hand, 'dégager l'individualité' [40] and, on the other, 'faire apparaître l'homme de génie comme le produit d'un milieu et le représentant d'un groupe'.[40] Taine [41] and Brunetière [42] are savagely attacked whereas Sainte-Beuve is presented as the real inventor of the rigorous critical methods which Lanson tries to inculcate. His own contemporaries, Lanson admits, have many shortcomings. 'Dans la préparation de la connaissance objective, l'erreur nous guette à tous moments et de tous les coins de nos sujets . . . Nous opérons sur une connaissance incomplète ou fausse des faits . . . Nous ne sondons pas assez les dessous du livre . . . Nous établissons des rapports inexacts . . . Nous étendons d'une façon illégitime la portée des faits que nous avons observés . . . Nous étirons presque toujours le sens des faits et des textes . . .

Nous nous trompons dans l'usage des méthodes particulières, et nous demandons à l'une les conclusions que l'autre seule peut donner[43] . . . Nous surfaisons la certitude acquise . . . Notre péché d'habitude est d'élever de plusieurs degrés, et parfois même jusqu'à l'absolu, toutes les certitudes imparfaites que nous acquérons par nos études. Les possibilités deviennent des vraisemblances, les probabilités des évidences, les hypothèses des vérités démontrées'.[44] Nevertheless, by relying on 'le relativisme' as 'le principe à la fois de la sûre technique et de l'hygiène morale',[44] and by cultivating 'l'état d'esprit d'un Sainte-Beuve, toujours en défiance et en garde',[44] they are gradually making firm progress towards their goal. Complete objectivity will always elude them but 'des probabilités, des approximations ne sont pas à dédaigner; et l'on est assez payé quand on a gagné quelques degrés vers la connaissance parfaitement claire'.[44] Thanks very largely to the use of good bibliographies[45] and the recognition that 'la division du travail est la seule organisation rationnelle et féconde des études littéraires',[46] they have the right to claim 'que tous ceux qui ont voulu depuis un siècle donner aux idées littéraires un peu de la solidité de la connaissance scientifique, quelles qu'aient été les illusions et les égarements de beaucoup, et parfois des plus grands,[47] n'ont pas travaillé en vain'.[48] And, in one of his most optimistic passages, Lanson surveys 'les résultats acquis'.[48] 'Les bases de la connaissance littéraire s'assurent', he declares confidently. 'Mainte biographie d'auteur a été nettoyée. Mainte chronologie a été précisée. Toutes sortes de problèmes de sources, d'influences, de versification, etc., ont été débrouillés, ou tout au moins posés.[49] Les origines, la formation, la direction des grands courants littéraires ou sentimentaux, des styles et des genres ont été tracés avec plus d'exactitude . . . Déjà les définitions du génie des grands écrivains, les idées sur la formation et sur l'action des grandes œuvres, se précisent et en quelque mesure se fixent . . . Si bien qu'on peut sans chimère prévoir un jour où, s'entendant sur les définitions, le contenu, le sens des œuvres, on ne disputera plus que de leur bonté et de leur malice, c'est-à-dire des qualificatifs sentimentaux.[50] Mais de cela, je crois, on disputera toujours'.[51]

John G. Clark

Notes:

1 'La Littérature et la science' (*Hommes et Livres*, Paris, 1895). Reprinted in *G. Lanson: essais de méthode, de critique, et d'histoire littéraire rassemblés et présentés par Henri Peyre*, Paris, 1965, pp. 97-127.

2 *Histoire de la Littérature française*, Paris, 1898, 6e partie, livre 2, chap. II, p. 1023.

3 *Histoire*, 'avant-propos', pp. VII-X.

4 *L'Avenir de la Science, pensées de* 1848, Paris, 1929. Quoted: *Histoire* 'avant-propos', p. VI.

5 *Histoire*, 'avant-propos', pp. VI-IX.

6 *Histoire*, 6e partie, livre 2, chap. II, p. 1026.

7 'Après Sainte-Beuve' (*Hommes et Livres*, Paris, 1895). Reprinted Peyre, *op. cit*, pp. 443-9.

8 *Ibid.*

9 *Histoire*, 6e partie, livre 2, chap. II, p. 1029.

10 Peyre, *op. cit.* p. 446.

11 *Histoire*, p. 1089.

12 'Après Sainte-Beuve', pp. 446-8.

13 *Histoire*, 6e partie, livre 2, chap. II, p. 1029.

14 'Après Sainte-Beuve', pp. 446-9.

15 Henri Peyre, *op. cit.*, p. 284.

16 'La Littérature épistolaire' (Introduction to *Choix de lettres du XVIIe siècle*, Paris, 1895). Reprinted in Henri Peyre, *op. cit*, pp. 259-89.

17 *Ibid.*, pp. 279-88.

18 'L'Influence de la philosophie cartésienne sur la littérature française', *Revue de Métaphysique*, IV (1896). Reprinted Peyre, *op. cit.*, pp. 211-42. References to E. Krantz, *Essai sur l'esthétique de Descartes*, Paris, 1882.

19 'Etudes sur les rapports de la littérature française et de la littérature espagnole au XVIIe siècle (1600-1660)'. Extract reprinted Peyre, *op. cit.*, pp. 95-6.

20 'L'Influence de la philosophie cartésienne sur la littérature francaise.' (Peyre, *op. cit.*, pp. 212-3, 239-40).

21 'Programme d'études sur l'histoire provinciale de la vie littéraire en France', *Revue d'Histoire moderne et contemporaine*, IV (1903). Reprinted Peyre, *op. cit.*, pp. 81-7.

22 *Ibid.*, p.82 (my italics).

23 *Ibid.*, pp. 83-7.

24 'L'Histoire littéraire et la sociologie', *Revue de Métaphysique et de Morale*, XII (1904). Reprinted Peyre, *op. cit.*, pp. 61-80.

25 Cf. Péguy's *Cahier* of October 23rd 1910: ' . . . une fois de plus, cette fois sous le nom de sociologie, la Sorbonne est tombée dans la *Scholastique*'.

26 'L'Histoire littéraire et la sociologie', Peyre, *op. cit.*, pp. 62-9

27 Cf. *ibid.* pp. 69-70 the 'avant-propos' of the 1894 *Histoire de la Littérature française*: 'L'histoire littéraire a pour objet la description des individualités'.

28 'L'Histoire littéraire et la sociologie' Peyre, pp. 67-8.

29 In a footnote he quotes, (p. 70) as a clear definition of 'le point de vue sociologique,' the following sentence from Brunetière's article on *Jansénistes et Cartésiens*: 'S'il est intéressant de savoir ce que Descartes a pensé, il l'est bien plus encore de savoir ce que ses contemporains ont cru qu'il avait pensé. Car les doctrines et les systèmes n'agissent que dans la mesure où ils sont compris, et ceux qui les adoptent en sont autant les inventeurs que ceux qui les ont enseignés'. Cf. Peyre, pp. 70-71.

30 Peyre, pp. 64, 73-9.

31 This statement of Lanson's views naturally provoked hostile criticism. 'Agathon', for example, in 'L'Esprit de la nouvelle Sorbonne' (articles in *L'Opinion*, July-December 1910, reprinted Mercure de France, 1911) wrote as follows: 'L'Histoire littéraire, telle que la définit M. Lanson, est tout imprégnée de ce fanatisme collectif, de cette méfiance envers les individus, qui est la base de la sociologie de Sorbonne. Le but de l'histoire littéraire, dit-il lui-même, c'est de mettre en valeur le rôle dominant des ensembles, des groupes, au détriment du rôle des individus . . . Est-on bien sûr qu'une telle doctrine n'est pas déterminée elle-même par des éléments profonds, irrationnels, propres à MM. Lanson et Durkheim, et aux mystiques de la collectivité?'

32 Peyre, pp. 74-5.

[33] 'Sainte-Beuve. Ce qui fait de lui le maître de la critique et le patron des critiques', *Revue de Belgique*, 1905. Reprinted in Henri Peyre, *op. cit.*, pp. 427-41.

[34] *Ibid.*, pp. 429-41.

[35] 'Ne regardons que leurs vues systématiques, leurs généralisations hâtives, leurs témérités constructives, leurs illusions d'avoir trouvé la loi des lois, la clef qui ouvre toutes les serrures. Par cela même, par ces parties caduques de leurs oeuvres, ils n'ont pas été inutiles, ils ont excité les esprits, ils ont posé des problèmes, ils ont taillé de la besogne à des générations qui ont vécu des vérifications à faire sur leurs hypothèses: la science a profité de tout cela' (Peyre, p. 65).

[36] *Ibid.* pp. 427, 438-40.

[37] Cf. Péguy's explanation of Lanson's increasingly severe attitude to Brunetière: 'Un point d'épreuve aussi grave et sans doute plus tragique dans la deuxième carrière de M. Lanson fut son reniement de Brunetière. Dans cet océan d'ingratitude qu'est le monde moderne je ne connais, et on ne connaît peut-être pas un deuxième exemple d'une telle ingratitude; d'une telle turpitude; d'une telle vilenie . . . M. Lanson était un des nourrissons de Brunetière; et l'un de ceux qui devaient le plus à M. Brunetiere; et l'un de ceux qui devaient tout à M. Brunetière. Il ne faudrait pas croire que M. Lanson est une nature ingrate. Aussi longtemps que M. Brunetière fut puissant M. Lanson ne cacha point aux populations attardées l'admiration, le culte, la reconnaissance qu'il avait pour M. Brunetière. Mais quand l'astre de M. Brunetière commença de baisser dans les ciels intellectuels et dans les ciels politiques . . . M. Lanson ne cacha point aux peuples qu'il venait de s'apercevoir que ce Brunetière n'était pas précisément un critique et un écrivain de défense républicaine. La vérité avant tout.' *L'Argent (suite)*, Paris, 1932, pp. 95-100.

[38] Peyre, pp. 428-39.

[39] 'La Méthode de l'Histoire littéraire', *Revue du Mois*, 1910. Reprinted in Henri Peyre, *op. cit.*, pp. 31-56.

[40] *Ibid.*, p. 36.

[41] 'Ceux qui *font* La Fontaine avec la Champagne, l'esprit gaulois et le don poétique . . . sont des charlatans, ou des naïfs' (*ibid*, p. 41).

[42] 'Son tempérament de logicien et d'orateur, sa doctrine transformiste, son dogmatisme littéraire, politique, social, et enfin politique . . . avaient entraîné souvent ce puissant esprit hors des voies de la méthode historique et critique et au-delà des inductions légitimes' (*ibid*). 'La *transformation* d'un genre en un autre est précisément ce que les faits ne donnent pas: c'est la part du système. Si bien que, ôtant l'expression scientifique, il vaut mieux dire dans le langage de tout le monde: *La poésie lyrique du XIXe siècle a pris pour matière des sentiments qui, au XVIIe et au XVIIIe siècle, n'ont guère été exprimés en France que par l'éloquence de la chaire.* C'est plus terne, mais c'est plus clair; et c'est plus exact' (*ibid*, p. 42). Cf. F. Brunetière, *L'Evolution des genres dans l'histoire de la littérature*, Paris, 1890, pp. 12 *et seq.*

[43] Peyre, *op. cit.*, pp. 47-9. We may note two instances of Lanson's awareness of this danger. In 'Le Rôle de l'expérience dans la formation de la philosophie du XVIIIe siècle en France', *Revue du Mois*, January-April, 1910, he refutes what he regards as the 'simplification à outrance' on the origins of eighteenth-century thought found in Taine's *Ancien Régime* and Cournot's *Considérations sur la marche des idées dans les temps modernes*. 'Je m'explique', he comments, 'que l'on se fasse cette représentation du XVIIIe siècle quand on regarde les doctrines toutes formées, dans leurs expressions dernières: mais on sera bien forcé de la corriger, si l'on saisit la genèse et le développement des idées . . . On s'appuie sur le caractère déductif d'un grand nombre d'ouvrages; mais que la méthode de recherche soit identique à la méthode d'exposition, c'est un postulat qui n'est ni évident ni nécessaire' (p. 298). And, in 1912, when he resolved 'moins de faire apparaître un Rousseau logique qu'un Rousseau vrai', he indicated that, for this purpose, 'il faut considérer quelle méthode doit s'appliquer à notre sujet'. 'La méthode', he added, 'qui peut servir pour Aristote, pour Descartes, pour Spinoza, pour Kant, pour Hegel, pour M. Renouvier ou M. Bergson, une méthode dialectique et abstraite de discussion, ne convient pas ici . . . Nous n'avons pas affaire à un système qui ait été construit méthodiquement, pièce à pièce, avec une volonté rigoureuse et claire d'enchaînement et d'accord logique, avec une attention ferme à ne jamais porter atteinte au principe de contradiction . . . Ce qu'on appelle le système de Rousseau est une pensée vivante qui s'est développée dans les conditions de la vie, exposée à toutes les variations et à tous les orages de l'atmo-

sphère, soumise à toutes les altérations et perturbations qui peuvent provenir, les unes des agitations sentimentales de l'homme, les autres des excitations ou des résistances du milieu.' ('L'Unité de la pensée de Jean-Jacques Rousseau', *Annales de la Société Jean-Jacques Rousseau*, VIII (1912). Reprinted Peyre, *op. cit.*, pp. 385-404).

44 'La Méthode de l'Histoire littéraire', Peyre, *op. cit.*, p. 51.

45 Cf. 'La bibliographie . . . savoir aride, insipide, si l'on en fait une fin, mais instrument nécessaire et puissant pour préparer la matière qu'on façonnera en idées vraies.' (Henri Peyre, *op. cit.*, p. 47) and, 'Il faut savoir ce que les autres ont fait avant nous, et partir des résultats acquis. D'où l'impossibilité d'arriver à rien sans de bonnes bibliographies' (*ibid.*, p. 52).

46 'La Méthode de l'Histoire littéraire' Peyre p. 52. Cf. his plea to the Société d'Histoire moderne in February 1903: 'L'effort doit être collectif. Le travail peut se faire simultanément sur vingt points à la fois.' (*Ibid.*, p. 86).

47 Towards the end of the article on 'La Méthode de l'Histoire littéraire' both Taine and Brunetière are rehabilitated. 'Ni Sainte-Beuve, ni Taine, ni Brunetière, ni tant d'auteurs de monographies, de thèses de doctorat, d'articles de revues critiques et savantes, n'ont perdu leur temps' (Henri Peyre, *op. cit.*, pp. 54-55).

In his 1904 lecture at the Ecole des Hautes Etudes sociales he undoubtedly had Taine and Brunetière in mind when he attempted to salvage something from the theoretical excesses of dogmatic critics. Cf. *supra*, n. 35.

48 'La Méthode de l'Histoire littéraire' Peyre, pp. 52-4.

49 Lanson reverts to the idea which he had already expressed in 1895 ('Gardons-nous d'être trop *simpliste* dans le choix d'une méthode': Henri Peyre, *op. cit.*, p. 449) and in 1904 ('Il ne se fait pas une servitude de sa méthode . . . Il demeure toujours libre de choisir ses moyens: il n'en exclut aucun': *ibid.*, p. 439), but he carries it a stage further. He adumbrates now a creative methodology that will suscitate problems as well as solutions. 'Il faut créer des méthodes', he writes. 'Il n'y a pas de méthodes *passe-partout*. Quelques principes généraux étant donnés, chaque problème spécial ne se résout bien que par une méthode construite spécialement pour lui, adaptée à la nature de ses données et à celle de ses difficultés. Les problèmes eux-mêmes ne se posent pas tout seuls: l'idée de la question demande souvent autant de génie que l'idée de la réponse. En suggérant à l'imagination créatrice de s'appliquer à l'invention des problèmes et des méthodes, et non plus seulement des solutions, nous étendons son rayon d'action, et nous lui ouvrons des possibilités indéfinies d'activité' (*ibid.*, p. 54). As he says further on: 'Rien n'est fini, tout est en train' (*ibid.*, p. 55).

In this article he is well aware of the need for the utmost skill and subtlety in the interpretation of texts: 'on saisira dans un accent, dans un reflet, dans un tour les intentions profondes et serrées qui souvent corrigent, enrichissent et même contredisent le sens apparent du texte'; 'il faut pousser en ce sens jusqu'à l'extrême limite des suggestions et des colorations perceptibles'; 'rien n'est plus délicat que la recherche de ces échanges'; 'ce n'est pas une petite affaire que de retenir toujours sous les yeux de l'esprit la carte des courants multiples de la pensée et de l'art, avec les positions exactes des principaux écrivains et les communications souvent obscures et détournées qui les unissent. Il faut pourtant ne jamais la perdre de vue, cette carte'; 'les faits se limitent les uns par les autres: recherchons toujours ceux qui ôtent du sens à ceux qui nous ont frappés, et n'omettons pas de prendre en compte les "faits négatifs" ' (*ibid.*, pp. 44-49, *passim*).

50 Cf. his remarks in the introductory part of the article: 'Notre idéal est d'arriver à construire le Bossuet et le Voltaire que ni le catholique ni l'anticlérical ne pourront nier, de leur en fournir des figures qu'ils reconnaîtront pour vraies, et qu'ils décoreront ensuite comme ils voudront de qualificatifs sentimentaux' (*ibid.*, pp. 32-33).

Relative objectivity, in his view, emerges from the consensus of myriads of subjective reactions, many of which are fanatical and extravagant. 'Leur harmonie totale, pleine de dissonance, composera ce qu'on appelle l'effet du livre' (*ibid.*, p. 38). That is why he makes this claim in his concluding paragraph: 'Enfin l'esprit historique et la méthode critique sont apaisants. L'acceptation de l'arbitrage souverain des règles de méthode ôte l'aigreur aux disputes et fournit le moyen de les terminer. Sans renoncer à aucun idéal personnel, on se comprend, on s'entend, on coopère: cela mène à l'estime et à la sympathie réciproques. La critique, dogmatique, fantaisiste, ou passionnée, divise: l'histoire littéraire réunit, comme la science dont l'esprit l'inspire' (*ibid.*, p. 56).

51 'La Méthode de l'Histoire littéraire' Peyre, p. 55.

MALLARMÉ AND VALÉRY: IMITATION OR CONTINUATION?

'J'ai une "schizophrénie" intellectuelle', wrote Valéry, 'car je suis aussi sociable en surface, et facile en relations, que je suis *séparatiste en profondeur*. Je comprends difficilement ce double penchant: l'un vers tous, l'autre vers le seul, et ce seul très absolu [. . .]'[1] One would expect such a profoundly individualistic person to be suspicious of 'influence': its existence — even that of Mallarmé — would constitute an affront, if not a threat, to his independence of mind.

Thus, in 1912, under the impression that he would perhaps never again write poetry, Valéry tended to minimise the importance of having known Mallarmé. He wrote to Albert Thibaudet: 'Sur l'influence de Mallarmé, mon avis brièvement. Elle est comme nulle . . . Qu'il y ait certains résultats de cette œuvre de précision qui "n'aient pas tardé à passer dans l'industrie", nous le montrons tous' — referring to contemporary writers. But this 'courbe de l'imitation' he proceeds to describe as a sickness as far as literature is concerned, and for this reason: 'Mallarmé ne devait pas avoir d'influence: c'est une proposition qui peut se démontrer. Influence — c'est ou imitation ou continuation. Imiter un être si singulier, c'est crier qu'on imite. Imiter un art si parfait, c'est une désastreuse affaire: cela coûte plus cher que de risquer d'être "original". Et celui bien plus pur qui se donnerait le devoir de prolonger, comme faire plus longuement vivre — l'inventeur, *en tant que tel*, — celui qui songerait à partir d'un point spirituel déjà extrême — ce monstre — devra pressentir des sacrifices tels, se vouloir de telles défaites, qu'il ne peut y avoir deux hommes de cette espèce; et je ne connais pas le seul qui, peut-être, existe'.[2] Whimsically applying these considerations to himself, Valéry adds: 'Ni je ne dois suivre Mallarmé si ma fin est de faire mon plus bel ouvrage . . . '

Some *précisions* are needed to clarify the foregoing statements: (*a*) When Valéry speaks of influence in this context he means *literary* influence, not personal, i.e. 'moral' influence. The latter he never at any time denied in speaking of Mallarmé.[3] (*b*) No one acquainted with the writings of the two men would seriously maintain that Valéry had *deliberately* 'imitated' Mallarmé — except perhaps in his earliest poetry.[4] Valéry's mind was such that he would much prefer to 'risquer d'être "original".' (*c*) In 1912, Valéry does not appear to have realised that there was a possibility of his 'continuing' Mallarmé without thereby sacrificing his own originality, and without having to be quite such a 'monster' as he then imagined. For on returning to poetry in 1913, Valéry actually *did* start from 'un point spirituel déjà extrême', and the whole story of his poetry was to be one of potential 'defeats' overcome by 'sacrifices'. To follow Mallarmé was certainly not to ruin his chances of producing 'son plus bel ouvrage' — as he, himself, realised by the time he wrote his later verdicts on Mallarmé.

These verdicts appeared in various articles written between 1924 and 1938, but the most serious and detailed of them is the *Lettre sur Mallarmé* (adressée à Jean Royère) first published in 1928.[5] Here one finds a more mature consideration of Mallarmé's influence, which gains in perspective by having been written several years after the last of Valéry's major poems.

The first point that strikes one about the Valéry of 1928 is that his conception of influence has been greatly modified since 1912. Admittedly, he is still a little sceptical. 'Il n'est pas de mot qui vienne plus aisément ni plus souvent sous la plume de la critique que le mot d'*influence*, et il n'est point de notion plus vague parmi les vagues notions qui composent l'armement illusoire de l'esthétique.' However, he is ready to admit the possibility of the 'modification progressive d'un esprit par l'œuvre d'un autre' and even to *differentiate* this (legitimate) 'influence' from mere 'imitation'. This is possible because 'Il arrive que l'œuvre de l'un reçoive dans l'être de l'autre une valeur toute singulière, y engendre des conséquences agissantes qu'il est impossible de prévoir et qui se font assez souvent impossibles à déceler . . . C'est par quoi l'*influence* se distingue assez de l'imitation'. In both sciences and arts, says Valéry, unfailingly '*ce qui se fait* répète *ce qui fut fait*, ou le réfute: le répète en d'autres tons, l'épure, l'amplifie, le simplifie, le charge ou le surcharge; ou bien le rétorque, l'extermine, le renverse, le nie; mais donc le suppose, et l'a invisiblement utilisé. Le contraire naît du contraire'. He no longer regards being influenced as sacrificing originality, as in 1912; instead, originality and influence are seen as aspects of one and the same process. 'Nous disons qu'un auteur est *original* quand nous sommes dans l'ignorance des transformations cachées qui changèrent les autres en lui; nous voulons dire que la dépendance de *ce qu'il fait* à l'égard de *ce qui fut fait* est excessivement complexe et irrégulière [. . .] Quand un ouvrage, ou toute une œuvre, agit sur quelqu'un, non par toutes ses qualités, mais par certaine ou certaines d'entre elles, c'est alors que l'influence prend ses valeurs les plus remarquables. Le développement séparé d'une qualité de l'un par toute la puissance de l'autre manque rarement d'engendrer des effets d'extrême originalité.'

In short, Valéry's conception of 'influence' — particularly of Mallarmé's — evolved with the years from the rather naïve notion that he ought not to follow Mallarmé if his goal were to create his finest work. Indeed, within a year, he had already started to compose 'son plus bel ouvrage' and had begun to perceive the fallacy in his own argument; and by 1917, when *La Jeune Parque* appeared, one may fairly safely conclude that he had realised the difference between mere imitation, or servile continuation, and legitimate, constructive, fructifying influence. 'Continuation' of the latter kind he saw to be wholly good, and a stimulus rather than a threat to his own originality, perhaps because it was largely an *unconscious* process — '*ce qui se fait* répète *ce qui fut fait* . . . le suppose, et l'a invisiblement ['unconsciously'] utilisé'. In other words, one can be influenced and yet be true to oneself; originality and continuation, rightly understood, are in no way incompatible. Indeed, the old formula 'continuation (of Mallarmé) equals *loss* of originality' became, probably by 1917, and certainly in later years, 'continuation *equals* originality'!

What did 'continuation' imply? Precisely *how* did Valéry 'continue' Mallarmé? To answer such questions, one must inquire into the nature of Symbolism, the kernel of which is the famous doctrine of 'Pure Poetry'. In 1920, when at the height of his poetic genius, Valéry himself wrote a short account of the Symbolist Movement — its origins, aspects, ideals, and also its failure. 'Ce qui fut baptisé: le *Symbolisme*', he says,[6] 'se résume très simplement dans l'intention commune à plusieurs familles de poètes . . . de "reprendre à la Musique, leur bien." Le secret de ce mouvement n'est pas autre.' According to Valéry, therefore, the Mallarméan definition of the Movement was historically both sound and comprehensive: looking back, it was Mallarmé's 'musical' conception of Symbolism which seemed to him accurate — despite Poe's rôle as the progenitor of pure poetry.[7] What had Mallarmé meant? Simply this: that if Symbolism is 'musical', it is essentially formal, for music is primarily a matter of form. 'The most general way, and the best, of defining music', says M. D. Calvocoressi, 'is to say that it consists of sounds grouped according to certain orders of relation.'[8] Hence, as Valéry continues: 'L'obscurité, les étrangetés qui lui furent tant reprochées, . . . les désordres syntaxiques, les rythmes irréguliers, les curiosités du vocabulaire, les figures continuelles . . . tout se déduit facilement sitôt que le principe ['musical'] est reconnu'. Thus, according to Valéry's interpretation of Mallarmé's intention, it is the form of a poem that counts, not the content. Indeed, content or 'meaning', as normally understood, should, ideally, be eliminated altogether — as in music. 'Il faut supposer', says Valéry, 'que notre voie était bien l'unique; que nous touchions par notre désir à l'essence même de notre art, et que nous avions véritablement . . . suivi à l'infini cette piste précieuse, favorisée de palmes et de puits d'eau douce; à l'horizon, toujours, la poésie pure . . . Là, le péril; là, précisément notre perte; et là même, le but.'

La poésie pure: this is the first use of the term. Six years later, in 1926, Valéry commented to F. Lefèvre on the subsequent career of his famous phrase: 'J'ai eu le malheur d'écrire, en cette préface, les mots de *poésie pure* qui ont fait une sorte de fortune'.[9] However regrettable the fate of his words may have seemed to Valéry, the important point to notice is that pure poetry was originally intended to be an *ideal*: 'à l'horizon, toujours, la poésie pure . . . ' And like all ideals, it was meant to inspire rather than to be fully realised. Some of Mallarmé's successors forgot this completely. One thinks of Bremond's contention that the words used in a poem must be completely 'vides de sens',[10] and his bitter recriminations against Valéry's 'bacchanales intellectualistes'.[11] As for Mallarmé himself, he remained haunted by 'l'Azur', tortured by the fact that ideal poetry is unattainable if one aspires to go beyond the formal perfection, i.e. emptiness, of the blank page. What satisfaction does the audience at an orchestral concert seek to find, he asked himself: they feel the need 'de se trouver face à face avec l'Indicible ou le Pur, la poésie sans les mots' ![12] Here we have the Mallarméan conception of pure poetry—not poetry written with words void of content, as advocated by Bremond, but poetry *without the use of words at all* . . . 'blancheur' . . . 'le vide papier'. As Denis Saurat put it: 'Mallarmé had set a problem, like the squaring of the circle, or perpetual motion, which no one could solve. No one had solved it in the past; Mallarmé himself could set but not solve it; no one after him solved it . . . The writing of poetry is practically impossible'.[13]

Among those who came after him, none saw this more clearly than Valéry. 'Personne n'avait distingué si consciemment', he says, speaking of Mallarmé, 'les deux effets de l'expression par le langage: transmettre un fait, — produire une émotion.'[14] This had been the *impasse* in the realisation of the Mallarméan ideal. Seeing this, Valéry was prepared to accept, with better grace than Mallarmé, the compromise solution of blending form and content: ' . . . transmettre un fait, — produire une émotion. La poésie est un *compromis*, ou une certaine proportion de ces deux fonctions . . . '[14] Writing poetry was to be for him 'la conduite simultanée de la syntaxe, de l'harmonie et des idées (qui est le problème de la plus pure poésie) . . . '[15] Many years later, in 1939, he reflected: 'L'Univers poétique n'est pas . . . si facilement créé. Il existe, mais le poète est privé des immenses avantages que possède le musicien . . . Il doit emprunter le *langage* — la voix publique . . Rien de pur; mais un mélange d'excitations auditives et psychiques parfaitement incohérentes. Chaque mot est un assemblage instantané d'un *son* et d'un *sens*, qui n'ont point de rapport entre eux . . . '[16]

In following Mallarmé, therefore, Valéry accepted a much modified concept of poetic purity. What was the result? Before answering this question, let us briefly consider the views of the two poets *vis-à-vis:* (*a*) the *mood* of poetic creation, (*b*) Symbolism as a poetic *technique*, and (*c*) the *purpose* of Symbolist poetry.

First, the correct mood for poetic creation, according to Mallarmé, is not one of active inspiration but of passive reverie.

'Pour moi', he wrote to François Coppée in 1868, 'voici deux ans que j'ai commis le péché de voir le Rêve dans sa nudité idéale,[17] tandis que je devais amonceler entre lui et moi un mystère de musique et d'oubli.'[18] To veil in poetic form the stark nudity of his quasi-mystical vision of the universe was a task which in later years he succeeded in fulfilling, finding that the requisite atmosphere for such creative work was the habitual mental state of a man who (to quote his own epitaph for his friend Villiers de l'Isle-Adam) 'n'a pas été que dans ses rêves'.[19] It has been well said that 'Mallarmé's thought was at ease only in dream, in that indeterminate region between reality and the void'.[20]

In 1939, Valéry lectured at Oxford. (To a considerable extent, one might say he succeeded in making clear what Mallarmé failed to do when he, too, lectured there in 1894.) This is what Valéry said on that occasion concerning the word-concepts of the poet's universe: 'Ils s'appellent les uns les autres, ils s'associent tout autrement que selon les modes ordinaires; ils se trouvent (permettez-moi cette expression) [How *un*-Mallarméan!] musicalisés, devenus résonnants l'un par l'autre, et comme harmoniquement correspondants. L'univers poétique ainsi défini présente de grandes analogies [Memories of Poe? . . .] avec ce que nous pouvons supposer de l'univers du rêve [. . . and of Mallarmé?] . . . '[21] Were it not so much more clearly expressed, it might almost be Mallarmé himself speaking! . . .

The salient features of the Mallarméan method of poem construction reappear, with but few modifications, in Valéry's. For Mallarmé, the essential prerequisite was to obtain a sort of vision, out of which grew the poem. 'Voir le Rêve dans sa nudité idéale' was the preliminary step to poetic creation. In what mood did Valéry undertake the writing of a poem? Let us consider his *Préface à l'Essai d'Explication du Cimetière Marin de M. G. Cohen*.[22] He begins by stressing that, for him, there still exists 'une sorte d'*Éthique de la Forme*', a legacy of the Symbolist poets of his youth who 'peinaient pour fort peu — et comme saintement' . . .[23] This legacy had certain consequences: 'J'ai donc beaucoup vécu avec mes poèmes. Pendant près de dix ans, ils ont été pour moi une occupation de durée indéterminée — un exercice plutôt qu'une action, une recherche plutôt qu'une délivrance, une manœuvre de moi-même pour moi-même plutôt qu'une préparation visant le public'. For Valéry, 'un ouvrage n'est jamais *achevé* . . . mais abandonné [au public] . . .'—in some cases, quite by accident. This occurred in the case of *Le Cimetière marin*, which 'tel qu'il est, est *pour moi*, le résultat de la *section* d'un travail intérieur par un événement fortuit. Une après-midi de l'an 1920, notre ami très regretté, Jacques Rivière, étant venu me faire visite, m'avait trouvé dans un "état" de ce "Cimetière marin", songeant à reprendre, à supprimer, à substituer, à intervertir çà et là . . . ' As a result of that chance visit, and of that alone (according to Valéry), the poem appeared in the form with which we are familiar . . . the form it *happened* to have assumed on that afternoon in 1920! The form finally chosen, in fact, is purely a matter of chance — which is perhaps Valéry's way of interpreting the Mallarméan theme *Un coup de dés jamais n'abolira le hasard*.[24]

Coming to the actual composition of *Le Cimetière marin*, Valéry claims, as is well-known, that his intention 'ne fut d'abord qu'une figure rythmique vide[25], ou remplie de syllabes vaines[26] qui me vint obséder quelque temps. J'observai que cette figure était décasyllabique . . . ' He was also attracted by the idea of 'une certaine strophe de six vers et l'idée d'une *composition* sur le nombre de ces strophes [. . .] Entre les strophes, des contrastes ou des correspondances devaient être institués. Cette dernière condition exigea bientôt que le poème possible fût un monologue de "moi", dans lequel les thèmes les plus simples et les constants de ma vie affective et intellectuelle, tels qu'ils s'étaient imposés à mon adolescence et associés à la mer et à la lumière d'un certain lieu des bords de la Méditerranée, fussent appelés, tramés, opposés . . . Tout ceci menait à la mort [i.e. to a series of reflections on death] et touchait à la poésie pure . . . Il fallait que mon vers fût dense et fortement rythmé . . . Le type de vers choisi, la forme adoptée pour les strophes me donnaient des conditions qui favorisaient certains "mouvements", permettaient certains changements de ton, appelaient certain style . . . Le "Cimetière marin" était *conçu*. Un assez long travail s'ensuivit'.

This, according to Valéry, was the genesis of the poem.[27] 'Le mythe de la "création" nous séduit à vouloir faire quelque chose de rien. Je rêve donc que je trouve progressivement mon ouvrage à partir de pures conditions de forme, de plus en plus réfléchies — précisées jusqu'au point qu'elles proposent ou imposent presque . . . un *sujet* — ou du moins, une famille de sujets.'

In such moods as this, Valéry's great poems were conceived. Comparing his method with that of Mallarmé, one observes several features common to both — the ethical importance of form, the unimportance of the reader, the rôle of Chance, the necessity of first seeing 'la nudité du Rêve', so to speak — though in Valéry this tends to be more 'technical' (less 'ideal') than in Mallarmé, and therefore more capable of realisation. The latter sometimes failed because he had seen more than words would allow him to express — a mistake Valéry avoided by restricting his vision to matters of form, and allowing the form itself to 'impose' a subject . . .

For Mallarmé, the poem was essentially 'un mystère de musique et d'oubli' (forgetfulness, reverie). His writings were the quasi-mystical products of 'la baguette magique'; they were 'mon œuvre, qui est l'Œuvre. Le Grand'Œuvre(sic), comme disaient les alchimistes, nos ancêtres'.[28] 'La Poésie est l'expression, par le langage humain ramené à son rythme essentiel, du sens mystérieux des aspects de l'existence: elle doue ainsi d'authenticité notre séjour et constitue la seule tâche spirituelle.'[29] For Valéry, too, poetry was something rather pristine and mysterious. 'Il arrivait que ce poète,' he says, *speaking of Mallarmé*, however, ' . . . donnât par le rapprochement insolite, étrangement chantant, et comme *stupéfiant* des mots — par l'éclat musical du vers et sa plénitude singulière, l'impression de ce qu'il y a de plus puissant dans la poésie: *la formule magique*. Une analyse exquise de son art avait dû le conduire à une doctrine et à une sorte de synthèse de l'incantation.'[30] The doctrine was, of course, 'Symbolism'.

To sum up: despite minor — but significant — divergences, for both Mallarmé and Valéry the mood of poetic creation was a visionary one and the poet a dreamer wielding a magic wand. Could one, for instance, easily recognise the author of the following passage, which might well be entitled 'The birth of a *vers pur*'?—

> L'arbre chante comme l'oiseau. Tout à coup, coup de vent. Vent brusque. Cela vient, s'apaise, revient comme vagues. Le vent donne

au grand arbre une multitude de pensées, le surprend, le trouble, l'attaque en tous points, l'ébranle. Le revêt de l'envers de ses milliers de feuilles nombreuses. L'épouse, le change en rumeur qui grandit et s'affaiblit et le change en ruisseau perdu. Ceci donne pur rêve du ruisseau. L'arbre rêve d'être ruisseau; *L'arbre rêve dans l'air d'être une source vive* . . . Et de proche en proche, se change en *poésie*, en un vers pur [. . .] [31]

Obviously this is no dream in the Romantic sense of disordered imagination,[32] but a state of reverie rigorously controlled. The distinction involved here is psychological rather than literary. The psychology of Symbolism — what does it imply? It has often been observed that the Symbolists were at once the most erudite and the most primitive of poets; and indeed, there *was* something primitive, i.e. childlike, about them. Despite the learned obscurity of their writings, they speak with the wonder of children forever discovering new names for common objects. Now children are natural symbolists. 'The fact that a child's forms of expression are extremely symbolical', says M. Fordham, a practising child psychologist, 'is in itself a symptom of unconsciousness, and this preponderance of symbolical forms of expression goes hand in hand with the weakness of the ego whose growth is essential to the growth of consciousness.'[33] But whereas a child 'cannot order or control his mental life, which as a consequence works as it were independently of him',[34] Mallarmé and, even more so, Valéry could, and did, order and control their mental life. One cannot say of Valéry, as of a child, that 'his ego, his will, is unable to control the psyche when it expresses itself in the form of symbolical formulae containing the fundamentally unconscious facts of mental life'.[34] Of Poe, especially in his prose, this might be true. For instance, Professor J. M. Cocking has observed that, when Poe discussed the power of suggestion in his *Philosophy of Composition*, 'he was content with a vagueness that shaded into mysticity and the vocabulary that went with it — magic, sorcery, the divinity of the word . . . But Mallarmé took Poe's essay quite seriously. He wanted to learn to manage his effects, to feel himself in full control [But did he succeed?]'.[35] The ego, the conscious will-power of Mallarmé and especially of Valéry is, if anything, over-developed. Are we to conclude, therefore, that Symbolist writing was a consciously directed and controlled form of childishness? Were childhood characteristics not outgrown but consciously exploited in the service of literature? This hypothesis is partly confirmed by the fact that in Valéry's notebooks, for instance, — not to mention his poetry — one constantly gets the impression that his mind 'works as it were independently of him', that he is the studious witness — and controller — of what Jung sometimes calls the 'objective psyche' [36] . . . Perhaps the psychological approach to this self-conscious reverie throws more light on the subject of the mood, i.e. 'mode', of Symbolist poetic creation than any other. It also underlines the fact that, whereas Mallarmé tended to indulge in passive, idealised reverie, Valéry preferred a state of active, 'technical' reverie — a dream he could not only realise in verse but also analyse and make clear to the reader in his prose writings.

Secondly, what have Mallarmé and Valéry to say concerning Symbolism as a poetic technique? Unfortunately, 'Symbolism' is as generic a term as, for instance 'Psychology', and it is well to be aware of its main connotations. There is, for example, the orthodox symbolism of objects serving as symbols for treasured concepts, as in the Catholic religion. Then, there is Symbolism as a theory, a doctrine, a philosophy, an attitude towards life. Then, again, Symbolism is a poetic technique, the application of a theory, a specific way of writing poetry — and it is with this last connotation of the term that we are now concerned, namely: what is the *technique* of pure poetry as practised by Mallarmé and Valéry?

Consider for a moment the use of this technique in what has well been called Mallarmé's 'emblematic landscapes'.[37] The aim is, quite simply, to suggest a certain landscape by sketching its essentials with a minimum of light, precise strokes of the pen:

> Une ligne d'azur mince et pâle serait
> Un lac, parmi le ciel de porcelaine nue,
> Un clair croissant perdu par une blanche nue
> Trempe sa corne calme en la glace des eaux,
> Non loin de trois grands cils d'émeraude, roseaux.[38]

In doing this, Mallarmé was well aware that he was, to a certain extent, imitating the Chinese artist, 'le Chinois au coeur limpide et fin'.[38] Over a thousand years before the Symbolists and Surrealists, the Chinese realised that representational art was not for them, that art was not a question of passively reproducing reality but an expression of the artist's relationship to reality.

'In China', says Lin Yutang, 'the art of living is one with the arts of painting and poetry', and he quotes this dictum of Li Liweng, seventeenth-century Chinese poet:

> First we look at the hills in the painting,
> Then we look at the painting in the hills.[39]

That was how Mallarmé, too, saw the relationship of art and life: there was no clearly defined distinction; inner and outer worlds 'corresponded', as in Baudelaire; poetry equated abstract and concrete, subjective and objective. In this, he was somewhat cautiously followed by Valéry, but the latter is clearer, more consciously aware of what he is doing: 'Couleur et douleur; souvenirs, attente et surprises; cet arbre et le flottement de son feuillage, et sa variation annuelle, et son ombre comme sa substance, ses accidents de figures et de position, les pensées très éloignées qu'il rappelle à ma distraction, — *tout cela est égal* . . . Toutes choses se substituent, — ne serait-ce pas la définition des choses?'[40]

Here we have a poetic technique which includes that of the Chinese, and also surpasses it. The classical Chinese poets always aimed at creating a 'flat' setting, without stereoscopic effect, e.g. these eighth-century lines from Li Po and Wang Wei:

> Above the man's face arise the hills;
> Beside the horse's head emerge the clouds.
>
> And above the trees a hundred springs.
>
> . . . autumn scene: several dots of hills over the wall.

Very occasionally, Mallarmé and Valéry produce similar effects, as if they were painting a two-dimensional landscape.[41] Usually, however, their landscapes — especially Mallarmé's — are much more subtle, being not only three- but even four-dimensional, e.g. in the very lines in which Mallarmé eulogises the Chinese artist —

> De qui l'extase pure est de peindre la fin
> Sur ses tasses de neige à la lune ravie
> D'une bizarre fleur qui parfume sa vie
> Transparente —

the poem continues:

> . . . *la fleur qu'il a sentie, enfant,*
> Au filigrane bleu de l'âme se greffant.[42]

The introduction of the fourth-dimensional time factor here clearly indicates that French Symbolism is a more complex conception of art than that of the Chinese. In the latter it is a question of selecting and recording certain salient features of a landscape, so that what is ignored (absent) may be divined by suggestion. What is suggested, however, are other aspects of the same objective, unalterable, landscape. In Symbolism, on the other hand, the landscape itself is, as a rule, not something essentially static and unalterable, but a fluid, arbitrary, component of the poet's own mind. 'Devant un paysage', says Valéry, 'je ne m'attache pas longuement à des aspects dont je dispose, et qu'il me suffirait, d'ailleurs, de me mouvoir pour altérer. Mais au contraire, la substance des objets qui sont sous mes yeux, la roche, l'eau, la matière de l'écorce ou de la feuille, et la figure des êtres organisés me retiennent. Je ne puis m'intéresser qu'à ce que je ne puis inventer . . . la vie que nous voyons et la nôtre même, est tissue de détails qui *doivent être*, pour remplir telle case du damier de l'entendement; mais qui *peuvent être ceci ou cela* . . . J'avoue que mon sentiment et ma pratique instinctive de substitutions sont détestables: *elles ruinent des plaisirs*.'[43] Substitutions, analogies, symbols — these are the essential factors in the poetic landscapes of Valéry and Mallarmé. The ordinary everyday realities, like the ash of a cigar, the matter from which the poet produces his symbolic substitutions, his 'ronds de fumée abolis en autres ronds' [44] — these things have no importance, except as *points de départ* for the poet. When he bothers to mention them (one remembers the anecdote of the poem his admirers thought inspired by a sunset, etc., whereas his *point de départ* had, in fact, been his wardrobe!), Mallarmé uses many such: console, fenêtre, lampe, plafond, mouchoir, miroir, etc. — these are the very common-place verbal images whence begin some of his greatest poems. Valéry occasionally does the same, with: toit, ver, poussière, etc. — though less often than Mallarmé, for his material *points de départ* are usually those which are *generally* favoured by poets. On the other hand, he *does* follow Mallarmé in concerning himself mainly with the symbolic substitutions, not the objects which give rise to them. Thus when he makes use of 'ce toit tranquille' to describe the sea in the first line of *Le Cimetière marin*, it is merely to pass quickly on to other, less materialistic analogies; and by the end of the first strophe the sea has become 'le calme des dieux! '

In essaying to compare the poetic processes of Mallarmé and Valéry, one is struck by the relative absence of clearly defined technique in the former, in whom art and life are so closely fused (dare one say 'confused'?) as to be confusing for the reader; whereas Valéry, by comparison, seems rather less enterprising in this respect, less addicted to poetic 'riddles', and more consciously aware of his technique. He has more sense of *recul*. (Could this be because he was further removed, chronologically, from Poe and Baudelaire, and had had more time to digest their ideas?)

Thirdly, and finally: what is the purpose of symbolic poetry? According to Mallarmé, it is to 'suggest' and evoke an emotional response, and thereby to afford pleasure.[45] Poetry, therefore, is a communication of experience, but it must not be *personal* experience, otherwise one violates the principle of purity.[46] It is a moot point as to what impersonal experience really amounts to, and opinions therefore differ. Stephen Spender, for instance, claims that it is 'the experience of a void . . . Certain symbolist poems succeed in being "pure" because they communicate an experience which is really a void of experience, something static, lifeless and immovable. But in order to achieve this they depend on certain associations and sequences in our minds which they deliberately set out to destroy. But unless these sequences and associations existed, they would achieve nothing. There could be no "free association" if there were not a tied association [. . .] '[47] J. Charpentier, on the other hand, takes a different view by asserting that, in Mallarmé's case, impersonal is preferred to personal experience because the latter had afforded him so little success and satisfaction: ' . . . dans son effort pour sortir de la complexité de la vie, réprimer ses émotions personnelles, tarir les émotions primitives de son coeur, afin de s'enfermer plus religieusement dans une sorte de métaphysique esthétique, on dirait que Mallarmé accomplit une synthèse de ce qu'il y a de plus rare, plastiquement, dans les œuvres en vers qui l'ont précédé.'[48]

Perhaps the most illuminating writer on this aspect of the Mallarméan legacy to Valéry is, somewhat surprisingly, Charles Morgan. He writes, speaking of Valéry in particular:

> What has happened is that, whereas in other poems differing

> subjects are treated in order or are mixed, here they are, in the scientific sense of the word, 'compounded', with the purpose not of persuading the reader to this or that but of producing upon him an effect. 'La poésie n'a pas le moins du monde pour objet de communiquer quelque notion déterminée'. But 'What effect?' the reader is entitled to ask. *La Jeune Parque*, Dr. Bowra says, 'provides an experience.' Again the reader may ask: 'An experience in what kind? Was the poet's intention to communicate his own experience to me? If so, I am still confused'. The answer, surely, is No. The poet's own experience is itself a 'notion déterminée'; his object is not directly to communicate it, not so much to provide an experience as *to induce in the reader a condition of experiencing*. If this be true, the right response to Valéry cannot be an attempt to translate his symbols and apply them, to decipher them and, as it were, write them again in plain language, but so to surrender ourselves to his influence that *our own symbolism* is ennobled and liberated and we also 'have a peculiar understanding of matters of great import.'[49]

The truth is that, in most poems of both Mallarmé and Valéry, there are really *two* meanings present: exoteric and esoteric. Roger Fry called them 'literal' and 'metaphorical' [50] and his explanation of the dichotomy is illuminating: 'Every word carries with it an image or an idea surrounded by a vague aura of associations'. Now 'intellectual exposition' aims at not *stressing* the auras; whereas poetry aims at the very opposite. Mallarmé's ideal, continues Fry, is the 'cumulative effect of the auras of words' — even of common words (as we mentioned earlier). For Mallarmé, 'it was essential to bring out all the cross-correspondences and interpenetrations of the verbal images'. The result is that 'with Mallarmé the theme is frequently as it were broken to pieces in the process of poetical analysis and is reconstructed, not according to the relations of experience but of pure poetical necessity'.[51]

To sum up this all too brief inquiry into the purpose of symbolic writing, we may say that Mallarmé and Valéry were united in their belief that the aim of their poetry was to evoke, indirectly, by suggestion, an emotional response. They sought to communicate an experience of a non-personal nature — non-personal because they sought to exclude their personal life from their art. In order to get their readers to do the same it was essential that the mental associations normally made in the mind should be disrupted. Like Rémy de Gourmont, their interest was first of all in dissociation, followed by re-association on a different plane;[52] the exoteric meaning has to be dislocated to such an extent that there is possible a vision of the hidden, esoteric meaning of ordinary words and verbal groupings. 'Donner un sens plus pur aux mots de la tribu . . . ' — therein lies the very justification of poetry. By so doing, the reader's own latent powers of symbolic perception are liberated: the real meaning of Symbolist poetry is 'caught', not 'taught', and in that sense alone is it a communication of experience.

Such was the purpose of poetry. If Valéry achieved this end rather more successfully than Mallarmé, it was because his means — his technique — were more developed. He had profited from Mallarmé's mistakes.

Imitation or continuation? As we saw earlier, the question is misleading: properly speaking, it is a matter of influence rightly understood and accepted, and thereafter deliberately utilised to enhance the originality of one's own creative efforts. If one is prepared realistically to compromise, to make do with tap-water for want of distilled, to set oneself an attainable — if somewhat 'impure' — standard of purity in poetry, then the page need not remain blank. But how best to fill it? A study of the mood, technique and purpose of Symbolist poetic composition has revealed that in the writings of Mallarmé and Valéry, as in life generally, the law of evolution has played its part. Born twenty-nine years after Mallarmé, Valéry had time to take stock of the dream-like legacy of the previous generation, to examine it in the broad daylight of conscious understanding, and to evolve a more sophisticated, 'technological' method of using it. In fine, Valéry succeeded in continuing Mallarmé's work by *not* imitating him too closely, and his indebtedness to Mallarmé is one of imitation — in the best sense — *and* continuation.

Rhys S. Jones

Notes:

1 *Cahier* (1933) (our italics).

2 Letter to A. Thibaudet, *Fontaine*, VIII (1946), pp. 560-61 ('Deux lettres inédites à Albert Thibaudet sur Stéphane Mallarmé').

3 'Mais d'ordre *moral* a été surtout son action . . . Il a servi, sert encore, de conscience à quelques-uns' (*ibid.*).

4 Also, maybe, in the titles of some of his works, when Valéry probably regarded it as relatively unimportant whether he were original or not. Thus Mallarmé's *Album de*

vers et de prose finds echoes in Valéry's *Album de vers anciens* and his *Vers et prose* (1925). Mallarmé visited Oxford and Cambridge to speak on 'La musique et les lettres'; many years later, Valéry visited this country and delivered the 1939 Zaharoff Lecture on 'Poésie et pensée abstraite' — a similar formula. Mallarmé wrote *Variations*, whereas Valéry preferred *Variétés* (thinking of the five volumes). The famous *Divagations* were followed by Valéry's *Analecta*, *Rhumbs*, *Moralités*, etc. And what a Mallarméan flavour there is in Valéry's *Choses Tues*! (Cf. 'A la nue accablante tu', etc.) In such instances as these, Valéry can scarcely escape the charge of having imitated — probably out of respect.

5 Vide *Variété II*, Paris, 1929, pp. 211-234.

6 For this and subsequent quotations (unless other references are given), see *Variété*, Paris, 42e éd., 1928, pp. 97-103.

7 For Valéry, it was Poe who first stimulated interest in the notion of 'pure', symbolic poetry — *not* Mallarmé, who seems, however, to have formulated, though not too clearly, some of Poe's inchoate ideas. For fuller treatment of this, see the present writer's article on 'The Influence of Edgar Allan Poe on Paul Valéry prior to 1900', *Comparative Literature Studies*, ed. K. Urwin and M. Chicoteau, XXI-XXII (1946), p. 10 (the wartime continuation, in Great Britain, of the *Revue de littérature comparée*).

8 *Musical Taste*, Oxford, 1925, p. 27.

9 *Entretiens avec Paul Valéry*, avec une préface de H. Bremond, Paris, 1926, p. 65.

10 See, for instance, the preface to the above.

11 *Ibid.*

12 *Divagations*, Paris, 1943, p. 299.

13 *Modern French Literature*, London, 1946, pp. 15-16.

14 *Variété III*, Paris, 1936, p. 18.

15 *Ibid.*, p. 65.

16 *Poésie et pensée abstraite*, Oxford, 1939, pp. 15-16.

17 Valéry, too, knew something of this danger, and speaks of: 'cet ennui qui n'a d'autre substance que la vie même, et d'autre cause seconde que la clairvoyance du vivant. Cet ennui absolu n'est en soi que la vie toute nue, quand elle se regarde clairement' (*L'Ame et la Danse*, 12e éd., 1929, p. 52).

18 Stéphane Mallarmé, *Propos sur la poésie*, présentés par H. Mondor, Monaco, 1946. p. 81.

19 H. Mondor, *Mallarmé plus intime*, Paris, 1944, p. 219.

20 *Stéphane Mallarmé*: *Poems* (translations by Roger Fry with commentaries by C. Mauron), London, 1936, p. 39.

21 *Poésie et pensée abstraite*, Oxford, 1939, p. 6. Valéry is almost as close a student of dreams as a Freudian analyst — see, for example, *Variété*, pp. 56-57, and his delightful *Etudes* (*Variété II*, pp. 259-269).

22 Reproduced in *Variété III*, pp. 59-74, whence are taken the quotations given in this article.

23 Fairly obviously a reference, in particular, to Mallarmé. Cf. 'l'horreur des saintes huiles' and '. . . et me vois ange!' (*Les Fenêtres*), 'la lampe angélique' (*Don du Poème*), etc.

24 A certain sequence of thoughts is 'un coup de dés'; the form these thoughts assume is equally fortuitous; 'le hasard', the deity presiding over such matters, might just as easily have decreed other thoughts and, therefore, other forms.

25 Note the variation on the Mallarméan theme of 'le vide papier'.

26 Note, again, how reminiscent this is of Mallarmé: 'vaines', for instance, is a typical Mallarméan latinism, as in 'le mystère vain de notre être' (*Hérodiade*).

27 Similar claims are advanced concerning the conception of *Eupalinos*, *La Jeune Parque*, etc., and one feels a certain amount of reserve in accepting them. Could anyone be so *totally* devoid of 'preconceived *ideas*'?

28 In a Letter of 14th May, 1867, to H. Cazalis, quoted in Stéphane Mallarmé, *Propos sur la poésie*, p. 80.

29 Letter of 27th June, 1884, to M. L. d'Orfer (*ibid.*, p. 118).

30 *Variété III*, p. 16. Cf. Valéry's choice of the title *Charmes*.

31 Valéry, *Autres Rhumbs*, Paris, 1926, pp. 55-57.

32 Cf. Valéry's observation: 'Dans certaines dispositions, on trouve extraordinairement beaux des vers, qui au bout de quelques heures, ou de quelques instants, sont reconnus détestables. C'est qu'on a rêvé. Si le poète était vraiment un rêveur [significant phrase!],

comme une légende toute moderne le prétend, il est à parier qu'il ne pourrait jamais se relire sans gémir' (*ibid.*, p. 33).

33 *The Life of Childhood*, London, 1944, p. 12.

34 *Ibid.*, p. 11.

35 See *The Listener*, 11th November, 1948, p. 733.

36 In preference to the 'collective unconscious' — see, for instance, his *Integration of the Personality*, London, 1940.

37 See the Introduction by G. Turquet to A. Ellis's *Stéphane Mallarmé*, London, 1927, p. 63.

38 *Las de l'amer repos* . . . Cf. this example of Chinese 'stylisation' (the poem is quoted *in toto*) by Li Po:

> Gently I stir a white feather fan,
> With open shirt sitting in a green wood.
> I take off my cap and hang it on a jutting stone;
> A wind from the pine-trees trickles on my bare head.

(Translated by Arthur Waley, *An Anthology of World Poetry*, ed. M. V. Doren, London, 1929, p. 10.)

39 *My Country and my People*, London, 1936. This and the subsequent quotations from Chinese literature are taken from the chapter on 'The Chinese Mind'.

40 *Variété*, p. 193.

41 E.g. Mallarmé's *Une dentelle s'abolit* . . . , and the opening lines of Valéry's *Le Cimetière marin:*

> Ce toit tranquille, où marchent des colombes,
> Entre les pins palpite, entre les tombes.

42 *Las de l'amer repos* . . . .

43 *Fragments des Mémoires d'un Poème* (published as an Addendum to E. Noulet's *Paul Valéry*, Paris, 1938), pp. VIII-IX.

44 Vide *Toute l'âme résumée* . . . .

45 Or, to use his own words: 'Nommer un objet, c'est supprimer les trois quarts de la jouissance d'un poème'.

46 As H. A. L. Fisher put it: 'A sunset can be described in a guide-book, a miser can be portrayed in a novel, a statesman or a political transaction form the proper substance of a history. For this very reason no one of these phenomena has a place in pure poetry', 'Paul Valery' (Taylorian Lecture), Oxford, 1927, p. 7.

47 *The Destructive Element*, London, 1935, p. 20.

48 *L'Evolution de la poésie lyrique de Joseph Delorme à Paul Claudel*, Paris, 1930, p. 198.

49 *Reflections in a Mirror*, Vol. 1, London, 1944, p. 64 (Our italics).

50 *Op. cit.*, p. 307.

51 *Ibid.*, pp. 296 et seq.

52 See, for example, Rémy de Gourmont's *La Culture des Idées*.

THE PETRARCHISM OF MARIO LUZI

No less than all the other general terms in European critical vocabulary Petrarchism is extremely difficult to define. For although it was originally applied to a form of art imitative in the broadest sense of Petrarch's artistic manner, it later began to acquire other heterogeneous meanings, until in modern Italy its terms of reference seem to have undergone a profound transformation. Probably, however, its one stable characteristic is its deep-seated ambivalence, the fact that it mingles with the greatest nonchalance paradoxical, if not contradictory, attitudes to life deriving from the Florentine poet's complete unwillingness to adopt either a full-blooded realist or a totally idealistic view of human experience. As a result its ethos may be considered a no-man's-land of ambiguous emotional tensions, one in which psychological and sensuous impulses are carefully offset so as to produce a delicate and highly lyrical state of equipoise.

When we consider its realist trend in isolation it proves to be basically humanistic in quality and aims at evoking a fulfilled 'human' presence. Its goal, in short, is not so much an ideal of perfect womanhood as a sober representation of human dignity, grace and intelligence. Yet, although in this sense it can be regarded as a form of humanism emphasizing the values attaching to the passions, it must at the same time be acknowledged as a humanistic outlook whose purview is greatly circumscribed by a tendency towards egocentricity: one in which the poet lingers almost obsessively over his personal responses to his situations. Its idealistic trend, by contrast, derives from a felicitous combination of neoplatonic and Christian elements operating on three levels of awareness. First, on the theological plane it adumbrates a type of stilnovistic salvation as the Lady mediates between the poet and his God; then, on the ethical level it gives rise to a cult of 'social' decorum by codifying certain conventional behaviour patterns; and, finally, on the aesthetic plane it tends to become a pursuit of absolute Beauty whose revelation in recent times, it seems, depends exclusively upon a 'metaphysical' analysis of the arcana of existence. As such, the area which Petrarchan lyricism covers is at once broad and restricted; but, since these are approximately the spiritual bounds within which the term can meaningfully be used, they will conveniently serve as our guidelines in the present examination of Luzi's contribution to the tradition.

It may at first seem controversial to put so much emphasis on the content of Petrarchist verse and so little on its stylistic modes, especially since the latter have in the past been considered its distinguishing features. But in our view it was precisely the failure of early critics like Graf[1] and Vianey[2] to realize the homogeneity of the movement's spiritual aspirations that caused them to misjudge its aesthetic possibilities. Moreover, not only does such a failure explain the perplexity of Vianey before the undoubted originality of certain of the most blatant plagiarists among the French Petrarchists, but it also throws light on the nuanced, though still largely negative, attitude of a more recent critic like Meozzi.[3]

On the other hand, we do not wish to imply that from a historical standpoint stylistic features are unimportant. They are, on the contrary, particularly significant when it comes to delimiting the field of study. Perhaps, therefore, Calcaterra's definition of the Petrarchism of the Cinquecento as an attempt at a personal transcendence by individual poets of the 'stile' and 'retorica' of Petrarch himself[4] is the most fitting one for the period, despite the fact that it only formally acknowledges the movement's lyrical substance and aesthetic procedures and so tends to reduce its whole 'problematica' to a neo-linguistic level. Still, to adopt such an approach to modern Petrarchism would be unthinkable, for at least two reasons. In the first place because its present practitioners, except in a very narrow aesthetic sense, are not so interested as were the Bemboists in linguistic purity; and in the second because the inevitable anachronism of the original Petrarchan 'rhetoric' has tended to bring about a displacement of the movement's centre of gravity away from stylistic matters towards an exploitation of its analytical procedures and aesthetic refinements. Indeed, since these have been 'metaphysicized' in the process, the radical nature of the change has in some cases brought with it a reassessment of the whole tradition and even of the limits and possibilities of the human condition itself.

In the past the originality of the Petrarchists has often been called into question, but in all historical periods the genuine writers of the school have been highly perceptive poets within their chosen field. So that their allusive, memorial verse has always shown itself capable of depicting a wide variety of gradations in its responses to the somewhat conventional pattern of Petrarchan situations. Yet the fact remains that the limits of its range and depth tend to be pre-determined by the dialectical manner whereby the movement articulates itself through history, by its tendency, that is, to alternate almost exclusively between a deeply introspective form of idealism and a tenuous, though resilient and active, realism. The result is that most Renaissance and post-Renaissance Petrarchism has been strongly analytical and virtually 'self-contained' in its evolutionary trend, and it has depended much more upon a constant effort at revitalization from within than upon any infusion of new material from without.

Curiously, perhaps, it is only recently that such a limitation has been found at all inhibitory, though in the last quarter of a century it has caused a poet like Luzi to seek some way of escape from what he calls the 'concentric' circles of Petrarchism and to denounce the Florentine poet's manner as a strait-jacket in which European, and especially Italian, poetry has been confined ever since: 'Si consideri dunque quanta parte dell'esistenza è rimasta esclusa, dopo di lui, dal dominio della letteratura e della vita spirituale e si pensi quanto è costato Petrarca a chi doveva in ogni modo averlo fra i propri numi tutelari.'[5] Naturally, a love-hate relationship of this kind has had an important influence on the quality of Luzi's verse, and not only on his alone. For a self-awareness of the narrow experiential range of Petrarchism has actually filled the whole of the second generation of hermetic poets in Italy with an acute literary anguish, one which amounts paradoxically to a horror of the movement's blandishments together with a resigned acceptance of its norms. But here we are already anticipating our conclusions, so let us now turn to an examination of the evidence on which they are based.

Perhaps the most significant trend in the development of modern Petrarchism has been the separation of its idealistic and realist tendencies. The break, of course, has not been total, otherwise it would have amounted to the dissolution of the movement itself. But it has been sufficiently apparent, for instance, to reveal that, whereas the French symbolists tend to conform in their Petrarchist verse to a kind of cerebral idealism, the Petrarchism of the modern Italian poets tends much more towards an 'ideative' realism, a term we shall define more closely in a moment. Now why should this 'polarization' have taken place? Probably because the cult of the 'pathetic fallacy' in France during the romantic period (Italy had no comparable movement, be it remembered!) was so intense that it overwhelmed the realist and humanistic elements of the classical tradition altogether. As a result the symbolists, and notably Mallarmé, took up an uncompromisingly idealistic and metaphysical attitude towards existence and postulated a super-existence in a region of neoplatonic essences. As part of this super-existence Woman was either suppressed as a human 'presence' entirely or else was relegated to the function of a mere trigger mechanism (see *Autre éventail*) for the purpose of initiating a ritual flight of fancy into a sphere of pure, aesthetic creativity. In fact, since her ideal 'absence' is presented in symbolist writing in allusive, musical terms, she normally seems suspended in a world of idealistic contemplation. And, as such, she becomes at most a distant aesthetic dream whose absoluteness is described in imagery so personal and involuted as to border at times on the limits of intelligibility.

Moreover, since their contemplation of her tumultuous 'absence' always caused the symbolist poets to soar towards a world of perfect forms, it was only natural that their subsequent return to reality after their inspiration had waned would prove to be a deeply traumatic experience. Baudelaire, as the first to undergo it, describes it crudely as 'un coup de pioche dans l'estomac',[6] while even with Valéry the shock is hardly less intense, despite the fact that it acquires in the meantime a decadent and intellectualist flavour. Hence in *Le cimetière marin* he exclaims wearily at the end of a period of deep meditation:

> Le vent se lève . . . il faut tenter de vivre!

Oddly, the symbol of the wind used here as a means of indicating the moment of reawakening from the dream to reality has greatly attracted modern Italian poets; but, since they are realists and not idealists, the wind's waywardness acts in their imagery more as a spur to self-consciousness, as a way of bringing sharply into focus the realities confronting them, than as a symbol of the termination of their inspiration.

Although then it may at first seem ironic that the cult of Petrarchism in modern Italy—its original homeland—should have been initiated and stimulated by the 'borrowed' plumes of the French tradition, we have to bear in mind two important mitigating circumstances: firstly that Petrarchism has long since become a European rather than a specifically Italian or French manifestation, and secondly that the practice of the modern Italian hermetic poets, far from being slavishly imitative, has dramatically changed the perspective of their French models; for they have infused into the symbolists' rarefied neoplatonic atmospheres a strong dose of Italic realism. In this regard their procedures not only prove to be part and parcel of the twentieth century reaction against the sentimentality of the romantics, but are also a sensuous reassessment of Mallarmé's speculative aestheticism which grew out of it.

Their method of transforming symbolist aesthetics was two-fold, partly a process of assimilation and partly one of innovation. In particular they first took over and then refashioned for their own purposes the two dominant stylistic techniques pioneered by the symbolists, namely, the analogy and the correlative objective. The latter (which indeed remained implicit in symbolist aesthetics until Eliot formally enunciated it) has perhaps been the more modified of the two. It is nowadays called by the Italians 'la poesia delle cose' and consists of word pictures involving series of symbolic aggregates in lyrical equilibrium. The technique is a fundamental one with Montale and with the later Luzi,[7] but perhaps at this point it will be more instructive for us to examine the modifications which the analogy has undergone as a result of the Italian hermetic poets' changed optical view of the world. In general the poet who has mediated between the French and Italian usages of this device is Giuseppe Ungaretti.

With Baudelaire and the French symbolists the analogy

normally turns out to be a true 'correspondance'. It can only be operative, that is, if the traditional dichotomy between Being and Existence as propounded by the Platonists is held by the poet as an article of faith; because the device itself is intended to be a kind of metaphysical probe, invented specifically to establish an emotive link between the real and the ideal worlds. Hence many French examples of 'correspondances' express an open yearning for an 'au-delà' lying outside the human condition altogether, as is the case with the following well-known Baudelairian line:

> Notre âme est un trois-mâts cherchant son Icarie . . . [8]

A similar yearning is by contrast rarely found in the analogical writing of most Italian poets. They do not tend to use the loaded term 'correspondance' at all, but are content with the simpler analogy. With them, far from being a metaphysical probe, the device proves to be a powerful interpretative instrument, used mainly for the purpose of clarifying, while at the same time intensifying, their immediate sense impressions. An apt illustration appears in the following lines from Ungaretti's poem *Silenzio in Liguria:*

> Una carnagione lieve trascorre.
>
> Ed ella apre improvvisa ai seni
> La grande mitezza degli occhi.

One need hardly labour the point that each one of these analogies is wholly devoid of neoplatonic mysticism. This type of mysticism is instead replaced by a sensuous type, one which results from the very complexity of the sensations evoked, in a manner frequently advocated by Leopardi. We can thus see that Ungaretti and the other modern Italian poets have grafted French artistic innovation on to the perennial Italian tradition of Petrarchism. They have done so by creating 'ideative' images instead of 'idealistic' ones, the ideation being in this sense an image which is both sensuously and conceptually adherent to the reality of the poet's experiences.

It follows that we shall normally expect to encounter adherent lyrical transfigurations of reality in hermetic verse, not a series of transcendences of it. Yet in spite of the fact that the first generation of hermetic poets, notably Ungaretti and Montale, brings the symbolist Muse down to earth, much of their imagery still remains highly involuted. The reason is that they adopt the typical Petrarchan mannerism of always seeing the world associatively through the memory, and their associations prove to be so complex that they are difficult at times to interpret. In saying that their poetry is memorial, however, we do not wish to imply that it is exclusively concerned with the past, but simply that their verse—like that of the Petrarchists of earlier traditions —is immersed in an atmosphere of memorial grief. Luzi himself insists that the basic element of most hermetic lyricism is the poet's recollection of the absoluteness of his individual 'dolore'.[9] In fact, he even goes so far as to assert that this above all is responsible for the movement's characteristic elegiac tone.

Ungaretti seems to be the first to show a keen interest in the modalities of remembrance among the hermetic poets.[10] He considers that man possesses two memorial faculties, the active and the passive; and in his own verse he rejects the passive form of facts and mechanical processes for the active memory which receives its stimulation from the imagination. Eventually he also associates memory with Death, so that even the process of dying becomes an active ingredient in life for him, and proves at length to be the secret stimulus behind his art. As Death's atavistic pressures sharpen his vision, he manages to commune more directly with the lyrical 'voice' of the Italic tradition, and by cultivating its secret inflections he soon finds himself able to remodulate the poetic melodies of the past so as to fit them to the particular exigencies of his own time. As we should expect, Ungaretti normally depicts himself as standing awe-stricken before the closed world of the past whose lyrical intonations he cannot hope to equal. But, even so, he does not despair of assimilating its modes and using them as a poetic matrix on which to base his own emerging melodic forms:

> Memoria, fluido simulacro,
> Malinconico scherno,
> Buio del sangue . . .
>
> Quale fonte timida a un'ombra
> Anziana di ulivi
> Ritorni a assopirmi . . . [11]

Involuted though the images are in this passage, in the light of Ungaretti's aesthetic principles their meaning becomes quite clear. Since the poet hopes to bring about a personal form of poetic 'liberation' by memorial association alone, the recapturing of the 'atavistic' melodies of the tradition will henceforth prove to be the dominant preoccupation of his life.

Broadly the same view of the memory is adopted by Montale, except that he is prepared to use both the passive and the active forms in his verse and even associates ethical attitudes with each of them. Hence he likens the static 'reliquiario' of his dead memories to a state of 'noia' or damnation, while his 'talismans' and 'emblems' on the other hand offer a promise of salvation. The result is that his past has constantly to be revivified by the active memory and given lyrical grace through its associative alchemies. The whole doctrine is summed up in *Voce giunta con le folaghe:*

> Memoria
> non è peccato fin che giova. Dopo
> è letargo di talpe, abiezione
> che funghisce su sé . . .

From this we can deduce that Montale sees reality in a virtually bifocal manner. In the first place it confronts him as a metaphysical entity whose very existence is absurd, and in the second he views it as a gratuitously given base on which the artist may build up a nexus of human relationships having their own intrinsic validity.

Perhaps what links Ungaretti and Montale together is a deep-seated experiential outlook on life which causes lyrical catharsis to be brought about wholly through the agency of existential suffering. Consequently the more absolute their feeling of anguish at first proves to be, the more consolatory and redemptive it is in the end. But as a convinced Christian attached to a doctrine of divine Grace Luzi can hardly accept a simple philosophy of emotive and aesthetic redemption. So he tries instead to replace the 'absoluteness' of his predecessors' suffering with a relative condition of hope, and he insists that 'la consolazione che proviene dalla memoria e quella che proviene dalla speranza sono due opposte consolazioni, *ab imis*, per cosí dire, *et a supernis*, chiusa l'una nell'eternità della sofferenza e sollevata dal rimpianto l'altra per cui il dolore è transitorio nei suoi netti confini, nel suo chiaro profilo'.[12] In other words he expresses the view that modern Petrarchism has been cut off from the rejuvenating hope of Christianity and so gravitates downwards towards a state of unrequited anguish and alienation. He thus feels it his clear duty to reintegrate the element of hope into its lyrical texture in order to transform its dominant tone of despair into a temperate Christian serenity—though without abolishing the associative rôle of the memory on which the poet's suffering feeds. True, in a relatively early work *Biografia a Ebe* (1942) he still sees the world in neo-Montalian terms and divides life up into two mutually exclusive states of 'stasi' and 'estasi'. But his basic attitude is nevertheless much less pessimistic than the earlier poet's; and so, whereas Montale's memorial procedures eventually sink down towards the inertia of the passive memory, Luzi's are normally redeemed by an allusive Ungarettian flash of colour, one which suffuses his figures of grief with a shadowy joy and links them with the secret unfolding of the lyrical tradition. In the following lines, for instance, hope and maturity are reconciled in a kind of memorial incense:

> Il sorriso s'addensa nelle rughe
> e le tue mani cercano la notte
> lungo lenti cristalli, un gregge sfuma
> d'incenso in nostalgia d'alpi e di grotte.[13]

Admittedly, his surrealist effects here once more contain poignant elements of suffering, but they are now largely overlaid by a feeling of serenity and self-fulfilment.

In Luzi's first collection *La barca* (1935)—the very title of which indicates that the poet is about to start his life's voyage on the uncharted seas of existence—we perceive at once how easily he moves within his orphically conceived world of tenuous memorial hope. His hope, though undoubtedly of religious origin, is not however firmly based on a dogmatic theological system like Dante's. If it were it would, of course, tend to take the poet out of the Petrarchan tradition altogether, because none of the existential doubt which dogs Petrarch's steps troubles the poet of the *Commedia*. It is, therefore, a hope emergent from sorrow, one which, while not being all-consuming in Luzi's particular case, he can still share with his 'lay' predecessors. Its chief characteristic is that it tends to subordinate religious feelings to aesthetic ones, and in his verse it normally shows itself as a sensuous promise of fulfilment wrought from orphic and even sexual stimuli. A typical illustration is the poet's atavistic meditation on the secret racial attractions of Florentine maidens in the following lines:

> . . . noi andiamo con la volontà di Dio dentro al cuore
> per le strade nel lieve afrore
> delle vostre stanze socchiuse,
> nell'ombra che sommerge le vostre pupille deluse.[14]

Later he further develops this type of atavistic dream in his second collection *Avvento notturno* (1940) by associating it with a creature whom Macrí describes as 'il demone della fanciulla'.[15] The result is that in the imaginative texture of poems like *Giovinette* we see the very troubled desires of youth treated in a mystical, though sensuous, stilnovistic manner. For the tender passion of his young girls not only proves to be a means of assuaging the poet's thirst for experience but also points the way to his attaining a state of psycho-sensuous beatitude:

> Voi siete la tepida figura del nostro dolore,
> sulla terra dolce
> d'alimenti al vostro tenue rossore
> voi passate col sorriso che ci opprime
> . . . .
> E nelle vostre calde mani odora
> tutta la fuggevole
> corona delle nostre passioni, mentre ognuna
> porta il dolore della giovinezza.

Here, however, it is to be noted that the poet's 'dolore', far from being simply a part of his spiritual make-up, colours the whole spectrum of his life; and, as such, tends to be every bit as absolute and as all-consuming as Montale's or Ungaretti's. Even Luzi himself seems to have suspected as much, so that in subsequent poems he tries to widen his horizons and escape from his narrowing Petrarchan prison into a broader mythological climate.

One of his earliest attempts to do this is found in the lyric *Avorio*, which in miniature possesses a truly epic framework. At first it has an exceedingly wide experiential range, but towards the end it also reverts to type, showing us once again that the poet is as yet incapable of conceiving any form of 'salvezza' which is not 'inerente al proprio dolore'.[16] In reality the opening lines should themselves give us pause, because a typically hermetic and metaphysical effect is woven into the landscaping in the form of a 'cipresso equinoziale'; and its very presence seems to weaken the otherwise all-pervasive instinctual note:

> Parla il cipresso equinoziale, oscuro
> e montuoso esulta il capriolo,
> dentro le fonti rosse le criniere
> dai baci adagio lavan le cavalle.

Yet despite the refined D'Annunzian sensuality of the adjectives the basic scene is a spiritually promising one, and the poet succeeds in widening his horizons still further in the next lines by presenting us with a virtual surrealist tableau co-involving nature, man's social environment and his religious aspirations:

> Giú da foreste vaporose immensi
> alle eccelse città battono i fiumi
> lungamente, si muovono in un sogno
> affettuose vele verso Olimpia.

Now indeed not even Luzi's young girls seem any longer to be depositories of orphic and sexual mysteries but offer a frank erotic pleasure as they peer at the passer-by from oriental market-places:

> Correranno le intense vie d'Oriente
> ventilate fanciulle e dai mercati
> salmastri guarderanno ilari il mondo.

Yet oddly the poet begins at this point to withdraw once more into his Petrarchan shell and makes a virtue of his alienation and despair. Immediately the hope implicit in his earlier images of vast forests, rivers and 'eccelse città' is turned to anguish. Equally his style becomes involuted and tormented in the typical hermetic manner; and, finally, even his lovesong dies away on his lips, as his emotion is changed into a rock-like substance reminiscent of a stock Petrarchist image-pattern:

> Ma dove attingerò la mia vita
> ora che il tremebondo amore è morto?
> Violavano le rose l'orizzonte,
> esitanti città stavano in cielo
> asperse di giardini tormentosi,
> la sua voce nell'aria era una roccia
> deserta e incolmabile di fiori.

Despite its mythological elements, therefore, this whole poem does not seem in the end to be a valid attempt to escape from lyrical introspection at all, but amounts simply to a juxtaposition of a state of calf-love and disillusionment. Needless to say, both these themes remain well within the orbit of a traditional Petrarchism.

Again in *Un brindisi* (1946) Luzi shows all the signs of revolting against the dominant Petrarchan strain of the hermetic movement. He now feels certain that the traumatic experience of war is about to widen dramatically the scope of his lyricism; and, even later in retrospect, he judges the collection to stand as 'una prefigurazione, tra allucinata e orgiastica, del dramma della guerra che mette a soqquadro il falso olimpo o giardino di Armida in cui molti credevano di vivere'.[17] Unfortunately the overall effect is quite the reverse: for, far from striking a broad 'epic' note, the poet reveals that he has sunk still further into a world of conscious suffering and self-analysis. Moreover, it is a world in which his female companions, having in the meanwhile attained maturity and lost their adolescent romanticism, also fully share. Because, as they move from youth to adulthood, they too seem to shed their orphic potentialities and to become victims of the same anguished sense of alienation as the poet himself:

> Fra le rose d'Armida un guerriero è sfiorito,
> sotto i salici cupidi di vento
> una donna dagli occhi troppo grevi
> piangeva il suo passato indifferente . . . [18]

Equally we note a change of quality, perhaps even a slackening, of the imagery in this collection, despite the continued practice of telescoping myths. But although we might consider the above allegory as somewhat facile, the main artistic danger at present is the poet's increasing mimetic activity. In fact, imitation, as we should expect, proves to be as endemic in modern Petrarchism as it was in the earlier Renaissance tradition. It is consequently not a practice peculiar to Luzi alone, but one which the whole of the second generation of hermetic writers has to come to terms with. In the work of the lesser poets it often degenerates into mannerism, though perhaps mannerism of a novel type. It no longer consists of adapting to one's own purposes the rhetoric of traditional Petrarchism, for with the passing of time the latter has become largely anachronistic: it involves instead a refined game of ringing the changes on the imagery and occasionally even on the aesthetic precepts of a number of established writers of the modern period, whether their work puts them wholly within the Petrarchan fold or not.

As we might anticipate, there are again many gradations in the approaches of the various poets to the problem of imitation and Luzi himself practises it in a skilful and restrained manner; but, even so, the list of his models now proves to be a long one, because in his quest for telling literary reminiscences he ranges over the whole of modern European literature. Among his chief sources we can include Hölderlin, George, Mallarmé, Ungaretti, Montale and Eliot, and especially the last two. Evidently the difficulties of assessing the poet's originality within such a scheme of things are great; but, as was the case with traditional Petrarchism, the cult of imitation in the modern school can take two distinct forms: it can either amount to the creation of a positive lyrical reminiscence deepening the resonance of a poetic line (and Eliot was a master in this field) or else it can degenerate into what Leonard Forster has recently called a 'five finger exercise'.[19] As a rule the latter type of reminiscence is rare with Luzi, although perhaps the following line approaches it, since it appears to be based on a well-known image of Cardarelli's:

> . . . il nero del suo sguardo di rondine tramortita . . . [20]

Much more frequently, on the other hand, his images turn out to be complex reminiscences, so that in the following case, for instance, the basic situation seems to have been drawn from Campana's *Giardino autunnale* but is then immersed in a D'Annunzian and Montalian atmosphere:

> . . . spazia un fiume
> color delle tue vene sulle ghiaie
> levigato dal vento . . . [21]

In reality Montale—through whom most of Luzi's D'Annunzian reminiscences are filtered at this stage—will henceforth become the presiding genius in his artful recourse to literary reminiscences; and his symbolic influence will be particularly felt in the aggregates of objects making up the lyrical texture of poems like *Donna in Pisa*, the last two stanzas of which present the problem of hope and damnation in specifically Montalian terms:

> E talvolta era incerto chi tra noi fosse assente:
> spesso vedevi i limpidi tornei

snodarsi nelle vie sotto i soli d'inverno,
tra logge, tra fiori fumidi e il gelo
delle mura sospingere i trofei
nella luce d'averno.

Donna altrimenti — e niente piú simile alla vita —
calda d'impercettibili passioni
velata da un vapore di lagrime ideali
nel vento, sui ponti ultimi al fuoco
delle stelle apparivi dai portali,
dietro i vetri di croco.

Evidently, it would be futile to deny the aesthetic quality of this composition simply because it is the result of a kind of literary eclecticism. For no more than *Giovinette*, whose theme it amplifies and deepens, can it be said to be a mere lyrical exercise founded on the 'rhetoric' of the hermetic tradition. Indeed, what it really highlights is the modern Petrarchist's ability to absorb and appropriate a complex set of reminiscences in a manner no less effective than that of his Renaissance predecessors.

Once again a significant change takes place in *Quaderno gotico* (1947). Despite the fact that Luzi continues outwardly to practise his Petrarchan manner, a 'dissidio' now grows up between it and his rebellious sensibility which eventually reaches a point of crisis. At this juncture his lyricism has in fact been steeped in all the memorial features of the cult, so that here, as perhaps never before, he carries over into the present an absolute feeling of grief and inadequacy originating in the past and resembling in his case a constant awareness of original sin. As a result, all the expressions of joy we shall henceforth encounter in his verse will be locked into the hermetic forms of Montalian fetishes and talismans; while even the Lady whom the poet now addresses will gradually disintegrate into a metaphysical absence, accessible only through a Proustian cult of the insignificant but memory-provoking objects of everyday life, in a way not unlike that practised by Montale in his re-evocations of Clizia in the *Mottetti*. Indeed, the point is all too apparent in the following lines:

Ah tu non resti inerte nel tuo cielo
e la via si ripopola d'allarmi
poiché la tua imminenza respira contenuta
dal silenzio di lucide pareti
e dai vetri che fissano l'inverno.

> Camminare è venirti incontro, vivere
> è progredire a te, tutto è fuoco e sgomento.[22]

So much so that we could almost say that Luzi's poetry is now a generalized version of Montale's particularized case history.

As the poet begins to indulge in such intangible relationships, he is not unexpectedly overcome by a doubt as to his ability ever to escape from his narrow literary world. In the end he concludes that he can only effectively do so by re-synthesizing his sensibility; so that from here on his principal aim becomes one of mitigating his 'condizione di prigioniero' by adopting an attitude reminiscent of Gide's doctrine of 'disponibilité'. At first he really believes it possible to make himself a 'Mario irraggiungibile da me stesso'.[23] But he soon discovers that in his case desire and regret are just different sides of the same coin; and after such a realization his anguish becomes more intense than ever, because his original existential despondency is closely paralleled by a hitherto only vaguely suspected literary anguish. Yet although the problem of breaking out of the 'concentric' circles of Petrarchan inspiration now seems more insoluble than ever before, Luzi is too Christian a poet to allow himself to sink into a state of Montalian despair. Hence his attitude, even when imitating most closely the former poet's lyrical procedures, is one of sorrowful resignation rather than one of nihilism. As such, his moods still retain a residual feeling of joy which keeps our hopes alive for some eventual regeneration.

Still, perhaps it is from the artistic standpoint that our hopes are best satisfied in *Quaderno gotico*, since the collection is noteworthy for having at last consolidated Luzi's characteristic landscapes. True, most of them are still contained within the compass of Montale's symbolic aggregates, but now they are generally assimilated into a personal tone. Actually the point is best illustrated in Luzi's next collection *Primizie del deserto* (1952), because here the cult of predominantly Montalian imagery is combined with other effects, one of the most significant of which is a reversion to the pre-Montalian style of Rebora, suggested by the introduction into his melodic line of a harsh word-music consisting of a subtle interplay of gutturals, plosives and sibilants:

> Il vento è un aspro vento di quaresima,
> geme dentro le crepe, sotto gli usci,

> sibila nelle stanze invase, e fugge;
> fuori lacera a brano a brano i nastri
> delle stelle filanti, se qualcuna
> impigliata nei fili fiotta e vibra,
> l'incalza, la rapisce nella briga.[24]

Such imitation is, of course, not only a clear demonstration of the extremely refined literariness of modern Petrarchan practices, it also shows the complexity of contemporary mimetic techniques. It is indeed Luzi's thesis that regeneration can only be realized through a type of progressive deepening and broadening of the tradition, so that henceforth we shall have to judge his lyrical achievements in this light.

First of all we have to admit that there is a negative side to his experimentation. Juxtaposed with his subtle transformations, we again find the cruder imitative techniques of Petrarchism in this and the next collection *Onore del vero* (1957). In fact, in the latter 'five finger exercises' on images taken from Montale and Eliot are to be found at every turn. Imitation, moreover, is not confined to imaginative reminiscences but often amounts to the absorption of these poets' entire atmospheres. A short quotation from *Piacere* will at once show how closely Luzi adheres to Montale's outlook and lyrical inflections at this stage:

> Ma il supplizio è senza fine
> quando si pensa della vita
> ch'è solo vile se non è crudele.[25]

On the other hand, despite this virtual plagiarism direct imitation of other writers' work is not the most disturbing feature at the present juncture. Much more disturbing, we feel, is what Pozzi describes as Luzi's 'regressiveness',[26] the principal feature of which is his gradually increasing tendency to practise a kind of self-mimesis.

One need hardly reiterate that such a temptation has always been present in the work of the Petrarchists, because all of them tend to create their own adaptive tics and mannerisms when they are engaged in the process of absorbing and assimilating the rich undercurrent of memory and association occurring in the work of their predecessors. As time goes on these mannerisms normally loom larger and larger, so that frequently we perceive in Luzi's recent lyrics a type of 'recupero' of his earlier modes of imitation. We might even describe the practice as a dual process of imitation, amounting in the first place to mimesis of his own dominant imagery, a practice originating in modern times in Gozzano, and then in the second to the mediation of other poets (mainly Montale) at one stage removed. Fortunately, most of these 'recuperi' have one important saving grace: they are treated in a relaxed existential manner rather than in the poet's earlier tense emblematic style; and this endues them with a humble, intimistic note characterized, for instance, by the choice of certain familiar sights and objects like the catwalks and drunks in *Nero:*

> Il vento degli abissi neri e viola
> agita gli orti risecchiti, porta
> il gemito per le vie dei gatti,
> sbatte le imposte sconficcate, fuori
> delle pareti chi s'attenta vede
> il vento, la lanterna, gli ubriachi.

The particularity of the scenery here and its almost Govonian lack of preconceptions should not be underestimated, even though the most cursory comparison of the text with the one quoted previously from *Nella casa di N. compagna d'infanzia* shows that there is a marked tendency to reproduce the same prosodic and the same imaginative effects. Yet, on the other hand, the fact that the dangers inherent in such a practice are at last beginning to be overcome must not be overestimated.

Later, this incipient relaxing of Luzi's emblematic style develops further, proving that he is no longer obsessively concerned with 'absolute' Petrarchan or Montalian situations. The point becomes even more self-evident when we read the existential and humanistic concessions to life present in poems like *Come deve:*

> La vita come deve si perpetua,
> dirama in mille rivoli. La madre
> spezza il pane tra i piccoli, alimenta
> il fuoco; la giornata scorre piena
> o uggiosa, arriva un forestiero, parte,
> cade neve, rischiara o un'acquerugiola
> di fine inverno soffoca le tinte,
> impregna scarpe ed abiti, fa notte.

For although it may possibly be claimed that we can read residual emblematic implications into the climatic changes mentioned here, it is at the same time perfectly clear that the poet is now coming to grips with a new kind of realism, one which neither depends to any large extent on the memory nor on any preconceived cult of religious hope for its effects.

In so far as such a trend takes cognizance of the whole range of human experience and does not confine itself to reflecting the limited responses of the 'inner' man, it may well again be described as Dantesque rather than Petrarchan in quality. But Luzi is at pains not to move outside Petrarch's orbit altogether, since this might involve him in the acceptance of another 'ideology' and impose yet another set of restrictions on his gradually emerging sense of artistic 'liberty'. All that we can say is that a broad but non-doctrinaire religious fervour underlies but does not obtrude into his present humanism, and that it is this fervour, together with his Petrarchan feeling for artistic continuity, that leads him to distinguish sharply between his own prescriptions for the renewal of poetic forms and that of the *avanguardia*. Thus, although Cherchi has recently described both his and Parronchi's manner as that of 'linguaioli' when compared with Pasolini's well-known 'sincretismo linguistico',[27] before taking such a label in too prejudicial a sense we should perhaps give a hearing to the poet himself and look more closely at the independent line he adopts vis-à-vis the post-war militants. On the distinction between his view and theirs he writes: 'Il fatto è che le (nostre) strade alla conquista di un'espressione oggettiva divergevano profondamente: io pensavo di poterle indicare nell'agitarsi e nell'annullarsi della passione individuale in seno alla fenomenologia della natura e dell'umano, nell'agitarsi e annullarsi della volontà individuale in seno alle proposte di un'etica endemica e cioè religiosa, nell'agitarsi e annullarsi del linguaggio individuale in seno alla lingua che contiene, come elementari tesori, i modi del naturale sentire e metaforizzare della gente e i loro sviluppi e la loro tradizione inventiva che i grandi scrittori hanno idealizzato. In una nazione civile codesta lingua esiste; e non è né letteraria né popolare; è il frutto di un continuo intercambio; è l'espressione della natura di un popolo e della civiltà che su codesta natura si è costituita e continuamente si costituisce'.[28] Evidently Luzi is asserting here that stylistic appropriateness and lyrical depth go hand in hand. So, whereas he realizes the necessity for opening up in the post-war world the involuted hermetic image and for incorporating into it a powerful humanistic charge, he still claims that in any given time or place there is a *juste milieu* in stylistic innovation which one only oversteps at one's peril. In other words he tends to retain in his new humanistic mood all his previous Petrarchan reflexes in respect to artistic practice and insists that post-war poetry should continue the pre-war cult of aesthetic refinement and homogeneity of subject-matter, at least to a certain extent. For this reason he criticizes the *avanguardia* for its excessive heterogeneity, for its rupture of the tradition, and for its reduction of lyrical tension to a meaningless kind of materialistic fetishism. In place of their so-called method of 'collage filologico',[29] he thus strongly advocates a reborn classicism based on a broad, but artistically controlled, humanistic outlook.

In all essentials what he is suggesting is that the modern poet should consider himself to be a sounding-board, an 'écho sonore' of all those cultural harmonies latent in an advanced civilization; and we can actually see such an attitude taking shape in his last two collections, *Nel magma* (1963) and *Dal fondo delle campagne* (1965), especially in the former.[30] As its very title *Nel magma* implies, Luzi is trying in this volume to come to grips with the raw tensions of human 'convivenza' by representing them in a series of confrontations between himself and his boyhood friends and acquaintances. During them he throws into relief the persistence of a continuing human bond despite all the vicissitudes of life and the moral and social inequalities of his protagonists. But here again, while a broadening of his lyrical subject-matter and a closer adherence to the realities of life definitely take place, the poet still does not completely cast his psychological Petrarchism overboard. He seems instead to be trying to make a refined and rare synthesis of the epic and lyrical strains inherent in the Italian poetic tradition, and thereby to demonstrate that a modern introspective humanism wedded to a wider, religiously orientated, philosophical background is by no means an impossibility in present circumstances. Hence he now makes a conscious effort to replace what he calls 'la mimesi senza perché né come'[31] with 'un attimo di comunione piena'.[32]

In a recent book Marvardi has pointed out the presence of a similar doctrine in Petrarch himself. The distinction he makes is one which contrasts sharply the elements of 'local' and 'general' religion in the Florentine poet's work; and he claims that, whereas the first quickly leads to a form of dogmatic neoplatonism largely inimical to poetry, the second goes far to provide a valid form of lyrical 'liberation' consisting of a 'figurazione della libertà umana come divina provvidenza'.[33] Now this is also Luzi's intention, and when we consider it against the general background of the post-war period, we soon form the opinion that he has interpreted Quasimodo's slogan of 'rifare l'uomo' [34]in a narrower, but perhaps artistically more viable, sense than the former writer himself. For while he certainly agrees with Quasimodo's thesis that it is necessary for post-war poetry to acquire a wider basis of experience, he insists that such a basis should be obtained through a broadening down of the previous tradition. In fact, the poet by no means approves (as a recent selection of essays *Tutto in questione* (1965) shows) of the *avanguardia's* all-devouring but largely fragmented sensibility, since he considers that it stresses content so much at the expense of form that the poetry it produces tends to resemble a cosmopolitan cocktail of undigested reminiscences. Even if it does aim, therefore, like his own work at a synthesis of the traditional Dantesque and Petrarchan trends in Italian culture, it seeks to do so *quantitatively*, by means of a compilation and insignificant juxtaposition of all the dominant themes and sensations of the modern world. In its place then Luzi proposes a more sober approach to the problem of the tradition and adopts an attitude based on its continuance but ultimate regeneration by subtle innovation from within.

How close such an outlook is to a traditional Petrarchism will at once be clear from our previous definitions. But like all the genuine poets making up the second generation of hermeticism, Luzi uses the Petrarchan modes of memory and association primarily as a means of clarifying and maturing his sensibility. It cannot be too strongly emphasized that he is an 'emulator' rather than a mere 'imitator' of his models and that throughout his career he has constantly striven to work through them towards an authentic, though perhaps as yet not thoroughly exploited, form of humanism. In effect, the development of his verse has broadly speaking been two-fold: he moves away in the first place from an original Mallarmean idealism touched with an 'orphic' Ungarettian note towards a transitional Montalian state of emblematic assertiveness and desperation. Then, more recently, he learns how to free himself from the fetters of this absolute emblematic world and to concentrate his attention on the human and aesthetic grace arising spontaneously within civilized societies, which he considers the quintessence of our cultural heritage.

Even so, as we have stressed, the 'brave new world' which Luzi has fashioned from the aftermath of the war has also been encompassed in the widest sense by a modified Christian outlook; yet his Christianity has never been external to his inspiration, as it has in so many other cases, because he feels that it is only within its all-pervading atmosphere that his two basic concepts of 'dolore' and 'speranza' can be reconciled. Since such reconciliation now takes place in the present, the poet's latest attitude loses much of the transcendental and memorial superstructure implicit in his earlier one. This gain has most probably resulted from one of his most important realizations of his maturity, from his grasping of the fact that true poetic catharsis is the product of a sense of fulfilment, that it arises from the fulfilment of the personality as it unfolds in its contingent circumstances; and that it can never be the result of a neoplatonic attempt to transcend the limits of the emotions, either through an act of faith or intellection.

As we have shown, the first hint that a new attitude to life is crystallizing in the poet's mind is of a technical nature. It becomes apparent in the stylistic transformation of Luzi's 'paesaggi' from emblematic to existential descriptions. The progressive relaxing of his manner that such a technique has brought about augurs well for the future and accounts for Pozzi's remark that nowadays the poet is struggling with the difficulty to 'far coincidere il luogo *ideale* della sua poesia con un paesaggio *reale*'.[35] This problem is indeed a perennial one for Petrarchist poets, yet despite the fact that it has been restated in the clearest artistic terms in *Nel magma*, it still perhaps remains for Luzi to exploit his new method to the full and endue his present highly receptive poetic style with a deeper and more satisfyingly humanistic resonance.

Frederic J. Jones

Notes:

1 See A. Graf, 'Petrarchismo e antipetrarchismo', in *Attraverso il cinquecento*, Loescher, Turin, 1888.

2 J. Vianey, *Pétrarquisme en France au seizième siècle*, Montpellier, 1909.

3 A. Meozzi, *Il Petrarchismo europeo*, Pisa, 1934.

4 C. Calcaterra, 'Il Petrarca e il petrarchismo', in *Problemi e orientamenti critici di lingua e di letteratura italiana*, Milan, 1949, vol. III, passim.

5 See M. Luzi, *L'inferno e il limbo*, Florence, 1949, p. 22.

6 These words appear in the prose poem *La chambre double* which is itself a deeply neoplatonic poem.

7 For an analysis of Montale's symbolic aggregates, see my article 'La linea esistenziale dell'arte montaliana', *Quaderni del Cenobio*, 30, 1963.

8 From *Le voyage*.

9 Luzi actually contrasts the 'lay' attitude of the first generation of hermetic poets with his own religious one, affirming in the words of the Abbesse de Soulesme that 'la sofferenza ha solo una bontà relativa e presa in prestito; è un mezzo non un fine'. By contrast he considers that the modern Petrarchists regard it as an all-absorbing phenomenon and hold that 'il dolore è eterno, non limitato a un'accezione, a un momento dialettico dell'essere'. (From *L'inferno e il limbo*, pp. 13 and 18.)

10 See 'Ragioni di una poesia', *Inventario*, 1, 1949. This article, however, was first published in the early twenties.

11 From *Alla noia* in *Sentimento del tempo*.

12 From *L'inferno e il limbo*, p. 15.

13 From (*esitavano a Eleusi i bei cipressi*).

14 From *Canto notturno per le ragazze fiorentine*.

15 See O. Macrí, 'Le origini di Luzi', in *Palatina*, 19 (1961), p. 9.

16 In *L'inferno e il limbo*, p. 27.

17 In *Il giusto della vita*, Milan, 1960, p. 258.

18 From *Il brindisi*.

19 See L. W. Forster, 'European Petrarchism and poetic diction', in *Italian Studies*, XVIII (1963), p. 29.

20 From *Piacere*. The Cardarellian image reads: Nel sangue che ha diffusioni / di fiamma sulla tua faccia,/ il cosmo fa le sue risa/ come nell'occhio nero della rondine. (From *Adolescente*).

21 From *Fenice*.

22 From *Quaderno gotico*, 11.

23 From *Quaderno gotico*, 1.

24 From *Nella casa di N. compagna d'infanzia*.

25 The Montalian original reads: La vita è questo scialo/ di triti fatti, vano/ piú che crudele. (From *Flussi*).

26 See G. Pozzi, *La poesia italiana del Novecento*, Turin, 1965, p. 254.

27 L. Cherchi, in *Poesia e critica*, 4 (1963), p. 64.

28 In Luzi's preface to a choice of his poetry in G. Spagnoletti, *Poesia italiana contemporanea*, Bologna, 1959, p. 646.

29 The phrase is A. Balduino's, in 'Appunti sulla poesia di Sanguineti', in *Letteratura* 76-7 (1965), pp. 69-79, passim.

30 The poems of *Nel magma* were written after, but published before, those of *Dal fondo delle campagne*.

31 From *Presso il Bisenzio*.

32 From *Nel caffè*.

33 See U. Marvardi, *La poesia religiosa del Petrarca volgare*, Rome, 1961, p. 254.

34 See *Il poeta e il politico e altri saggi*, Milan, 1960, p. 17.

35 *Op. cit*, p. 254.

FILS DES QUARANTE-HUITARDS

Comme Janus, André Chamson présente deux visages. C'est du moins l'opinion de Pierre de Boisdeffre [1] qui aurait pu pousser beaucoup plus loin la comparaison puisque Chamson est un ancien élève de l'Ecole des Chartes et que, d'autre part, il sut prévoir les crises de notre époque et ne se fit pas faute de les annoncer. Mais lorsque le critique oppose le visage du 'romancier provincial et rustique' à celui de 'l'intellectuel engagé', la distinction ne repose que sur des apparences. Si, à partir de 1930, l'écrivain se fit de plus en plus franchement le chroniqueur et l'interprète des problèmes politiques et sociaux de son temps, dès ses premiers romans il cherchait, par la peinture des réalités locales, à suggérer de plus vastes perspectives et ses petits villages cévenols reflétaient les heurts et les à-coups de l'évolution du monde. L'art, pour ce 'Barrès de gauche', a toujours été, comme l'action, un moyen de porter témoignage, d'affirmer les certitudes qui le dominent. Sans doute se rendait-il compte, au cours de ces années d'avant-guerre, de ce que son œuvre perdait à se vouloir une œuvre de combat. Il déclarait, devant le Deuxième Congrès International des Ecrivains, en 1938,

> A l'heure actuelle, nous écrivons des livres comme on lance des cailloux ou des grenades. Nos œuvres ne portent en elles ni maturation, ni silence.[2]

Pourtant, il n'imputait pas cette mutilation à la fonction qu'il assignait—et qu'il assigne encore—à la littérature. Les seuls responsables étaient à son avis la dictature et les dictateurs qui lui dérobaient le temps du silence et de la méditation, comme ils avaient déjà frustré son espoir de devenir poète. Car il voulut d'abord donner une expression poétique à la vérité et aux valeurs qui orientent sa vie, mais les événements ne devaient pas le lui permettre:

> Le malheur des temps acheva de me détourner de ma vocation de poète. Je me trouvais dépouillé de cet accord fondamental avec l'univers qui est peut-être la condition même de la poésie.[3]

Une forme de ce malheur des temps fut la guerre d'Espagne. Dès le premier jour, par la plume et par la parole, André Chamson prit le parti de la République, et après un voyage à Madrid il réaffirma dans *Retour d'Espagne. Rien qu'un témoignage* sa position devant 'cette extraordinaire et terrible expérience humaine qui se déroule là-bas, dans la misère et la mort, l'allégresse et l'espérance',[4] expérience qui contribua, avec les événements du 6 février et la montée des fascismes, à faire de l'auteur pacifiste de *Roux-le-bandit*, le Lieutenant-Colonel Lauter, compagnon d'armes de Malraux dans la Résistance.

C'est dans l'hebdomadaire *Vendredi*, qu'il avait fondé avec Guéhenno, Louis Martin-Chauffier et Louis Guilloux, que furent publiés ses articles en faveur de l'Espagne gouvernementale. Organe des écrivains et des journalistes de gauche, militant pour la justice sociale au cours de ces années de crise politique et économique, cet hebdomadaire fit campagne contre la veulerie des démocraties devant l'impudence et la duplicité d'Hitler et de Mussolini, contre leur absurde respect des accords de non-intervention tandis que les dictatures envoyaient du matériel de guerre et des volontaires (légionnaires italiens et soldats nazis de la Légion Condor) à l'aide du général Franco. Gide, dans ses colonnes, soutenait les volontaires des Brigades internationales et proclamait sa solidarité avec le peuple espagnol.[5] André Chamson a bien voulu nous préciser dans une lettre quel fut le rôle de son journal:

> L'action de *Vendredi* a surtout consisté à apporter une aide matérielle d'abord (c'est ce journal qui a envoyé le premier camion de vivres et de médicaments en Espagne) et une aide spirituelle aux Républicains espagnols.[6]

Le fondateur de *Vendredi* poursuivait la même action dans ses discours, participant à des conférences et à des meetings organisés par le *Comité Franco-Espagnol contre le blocus de l'Espagne, pour la sécurité de la France*, comité qu'il patronnait avec Jean-Richard Bloch, Elie Faure et Paul Langevin. Il prit ainsi sa place dans les manifestations publiques, sur les tribunes du Vélodrome d'Hiver ou dans la Salle des Sociétés Savantes, aux côtés d'écrivains de tous les pays, de Jacques Madaule, d'André Malraux, de Louis Martin-Chauffier, de Langston Hughes . . . Ses discours, improvisés, n'ont pas laissé de traces, à l'exception des quelques textes recueillis dans *Si la Parole a quelque pouvoir*.

Lorsqu'il se rendit à Madrid, au mois de juillet 1937, ce fut pour y assister au Congrès de l'Association Internationale des Ecrivains, qui, depuis deux ans, avait été prévu dans cette ville. A partir de Port-Bou, avec d'autres membres de l'Association, il fit le voyage en automobile, traversant Gérône, Barcelone et Valence où il reçut le baptême du feu au cours d'un raid aérien. Il connut enfin de Madrid assiégée les nuits 'pleines de bombes', et put revenir en France après ce voyage de quelques jours, sinon avec une vue générale de la guerre, du moins avec des idées très précises sur l'épreuve qui déchirait la péninsule.

Ce sont ces idées et cette expérience fragmentaire du conflit qu'il jeta hâtivement dans l'arène publique avec *Retour d'Espagne*. Il faut dire cependant que son voyage ne modifia en rien ses opinions, et, qu'après son retour, ses discours, ses articles de presse, comme son petit livre, ne différaient ni dans leurs thèmes, ni dans leurs buts de sa première prise de position. Fonctionnaire d'Etat, longtemps attaché à la conservation de Versailles, il était foncièrement républicain, par son hérédité, par ses souvenirs de jeunesse,[7] par sa formation intellectuelle et professionnelle, par toutes les habitudes de sa vie. Rien de surprenant donc si, politiquement, il se sentait solidaire du gouvernement légal de l'Espagne. Pourtant les motifs de son engagement n'étaient pas simplement politiques. L'avertissement au lecteur préfaçant *Retour d'Espagne* exprime sa volonté de considérer les problèmes de l'heure dans leurs données fondamentales et éternelles :

> . . . je pense que toute position politique doit se justifier au-delà de la politique, au-delà des événements, dans les réalités humaines les plus permanentes et dans ce que nous pouvons projeter d'elles sur l'écran presque immobile de l'histoire (pp. 8-9).

Comment donc se justifiait la sienne? Elevé dans un milieu modeste, il connut une enfance difficile, traversée de remous et de crises (il fut à un moment donné obligé d'interrompre ses études au lycée), ce qui explique en partie sa sensibilité aux injustices sociales. D'autre part il hérita de ses ancêtres calvinistes son intégrité d'âme, son amour et son respect de la pureté de conscience. Mais il tient surtout de sa race paysanne et de son enfance passée entre Alès et Le Vigan, au cœur du Languedoc méditerranéen, ce qui constitue sans doute le fond de son être et ce qui fait l'unité de son œuvre : un amour intense et passionné de la vie.[8] Or ce sentiment, loin de lui apparaître comme un trait personnel et particulier, lui semble la seule réalité humaine émergeant, par delà les civilisations, des siècles de l'histoire. Des triomphes et des désastres pour lui 'une seule chose subsiste, toujours vivante et renaissante et rajeunie: amour de l'homme pour la vie, qui n'est ni bas ni résigné, mais toujours pris par le désir de revêtir toujours une forme plus belle. De l'harmonie et du désordre jaillit toujours le même élan—élan de l'homme vers la place qu'il doit prendre au milieu des choses'.[9] Il a toujours eu foi dans l'ennoblissement progressif de l'âme humaine et dans l'accord toujours plus intime et plus harmonieux de l'homme et du monde. Cependant il distingue, face aux forces de vie et de progrès, d'autres forces, ennemies de la liberté et du plein développement des possibilités de chaque être. Il exposait cette conception des destinées humaines dans une allocution à l'Assemblée du Désert, dans les Cévennes, en 1935:

> . . . il semble bien que l'homme poursuive sans arrêt une marche ascendante vers une plus haute dignité et une plus totale affirmation de lui-même, il existe également dans l'ordre humain une éternelle entreprise de diminution et d'abaissement de l'homme.[10]

La même année, une déclaration qu'il fit devant le Congrès international des écrivains pour la défense de la culture, dénonçait cette entreprise néfaste sous le masque du nationalisme fasciste et nazi, nationalisme qui, disait-il, 'couvre à l'heure actuelle du manteau de la nécessité, l'asservissement du plus grand nombre à des intérêts particuliers' et qui se trouvait 'directement opposé à toutes les forces de la culture et de la libération humaine'.[11] Ceci éclaire l'engagement de Chamson dans les luttes de cette époque. Pour lui, comme pour Malraux, l'homme se définit par la communauté à laquelle il appartient. S'il est écrivain, il appartient à cette communauté œuvre et vie. Aux heures de paix et de progrès la littérature doit donc être 'la chanson de geste qui accompagne la marche des hommes et qui les confirme dans leur réalité et dans leur vouloir',[12] aux heures de danger et d'adversité elle doit prendre part à la bataille, car 'la fonction de l'esprit est de rendre à chacun les œuvres qui sont siennes'.[13] Dans le cas particulier de la Guerre Civile espagnole, Chamson ne voyait qu'une phase de ce conflit séculaire, et son voyage le confirma dans cette opinion. Nous pouvrons lire dans *Retour d'Espagne:*

> Ce qui m'a bouleversé au cours du voyage que je viens de faire, c'est . . . le formidable contraste entre les forces de la vie et de la joie et les puissances de la haine et de la destruction (p. 45).

Ceci indique clairement comment, devant cette guerre, sa prise de position se justifiait au-delà de la politique et au-delà des événements. Pour lui, le soulèvement nationaliste du général Franco, appuyé par les pays fascistes, n'était qu'une nouvelle forme de l'éternelle 'entreprise de diminution et d'abaissement de l'homme', tandis que l'Espagne républicaine représentait les forces millénaires de la vie, et du progrès.

André Chamson n'a certainement jamais eu d'autre opinion sur la République espagnole, mais c'est surtout dans son livre de 1937 qu'il la dépeint ainsi car c'est ainsi qu'elle lui est apparue au cœur même de la guerre. Dans les campagnes le voyageur n'a point découvert de champs en friche, n'a rien vu qui pût lui rappeler la désolation de 1917. Par contre, il a remarqué que partout régnait une 'atmosphère de fête rustique et d'allégresse paysanne' et partout, accueilli par une jeunesse aimable et joyeuse, il a retouvé cette 'émouvante présence da la vie' qui l'avait déjà charmé en Espagne. De la terre et de l'homme montait une force calme, promesse de bonheur:

> Si l'Espagne paysanne était laissée à son propre destin, aux seules forces qu'elle porte en elle, c'est ce bonheur humain qu'elle ferait grandir, comme une plante ou comme un arbre à côté de ses vignes et de ses oliviers (p. 25).

Les villes traversées n'étaient pas moins remplies des signes de l'activité et de la vie. Les gens s'y livraient avec naturel à leurs occupations quotidiennes, partout de nouveaux bâtiments s'élevaient, effaçant les ruines de la guerre. L'ordre et la paix régnaient dans tout le pays. De nombreux témoignages, cependant, font état de troubles et de désordres dans le camp républicain et dénoncent les atrocités et les crimes commis d'un côté comme de l'autre dans ce conflit où les deux factions furent également ruisselantes de sang et d'iniquités.[14] Certains romanciers firent même passer dans leurs œuvres quelques épisodes de ce déchaînement de haine et de terreur. Ernest Hemingway, par exemple, décrit une exécution de fascistes dans une scène bouleversante de *For Whom the Bell Tolls*[15] qui pourrait bien lui avoir été inspirée par les massacres tristement célèbres du Phare de Santander où quatre cents condamnés, des notabilités de Droite de la ville, furent contraints de se jeter du haut d'une falaise abrupte sur des rochers à fleur d'eau dans la mer. S'il faut en croire André Chamson, parmi d'autres témoins d'ailleurs, dans la partie du pays contrôlée par le gouvernement de la République, ces excès ne durèrent pas. Ils furent, selon lui, un phénomène semblable à cette Grande Peur qui traversa la France au début de la Révolution. A l'époque de son voyage, la vie et la paix avaient partout repris leur place et retrouvé leurs droits:

> En ce mois de juillet, après un an de guerre, la sécurité était rétablie jusque dans les bourgades les plus reculées de l'Espagne républicaine.[16]

L'intense vie spirituelle qui jaillit de toutes parts après le retour de l'ordre témoignait, d'après son livre, de la même puissance vitale que la tranquille fécondité des campagnes et l'ardente activité des villes. L'accueil somptueux que les villages parés de la Méditerranée firent aux écrivains étrangers, le respect du peuple pour les chefs-d'œuvre et son sens de la beauté, le sauvetage héroïque et la préservation des œuvres d'art, l'effort scolaire de la République, l'éducation des soldats, et ce romancero de la guerre civile écrit par les poètes espagnols et chanté par leurs camarades de combat, tout marquait 'une continuation et une renaissance de ce qui a fait la grandeur de la culture et de la civilisation de l'Espagne'.[17]

Jusque dans ses plus cruelles épreuves ce pays gardait pour l'écrivain le même caractère. Pendant son séjour à Madrid il put observer à chaque aube, dans le silence soudain de l'artillerie ennemie, le calme réveil de la capitale: volets que l'on pousse, boutiques qui s'ouvrent, enfants qui jouent sur le trottoir. Et tandis que se déchaînait le grondement de la bataille du côté de Carabancel, Madrid, autour de lui, continuait à vivre, lui semblait-il, 'dans cette insouciance résolue, dans ce mépris de la mort et de la souffrance qui n'est explicable que par un total amour de la vie'.[18]

Enfin, dans le courage du peuple espagnol, dans la résistance acharnée qu'il opposa à l'agression fasciste, à la guerre qui lui était imposée, l'auteur de *Retour d'Espagne* voyait 'une stoïque affirmation de l'allégresse et de la vie' (p. 79). Des enfants qu'il évoque à la fin de son livre sont le plus émouvant symbole de cette joie de vivre qu'il avait recontrée partout en Espagne, des enfants venus saluer les congressistes et qui, tout près du front, dans un village austère et désolé, 'chantaient comme s'ils avaient participé à la plus belle fête du monde' (p. 126).

Au fond, on peut se demander si André Chamson faisait vraiment grand cas des justifications purement politiques de sa position, car c'est sans se référer un instant à une idéologie de classe ou de parti qu'il pouvait écrire et répéter: 'Les destins de la République espagnole m'apparaissent comme les destins mêmes de la paix et de la justice'.[19]

Il entrait en outre dans son attitude devant le conflit espagnol des considérations d'un autre ordre qui échappent elles aussi au domaine de la politique: Chamson était un pacifiste. L'amour de la vie a toujours eu chez lui pour corollaire la haine de la guerre. A cause de son âge (il est né en 1900) la terrible épreuve de la Grande Guerre lui a été épargnée, mais l'horreur de ce massacre ne l'en a pas moins touché[20] et a rempli toute sa jeunesse.[21] Aussi dès son premier roman, *Roux-le-bandit*, publié en 1925, affirmait-il son pacifisme sans ambages. Ce livre pose en effet le problème de l'objection de conscience. Roux, le jeune héros qui a refusé d'obéir à l'ordre de mobilisation générale d'août 1914, vit caché dans les montagnes et, Bible en mains, réussit à convaincre de la justice de sa cause les paysans de son pays qui lui étaient d'abord hostiles. Dans le même esprit, André Chamson composait *Tyrol* en 1930, montrant que la même cordée peut unir de jeunes alpinistes français et allemands, et en 1933 *L'Auberge de l'Abîme*, mettant en scène des paysans cévenols du premier Empire qui détestent l'armée et se refusent à la conscription. Cette haine de la guerre qui apparaît dans les premières œuvres de l'écrivain marque également certains romans de sa maturité, tels que *Le Chiffre de nos jours* ou *L'Homme qui marchait devant moi*, et même *On ne voit pas les coeurs*, la pièce de théâtre qu'il publia en 1952 et qui étudie les répercussions des désordres du monde dans la vie privée de chacun. Cependant, si André Chamson ne fondait son pacifisme, avant 1937, que sur des raisons abstraites, l'expérience concrète du conflit espagnol vint encore appuyer ses convictions. A son retour il écrivait:

> . . . je n'ai pas honte de dire qu'aujourd'hui ma haine de la guerre est confirmée parce que je l'ai vue, pour aussi peu que ce soit, dans sa réalité monstrueuse.[22]

En fait il a retrouvé la guerre tout au long des centaines de kilomètres de son voyage comme, à côté de son visage de paix, la face de ruines et de destruction de l'Espagne: bataille navale au large de Port-Bou, maisons effondrées de Gérône, victimes de Barcelone, bombardements de Madrid, de Valence. Nous avons dit comment il reçut le baptême du feu dans cette dernière ville. Ce fut pout lui une révélation. Avec les années de crise économique, et la montée de la haine, des fanatismes et des persécutions, le monde, tout vibrant de la prédication de Nietzsche, de T. E. Lawrence, de d'Annunzio, de Maurras, de Barrès, de Gide, était entré dans l'ère de l'héroïsme. André Chamson partageait avec des milliers de jeunes gens de sa génération, les Montherlant, les Malraux, les Saint-Exupéry, le désir impatient et irraisonné de s'éprouver, de prendre sa mesure devant le danger. Or, dans le fracas des bombes qui s'écrasaient sur Valence, passant alternativement de la bravoure à l'épouvante selon qu'il s'abandonnait à la fatalité ou laissait courir son imagination, il fit la même constatation que Saint-Exupéry au Sahara sous le tir des fusils maures, à savoir que le courage, 'ce n'est pas fait de bien beaux sentiments'. Et de même que le chef d'aéroplace de Cap Juby déclarait 'Jamais plus je n'admirerai un homme qui ne serait que courageux',[23] l'auteur de *Retour d'Espagne* tirait cette conclusion de son épreuve: 'Je ne crois plus que le courage, que cette espèce de courage qui réside dans l'insensibilité aux dangers de la guerre, puisse révéler quoi que ce soit de la véritable mesure d'un homme' (p. 61).

Tous ceux qui ont vu de près le conflit espagnol ont remarqué qu'il inaugurait une forme nouvelle de la guerre. Pour Malraux il se distinguait techniquement, aussi bien des révolutions du début du siècle que des campagnes coloniales où depuis longtemps l'armée espagnole ne connaissait plus que des revers (Philippines, Cuba, Maroc). Un personnage de *L'Espoir* le compare à la guerre du Maroc pour faire ressortir le caractère mécanique de cette lutte ou 'tout tourne au destin'.[24] Bernanos, de son côté, le comprenait dans l'ensemble des remous qui agitaient le monde et qui annonçaient une guerre différente dans son esprit de toutes les guerres précédentes, un bouleversement général 'qui sera la Guerre, la Guerre absolue, ni politique, ni sociale, ni religieuse au sens strict du mot, la Guerre qui n'ose pas dire son nom peut-être parce qu'elle n'en a aucun . . .'.[25] Pour André Chamson le conflit espagnol n'était ni une guerre civile, ni une guerre internationale, mais, plus que le prélude d'une guerre réduite à sa perfection, il était cette guerre elle-même, la guerre nouvelle, nouvelle et parfaite à la fois dans sa technique et dans son esprit.

Quand, après l'échec du pronunciamiento du premier jour, l'armée du général Franco, aidée par les pays fascistes, commença son offensive sur Madrid, le drame, débordant le cadre de l'Espagne, se transforma en un conflit d'idéologies sur le plan international. En même temps que s'opérait cette transformation la violence des combats et de la répression crût hors de toute proportion avec les discordes civiles. C'est pourquoi, en juillet 1937, sentant que la guerre 'se serait achevée en quelques jours si elle n'avait plus eu pour raison et pour aliment que les passions politiques qui opposent les Espagnols entre eux',[26] André Chamson pouvait affirmer qu'il n'y avait plus de guerre civile en Espagne.[27]

Mais il déclarait en même temps que le conflit n'était pas non plus international puisque, à son avis, les Républicains espagnols n'avaient pas conscience de se battre contre des 'nations', contre l'Allemagne et contre l'Italie, et qu'ils n'éprouvaient point pour ces pays la haine qui caractérise les guerres étrangères.[28] Sans doute à cause de la présence de volontaires allemands et italiens dans les Brigades du Front Populaire. A l'appui de sa thèse, l'auteur de *Retour d'Espagne* rapporte un fait qu'il avait remarqué au cours de son voyage:

> On peut jouer de la musique allemande, à Madrid ou à Valence, au moment même où éclatent des obus qui sont, eux aussi d'origine allemande (p. 68).

La guerre d'Espagne, ni civile, ni internationale, prenait pour lui l'aspect d'un fléau autonome, d'une guerre à l'état pur. Dès son origine elle n'avait été rien d'autre qu'un soulèvement militaire, la 'révolte de la capacité de guerre d'un pays contre ce pays lui-même'.[29] L'armée, ce 'corps séparé du grand corps de la nation',[30] s'était jetée sur celui-ci pour le dévorer comme un cancer. L'aide des pays totalitaires ne faisait qu'accentuer ce caractère du conflit. Elle engageait 'une partie de l'appareil guerrier' de l'Allemagne et de l'Italie, non réellement et complètement ces nations elles-mêmes. Quant aux 'volontaires' affectés par Hitler et Mussolini au service du général Franco, Chamson ne voyait en eux ni les serviteurs d'une patrie, ni des hommes animés par le sentiment d'un devoir, mais de simples criminels, des 'techniciens de la mort', des 'fonctionnaires de la tuerie'. Il dénonçait en eux un 'nouveau type d'homme', brute née de la civilisation mécanique, machine imbécile, façonnée par le service d'une autre machine, corps sans âme, incapable de tendresse ou de pitié. Georges Bernanos exprimera à son tour, après la Seconde Guerre Mondiale, son horreur et son indignation devant cet avilissement de l'homme par les robots qui ne sera plus, pour lui, le fait de quelques-uns mais une fatalité pesant sur tous :

> Ce qui me fait précisément désespérer de l'avenir, c'est que l'écartèlement, l'écorchement, la dilacération de plusieurs milliers d'innocents soit une besogne dont un gentleman peut venir à bout sans salir ses manchettes, ni même son imagination . . . c'est la Machine qui a tout fait ! [31]

Pour l'auteur de *Retour d'Espagne* ces 'employés de la mort' formaient une 'immense nation au milieu des autres nations de l'Europe', une nation en dehors de toute civilisation et de toute culture, entièrement et irrévocablement dévouée au service de la guerre et des instruments de guerre, et qui s'était jetée sur l'Espagne, selon sa loi propre, dès que retentirent les premiers coups de feu du pronunciamiento. André Chamson accusait donc le général Franco de disposer sous les espèces de ses volontaires allemands et italiens, de ses soldats maures et de son armée de métier, 'de la guerre en soi, de la guerre séparée de toute justification nationale, de toute excuse, réduite à sa nature propre qui est de détruire et de tuer' (pp. 105-6). Et ce qu'il y avait pour lui de plus effrayant dans la farce de la non-intervention c'est que, loin de gêner cette guerre, elle lui permettait de prospérer, de s'étendre et de se développer en Espagne en toute liberté. Il lui semblait, en effet, lorsqu'il la découvrit en 1937 qu'elle avait subi une véritable métamorphose, qu'elle était devenue ce 'monstre' qu'il décrivait ainsi dans son pamphlet :

> Elle est toujours la tueuse et la destructrice, mais elle est pourtant une chose nouvelle parce qu'elle est arrivée au bout de son destin, parce qu'elle est enfin parfaite et délivrée de tout ce qui n'appartient pas à son essence même (ibid., p. 123).

Il était dès lors anxieux pour l'avenir et pour la paix du monde.

Par sa nature même, cette guerre lui semblait devoir s'étendre à d'autres pays si jamais elle triomphait de l'Espagne. Pour maintenir sa victoire, il lui faudrait, croyait-il, non seulement broyer la République vaincue à force de massacres, mais encore chercher, afin de durer, une résistance, quelque chose à quoi s'opposer et qui ne pouvait être que l'Europe.

Il ne s'agissait plus pour lui d'un conflit d'idéologies. Bien au-dessus des camps rivaux, le véritable protagoniste du drame espagnol, tel qu'il le voyait, était un monstre nouveau, 'né de toutes les antiques souffrances et de toutes les vieilles terreurs de l'homme', c'est-à-dire, en fait, un fléau de l'Apocalypse. L'attitude d'André Chamson devant la guerre d'Espagne était peut-être plus religieuse que politique. Elle se justifiait au-delà de la politique et des événements dans la conception même qu'il se faisait des destinées de l'homme et de son univers, dans des convictions relevant surtout sans doute de son éducation protestante.

Son action en faveur de la République espagnole était donc commandée par la volonté de défendre des vérités qu'il tenait pour fondamentales et avant tout, à cause de cela même, par la volonté de défendre la paix. Sans doute voulait-il, dans l'immédiat, aider matériellement et moralement les Républicains espagnols, mais son but principal, essentiel, était d'obtenir du gouvernement français la dénonciation des accords de non-intervention. Cette politique de laisser-faire, ou de laisser-aller, lui paraissait doublement dangereuse. Non seulement elle favorisait cette métamorphose de la guerre dont nous avons parlé, mais, en se traduisant dans les faits par le blocus et l'affaiblissement de la seule Espagne républicaine, elle permettait à l'Allemagne de reconstituer autour de la France l'empire de Charles-Quint (*Retour*, pp. 96-7), et de faire un nouveau pas vers la domination de l'Europe. Pour obtenir l'ouverture de la frontière, André Chamson s'efforça d'influencer le public, d'éveiller la conscience politique de ses lecteurs et de ses auditeurs, d'amener ses compatriotes encore indifférents à se rendre compte que la guerre qui ravageait l'Espagne et, d'une façon générale, les événement qui bouleversaient le monde, les menaçaient eux aussi, menaçaient un bonheur chaque jour plus précaire et mettaient en question tout ce qui donnait un sens à leur vie:

> Vienne qui tombe, Barcelone ébranlée par les coups des divisions italo-allemandes, toute l'Europe en rumeur, toute l'Afrique du Nord en attente, c'est notre bonheur qui est en jeu. C'est la conception même que nous nous faisions de la vie humaine qui est en cause. Aurons-nous la force de sauver tout cela? [32]

Retour d'Espagne, écrit dans ce but, est aussi un violent réquisitoire contre l'attitude du gouvernement français à l'égard de la République espagnole. Comme Malraux dans *L'Espoir*, Chamson y dénonce l'apathie des démocraties dans cette crise.[33] Sans doute parce qu'il désirait en premier lieu que l'on y portât remède, mais, en même temps, l'historien en lui voulait par ce petit livre témoigner devant les générations futures:

> Je pense surtout à marquer, pour le cas où l'Europe se trouverait ébranlée jusqu'à ses bases par un grand cataclysme, que tout ce qui a préparé ce cataclysme n'était pas impossible à analyser et que les hommes responsables n'ont pas eu l'excuse d'avoir été dépassés par des faits indéchiffrables et des événements imprévisibles (pp. 91-2).

Il peut sembler paradoxal que pour défendre la paix Chamson ait voulu soulever l'opinion publique contre la politique de non-intervention. Il expliqua son attitude dans des lignes qui montrent combien il restait fidèle à lui-même:

> Ainsi vous appellez à . . . la guerre? me dira-t-on. Non, je fais appel à une force qui dépasse celle qu'un pays peut engager dans la guerre, à une volonté de vivre qui est plus pacifique que guerrière . . . Elle est le dernier écran entre notre pays et la catastrophe.[34]

La volonté de vivre à laquelle il faisait appel, pour être plus pacifique que guerrière ne s'en accommodait pas moins du maniement d'armes et des cours d'instruction militaire. Mais il y allait de la sécurité même de la France. A l'heure où il écrivit ces lignes, son pacifisme avait cédé devant les périls que l'Allemagne nazie faisait courir au monde, et dans une certaine mesure devant le drame espagnol puisque celui-ci s'inscrivait dans la série de crises provoquées par les dictatures dans le but d'établir leur hégémonie sur le continent: affaire d'Ethiopie, remilitarisation de la zone rhénane, Anschluss, etc.

Si la guerre d'Espagne conduisit André Chamson à abandonner son pacifisme, en le confirmant par ailleurs dans ses convictions elle le poussa à engager plus avant ses talents d'écrivain. En 1939, il publiait *La Galère*, roman politique dans lequel il 'démontait les rouages du 6 février' [35] et surtout, comme dans ses écrits et ses discours des deux années précédentes, s'efforçait de montrer que l'homme ne saurait échapper à l'histoire, que les événements publics nous atteignent dans ce que nous avons de meilleur dès qu'ils mettent en question 'ce qui peut donner un sens à notre vie'.[36]

La lutte qu'il mena contre Franco, nous l'avons dit, n'était pas politique. Le général du Pronunciamiento, et avec lui le fascisme, renouvelaient les formes d'un cauchemar millénaire. En les combattant, il luttait contre les forces éternelles de la haine et de la destruction, contre l'Histoire, contre le Destin.

Tout pénétré d'idées généreuses, il était animé avant tout par le désir d'affirmer et de défendre la noblesse de l'homme, par le sentiment d'un devoir qui, peut-être, incombe à l'artiste si celui-ci, comme l'écrivait Lawrence, 'est ce qu'il y a de plus noble au monde'. Son engagement n'était donc pas celui d'un homme de parti. Il évoque pour cela le désintéressement, la sincérité, la bonne volonté, la générosité des révolutionnaires de 1848 et André Chamson s'apparente, au-dessus des années, aux Lamartine, aux Arago, aux Lamennais, aux Michelet, à tous ces hommes un instant unis dans le même rêve de justice et de fraternité, dans la même confiance en l'avenir du monde. Et peut-être, à travers toute cette horrible aventure de notre siècle dont le drame espagnol ne fut qu'un épisode, est-il resté comme il le suggère lui-même dans la lettre dont nous avons déjà cité un passage, un 'homme du siècle dernier', un 'fils des Quarante-huitards', ce qui, avec ses amis, l'insérerait, selon ses propres mots, 'dans une tradition malheureuse, mais qui n'est pas sans noblesse'.

Raymond Eyquem

Notes:

1 Cf. Pierre de Boisdeffre, *Une Histoire vivante de la littérature d'aujourd'hui*, Paris, 1959, pp. 261-2.

2 'Ce que nous avons déjà perdu', *Si la Parole a quelque pouvoir*, Genève, 1948, p. 75. [*Si la Parole*].

3 *Fragments d'un Liber Veritatis*, Paris, 1946, p. 51.

4 *Retour d'Espagne. Rien qu'un témoignage*, Paris, 1937, p. 11. [*Retour*].

5 Cf. *Vendredi*, 22 janvier 1937.

6 Lettre du 17 avril 1959.

7 Voir en particulier *La Galère*, Première Partie, chapitre XVI, 'Un Représentant du peuple', pp. 61-66 et *Le Chiffre de nos jours*, Deuxième Partie, 'Aldebert le Républicain'.

8 Cf. *Le Chiffre de nos jours*, Paris, 1954.

9 *L'Homme Contre l'Histoire*, Paris, 1927, pp. 56-7.

10 'Résister', *Si la Parole*, p. 36.
11 'Le Nationalisme contre les réalités nationales', Juin 1935, *Si la Parole*, pp. 17-18.
12 *Ibid.*, p. 26.
13 'Discours Zola', *Si la Parole*, p. 57.
14 Cf. Jérome et Jean Tharaud, *Cruelle Espagne*, Paris, 1937; Claude Farrère, *Visite aux Espagnols, hiver 1937*, Paris, 1937; *Lettre collective des Evêques espagnols*, Paris, 1937; Berryer, *Revolutionary Justice in Spain*, London, 1937; J. A. Fraser, *Spain's Pilgrimage of Grace*, Glasgow, 1937, etc.
15 Ernest Hemingway, *For Whom the Bell Tolls*, London, 1955, chapter X, pp. 94-124.
16 *Retour*, p. 23.
17 *Ibid.*, p. 32.
18 *Ibid.*, p. 57.
19 *Ibid.*, p. 8.
20 Cf. Pierre Mazars, 'André Chamson est élu à l'Académie Française', *Le Figaro Littéraire*, 26 mai 1956: 'Ce petit montagnard près d'Alès écoutait, assis sur le mur de son jardin, les permissionnaires qui revenaient du front. Il voyait passer le porteur des annonces mortuaires'.
21 Cf. *Le Dernier Village*, Paris, 1946.
22 *Retour*, p. 84.
23 Saint-Exupéry, lettre à André Gide, citée dans la Préface à *Vol de Nuit* et par Luc Estang dans *Saint-Exupéry par lui-même*, p. 96.
24 André Malraux, *L'Espoir*, Paris, 1937, p. 362.
25 Georges Bernanos, *Les Grands Cimetières sous la lune*, Paris, 1938.
26 *Retour*, p. 55.
27 *Ibid.*, pp. 65, 67, 79.
28 *Ibid.*, pp. 67-79.
29 *Ibid.*, p. 106.
30 Comme la décrivait Vigny dans *Servitude et Grandeur militaires*, 1835.
31 Georges Bernanos, *La France contre les robots*, Paris, 1947, p. 161.
32 *Si la Parole*, p. 71. ('Pages données à *Vendredi*, mars 1938').
33 Cf. *Retour*, pp. 93-4. André Malraux, *L'Espoir*, p. 378: 'Les fascistes ont aidé les fascistes, les communistes ont aidé les communistes, et même la démocratie espagnole; les démocraties n'aident pas les démocraties.'
34 *Si la Parole*, p. 71.
35 Pierre Mazars, art. cit.
36 *La Galère*, Paris, 1939, p. 285.

THE THEME OF VIOLENCE IN THE WORK OF SIMONE DE BEAUVOIR

The aim of this article is to examine one fundamental aspect of Simone de Beauvoir's work, and to show to what extent one problem provides the 'permanence'[1] within which she has developed. This problem is that of co-existence, or the *Other*, and I shall be mainly concerned with its extreme form—violence. The theme of violence is a basic force in her writings, and I shall consider her novels as attempts to reject or come to terms with violence. Having considered the novels I discuss the author's development since 1954, and in particular her Marxism. In conclusion I shall raise the question of the conflict between Simone de Beauvoir the writer, the creator of fiction and 'literary' solutions, and the Simone de Beauvoir who is perpetually dissatisfied with these solutions, the citizen of the real world for whom literary creation is at one and the same time *raison d'être* and *pis aller*.

If we look first of all at the author's analysis of her youth in *Mémoires d'une jeune fille rangée*,[2] we cannot fail to be struck by the way that she has chosen to describe her relationships with other people, parents, teachers, school-friends, in terms of conflict. The vocabulary of struggle constantly re-occurs:

> Le plus obsédant de mes soucis était de me défendre contre autrui (p. 191).
>
> A présent je leur retournais l'hostilité qu'ils me témoignaient (p. 193).
>
> C'était bien déconcertant . . . de m'apercevoir soudain que j'étais engagée dans une lutte (p. 193).

Again in *La Force de l'âge*,[3] she describes the struggle by which she opposed the condemnation of her uncomprehending and hostile parents:

> J'avais durement lutté à dix-huit ans contre la sorcellerie qui prétendait me changer en monstre: je restais sur la défensive (p. 131).

One could multiply the quotations to show the obsessive nature of the problem in the author's early life. Even a superficial reading of the *Mémoires* shows beyond doubt that this attitude goes far beyond the usual adolescent reaction against adults in general and parents in particular.[4]

In *La Force de l'âge* she describes the unstable nature of her relationships with others and the exceptional difficulty she experienced in achieving 'co-existence' with them:

> Peut-être n'est-il commode pour personne d'apprendre à co-exister paisiblement avec autrui, je n'en avais jamais été capable. *Je régnais ou je m'abîmais* (p. 66, my italics).

This striking formula sums up very well the oscillations of her relationships with others. In order to 'be sovereign' she had to ignore the hostile existence of other people and cultivate her feelings of pride and superiority. Self-absorbed and self-sufficient she could then consider herself 'l'Unique', and others as shadows. But this supremacy cultivated in isolation was shattered each time an exceptional character came close to her. In her relationship with Zaza, Olga or Sartre, she frequently felt herself to be in a position of vulnerability and dependence which threatened her own existence and 'engulfed' her.

It is this account of her relationships, this oscillation between aggressor and victim, between existing alone and not existing, which forms the most absorbing part of her *Mémoires*, to be equalled only by her description of her growing sense of literary vocation. Thus it is not surprising that when she did begin to write, her preoccupation with the 'Other' furnished her with her most fertile literary theme. All her unpublished work revolved around this question [5], which was given its most satisfactory expression in her first published novel *L'Invitée* (1943).[6]

This book is the description of the attempt by the three principal characters, Françoise, Pierre and Xavière to achieve a state of harmonious co-existence within a trio:

> Un couple bien uni, c'est déjà beau, mais comme c'est plus riche encore trois personnes qui s'aiment les unes les autres de toutes leurs forces (p. 218).

But Françoise, whose words these are, has soon to abandon her optimism as the basic antagonism, the hatred even, at the core of their relationship makes itself increasingly felt, until she is driven in despair to destroy Xavière and free herself of her domination.

Her killing of Xavière confirms the epigram of the novel: 'Chaque conscience poursuit la mort de l'Autre'. I have said that Françoise commits this crime 'in despair', but the end of the book shows clearly that the murder does not engender a sense of failure and shame, but one of triumph and self-fulfilment. By this act of violence Françoise finds a 'solution' to the problem of co-existence. The solution consists in affirming her essential solitude. The act of violence, physically destroying the other, symbolically destroying all others, is not merely negation, destruction but the positive re-affirmation of her own sovereign unique existence:

> Il n'y avait plus personne. Francoise était seule. Seule. Elle avait agi seule. Aussi seule que dans la mort . . . Personne ne pourrait la condamner, ni l'absoudre. Son acte n'appartenait qu'à elle. Elle avait enfin choisi. Elle s'était choisie (p. 418).

On the literary level this book and this ending were successful:

> Dans la mesure où la littérature est une activité vivante il m'était indispensable de m'arrêter à ce dénouement: il a eu pour moi une valeur cathartique . . . Relisant les pages finales, aujourd'hui figées, inertes, j'ai peine à croire qu'en les rédigeant j'avais la gorge nouée comme si j'avais vraiment chargé mes épaules d'un assassinat. Pourtant ce fut ainsi. Stylo en main, je fis avec une sorte de terreur l'expérience de la séparation. Le meurtre de Xavière peut paraître la résolution hâtive et maladroite d'un drame que je ne savais pas terminer. Il a été au contraire le moteur et la raison d'être du roman (*FA* pp. 348-9).

And yet on another level the ending is unsatisfactory. 'La fin de *L'Invitée* ne me satisfaisait pas', she writes, adding what on a non-literary level must be obvious, 'ce n'est pas le meurtre qui permet de surmonter les difficultés engendrées par la co-existence'. This is the starting point of her second novel. Her concern is still with these 'difficultés', but now she writes: 'Je voulus, au lieu de les esquiver les aborder de front' (*FA* p. 622). In other words the solution of violence is seen as a means of avoiding (*esquiver*) the problem, and therefore as a failure; the decision to 'les aborder de front' is a decision to try once again to solve the problem without violence.

Jean Blomart, the principal character of *Le Sang des autres*,[7] is, like Françoise, obsessed by the problem of human relations, by the suffering generated by the mere existence of others and the self. But whereas Françoise could see herself only as victim,

victim in particular of Xavière, Blomart is painfully aware of his rôle as *bourreau*. Whereas Françoise was concerned with personal survival, supremacy within the struggle, Blomart is concerned to minimise to the utmost the suffering he causes others. To this end he adopts an attitude of abstentionism, refusing intense personal relationships and abandoning all political activity. Even the menace of Nazi domination in France fails to break his pacifism until he realizes that passive acceptance can lead to suffering and death for others no less than active commitment. He succeeds in stifling his sensitivity, and becomes a member of the Resistance, accepting violence as an inescapable daily occurrence:

> Pour que la politique de collaboration soit impossible, pour que la France ne s'endorme pas dans la paix, il faut que le sang français coule . . . J'ai appris de cette guerre que le sang qu'on épargne est aussi inexpiable que le sang que l'on fait verser (p. 177).

The link between the first and the second novel is clear. The principal character of each attempts to solve the problem of co-existence, Françoise optimistically by the project of the trio, Blomart pessimistically, by a total abstention. Each fails to avoid violence. But whereas Françoise's crime was individualistic and anti-social (the existence of society is ignored in *L'Invitée*), committed with a view to personal salvation, Blomart's acts have a political and social dimension which reflects Simone de Beauvoir's new awareness of history and her abandonment of her pre-war apolitism. Although there is no parallel with Françoise's sense of triumph, Blomart's violence is legitimized by being placed in a definite historical situation and being executed in defence of the freedom of the French people ('ce bien qui sauve chaque homme de tous les autres et de moi-même: la liberté' (*SA* p. 224)). Thus, in seeking a solution to the problem of the other, Simone de Beauvoir has progressed from the individualistic act of violence to morally justifiable violence committed by a responsible citizen. But the development is in the direction of making violence acceptable, rather than superseding it by some other solution.

However the euphoria of the Liberation could not last. It was replaced by the horror and disgust provoked by the post-war revelations of Nazi atrocities:

> Dès le lendemain de la libération on découvrit les salles de torture de la Gestapo, on mit au jour des charniers, Bianca me parlait de

> Vercors . . . les journaux donnèrent des détails sur les massacres, sur les executions d'otages; ils publierent des récits de l'anéantissement de Varsovie. Ce passé brutalement dévoilé me rejetait dans l'horreur.[8]

Simone de Beauvoir realised that the solution of violence was more ambiguous than the heroic manicheism of the Resistance had let it seem, that it had been used to exterminate the Jews as well as to defend freedom. She had in fact idealized violence, and one could perhaps speak of the violence of *Le Sang des autres* as another 'literary' solution.[9]

Her third novel, *Tous les hommes sont mortels*, written under the influence of these revelations and marked by the mood of disillusionment of the French intellectuals who had vainly hoped to play a political rôle after the war, seeks to set violence in a global, historical perspective, and also to 'rectifier l'optimisme moral' of her first two books (*FA* p. 622).

The immortal hero, Fosca, born in the twelfth century is possessed of an overriding ambition to become a world ruler. He fearlessly embraces the war-like, violent, tyrannical rôle which the fulfilment of such an ambition requires and undertakes a series of wars of conquest in the name of the reign of Justice and Peace which he will one day establish on earth. After four centuries of active participation in the greatest struggles of world history, he realizes that conflict and violence will forever destroy civilizations and nullify progress:

> Le monde s'élargissait, les hommes devenaient plus nombreux, leurs villes plus vastes, ils conquéraient sur les forêts et sur les marécages, des terrains fertiles, ils inventaient de nouveaux outils; mais leurs luttes se faisaient de plus en plus sauvages, dans les massacres les victimes périssaient par milliers: ils apprenaient à détruire en même temps qu'à construire.[10]

The only recurring pattern Fosca can see in History is that of gratuitous violence and futile bloodshed.

His solution to this is to renounce all his ambitions, to sink into despair and to opt out of existence; he breaks off all personal contact and refuses to participate further in the 'shaping' of History, with the despairing cry: 'On ne peut rien, ni pour, ni contre les hommes, on ne peut rien' (p. 214).

This book rejects violence as a solution, but only at the cost of turning to a radical indifference; the problems of co-existence are 'solved' by refusing to co-exist.

Fosca's *apprentissage* seems to reverse that of Blomart; whereas the latter emerges from a period of pacifism and withdrawal to one of commitment and violence, Fosca, initially a man of action, after a long experience of violence becomes an abstentionist.

Thus Simone de Beauvoir has used the three novels to explore and solve in three different situations (individual, political and historical) the problem of co-existence, and has each time failed to find a satisfactory solution. The only alternative to violence is the indifference of a Fosca, and this too is a 'literary' solution, since Fosca is immortal. Were she to accept such a solution herself, it would logically entail withdrawal from life, and, more specifically, giving up writing.

In her next novel, *Les Mandarins*,[11] these are the temptations she puts before Henri and Anne, both characters embodying essential but different aspects of the author herself. Henri, a young writer and journalist, sickened by the compromise and deceit which his political and literary life in Paris entails, decides to abandon his career and bury himself in selfish isolation in a remote Italian village. But he discovers that once one has felt for people and communicated with them by writing it is impossible to opt out, to abandon Paris or the commitment to writing:

> A Porto Venere comme à Paris, toute la terre serait présente autour de lui, avec ses misères, ses crimes, ses injustices. Il pouvait bien user le reste de sa vie à fuir, il ne serait jamais à l'abri. Non, la solitude qui l'étouffait ce soir, cette muette impuissance, ce n'est pas ça qu'il voulait. Non, il n'acceptait pas de se dire à jamais: 'Tout se passe sans moi' (p. 572).

Anne is faced with an even more radical option; her despair leads her to contemplate suicide, but as Henri chose to continue writing, so she chooses to continue living:

> Ou on sombre dans l'indifférence ou la terre se repeuple; je n'ai pas sombré. Puisque mon coeur continue à battre, il faudra bien qu'il batte pour quelque chose, pour quelqu'un. Puisque je ne suis pas sourde, j'entendrai de nouveau appeler. Qui sait? (p. 579).

Like Henri, Simone de Beauvoir could not withdraw and give up writing; for her as for Anne the presence of others and their constant need drove out the temptation of total despair. Fosca's indifference was impossible for a writer as politically conscious as she had now become. The movement from the social and political indifference of *L'Invitée* to the preoccupations of *Tous les hommes sont mortels* and *Les Mandarins* is irreversible. And yet the situation of *L'Invitée* remains a sort of paradigm of human relations; the situation is merely extended to the world of social and political relationships. If indifference is rejected only violence remains.

For twelve years after *Les Mandarins* Simone de Beauvoir wrote no new novels.[12] But her development during these twelve years is of considerable interest for our subject. This development was described vividly, and revealingly, in an interview with her which the writer recorded on tape in December 1962. The question was: 'Est-ce que *Tous les hommes sont mortels* ne représente pas une critique de la vue hégélienne de l'histoire en montrant que, si l'on se met sur le plan de l'éternel et de l'universel, on sombre forcément dans l'indifférence et le désespoir?' This was her answer:

> Oui, en partie. A vrai dire, je n'avais pas de philosophie de l'histoire quand je l'ai écrit [. . .] mais c'est assez hésitant, parce que toute la première partie est très pessimiste, en montrant que les choses vont toujours aussi mal, mais dans la seconde partie il y a quand même certains progrès dialectiques [. . .] mais l'idée c'est que si l'on prend le point de vue de la fin de l'histoire tout sombre dans l'indifférence, cela est certain; il y a un point de vue existentialiste, autrement dit, qui est opposé au point de vue hégélien.

I then asked what was her present view of history; the answer was unambiguous: 'Elle se rapproche infiniment plus du Marxisme'. But her reply showed that what she found most acceptable within the Marxist philosophy of history was the notion of conflict and struggle:

> De plus en plus nous avons vu le rôle de l'économie, de plus en plus nous avons vu le rôle de la lutte des classes, la crudité même de la lutte des classes qui était masquée au moment de la Résistance [. . .] Ce sont vraiment deux classes en lutte, avec des hommes qui luttent contre d'autres hommes pour garder leurs privilèges, c'est extrêmement net, même si c'est masqué d'une façon ou d'une autre. Cela s'est découvert d'une manière terrible pendant la guerre colonialiste. Tout cela nous a convaincus de plus en plus que les schémas marxistes, dans leurs simplicité même, étaient absolument valables et que malgré toutes les complications qu'on pouvait y apporter, il fallait tout de meme garder ces bases: la lutte des classes en particulier, soit la lutte des classes à l'intérieur du

> pays, soit la lutte des pays sous-developpés, pays prolétaires à l'égard des autres pays.

I then asked if she ever questioned today the validity of *la révolution:* 'De la révolution algérienne?' 'Oui, et de la révolution en général'. 'Eh bien s'ils n'avaient pas fait cette révolution ils ne seraient pas indépendants. Ça c'est certain. Il n'y avait absolument aucune raison. Ils l'ont vraiment gagnée. Il y avait de trop gros intérêts en jeu . . . L'histoire de la guerre d'Algérie confirme tout à fait l'idée qu'il ne faut pas attendre des "processus", qu'il faut de la praxis, il faut des hommes qui se battent . . . La violence algérienne, je l'approuve tout à fait. Il y a un livre que nous aimons beaucoup . . . c'est le livre de Fanon[13] sur la violence, c'est un livre tout à fait juste . . .'

Thus adherence to Marxism allows her to go beyond the despairing philosophical position of Fosca who denied all meaning to revolution and who saw in the historical process an absurd chaos. Dialectical materialism now resolves the antinomies of history and gives it meaning. The violence which characterises history is now legitimized *globally* in the name of the proletarian cause, just as Blomart's violence was legitimized specifically during the Resistance in the name of freedom.

If this ascribing of meaning to the violences of history is at variance with the philosophy of *Tous les hommes sont mortels* and constitutes a *leap*, on the contrary the basic principle underlying her Marxism, the class struggle, is a logical continuation of her thought which, as we saw, sprang from a basic intuition which showed human relations as founded on conflict, and co-existence as an Utopian myth.

'Chaque conscience poursuit la mort de l'Autre' thus becomes 'Chaque *classe* poursuit la mort de l'Autre'. Today she gives an economic explanation of the conflict which divides men and classes: scarcity. The problem of the *Other*, once a product of the metaphysical struggle which divided men in their quest for being, she now sees as a material problem. If she were to rewrite her essay on *Le Deuxième Sexe* she would base 'la notion de l'Autre et le manichéisme qu'elle entraîne non sur une lutte *a priori* et idéaliste des consciences, mais sur la rareté et le besoin' (*FC* p. 303).

Here then is the *permanence*. Françoise of *L'Invitée* was able to solve the problem of the other only by committing an act of violence, destroying the hostile consciousness of Xavière. Today the struggle is between collective groups, not individual consciousnesses, but co-existence is still impossible. Xavière menaced Françoise's identity, one individual sought to reduce another to a state of psychological slavery. Today, the slavery is economic, governed by scarcity; one class is 'sovereign', another is 'engulfed'. Violence is the only solution: 'Il faut de la praxis'. In spite of her remark, quoted above, 'Ce n'est pas le meurtre qui permet de surmonter les difficultés engendrées par la co-existence', her present attitude excludes any solution other than violence; this is the constant of her work in both its existentialist and Marxist phases.

And yet, while not questioning for a moment the sincerity of Simone de Beauvoir's views nor her passionate commitment to the cause of the oppressed, could one not say that her Marxism is also 'literary'? There has been no question of her committing actual physical violence herself, any more than she could have actually killed Olga. The end of *La Force des choses* is significant in this respect. She discusses Jeanson and his friends who had worked for the F.L.N.:

> Contre l'inquiétante question que me posait leur option, je me défendais par cette parade que je déteste, le psychologisme, sans me demander si ma méfiance ne m'était pas dictée par des mobiles subjectifs. Je n'avais pas compris qu'en aidant le F.L.N. Jeanson ne reniait pas son appartenance à la France. Même si j'avais plus lucidement apprécié son action, il restait qu'en y participant on se rangeait, aux yeux de l'ensemble du pays, dans le camp de la trahison: quelque chose en moi, une timidité, une survivance, me retenait encore de l'envisager (*FC* p. 484).

And she continues with this admission:

> Si on voulait rester fidele à ses convictions anti-colonialistes et briser toute complicité avec cette guerre, il ne restait d'autre issue que l'action clandestine. *J'admirais ceux qui la menaient.* Seulement elle exigeait un engagement total et ç'aurait été tricher que de m'en prétendre capable. *Je ne suis pas une femme d'action, ma raison de vivre c'est d'ecrire* (Ibid., my italics).

There is surely nothing dishonourable in this last statement. The 'literary', cathartic ending of *L'Invitée* exists to be evaluated *as literature*, as the satisfaction, by the act of writing, of a need; in the same way the creation of a successful militant, Jean Blomart, can be shown to have 'compensated' to a certain extent for her own non-participation in Resistance action, and Fosca's pessimistic conclusion that all action is futile to have grown from the need to rationalize her own post-war political impotence.

The projection, in a novel, of logically incompatible points of view or states of mind is also perfectly legitimate, as she herself recognized in our interview:

> Au fond je pense que la littérature est faite pour pousser (sic) des choses qu'on n'arrive pas à tenir ensemble dans la vie, parce qui tantôt on croit tout de même à l'action, à ses nécessités, tantôt au contraire on pense que de toutes façons elle ne sert pas à grand'chose et que de toutes manières il y a un destin de l'humanité qui doit l'engloutir et quì fait que rien n'est grand'chose; on peut avoir les deux à la fois, c'est l'ambiguïté si vous voulez . . . C'est ça que je voulais justement montrer, qu'il y a les deux vérités et que je ne pouvais choisir entre elles.

However this eulogy of the rôle of literature, this recognition of ambiguity, this acceptance of writing as her *raison de vivre*, is contested by a certain scorn for literature as something secondary. In a recent interview, Jeanson asked her which of her books she preferred:

> Le seul que je défendrais — alors là contre vents et marées — c'est le *Deuxieme Sexe*: *parce que ce n'est pas seulement de la littérature*, parce qu'il y a là un contenu tout à fait précis auquel je tiens.[14]

This scorn goes with a demand for logical, exclusive solutions which is contrary to the ambiguities of the work of literature.

This conflict raises some interesting questions which are outside the scope of this discussion.[15] I shall therefore conclude by summing up the first part of this article, that Simone de Beauvoir's work is dominated by the problem of co-existence, that this problem is indissolubly linked with the themes of violence and indifference, that to her *as a writer* these themes are fruitful ones. I shall merely add that there is a problem in that Simone de Beauvoir does not consider herself *only* a writer and that she is not always content with the literary ambiguities which she described with enthusiasm in our interview, so that her literary activities are affected by her non-literary demands for logical solutions, and that her non-literary or political positions are influenced by her personal, literary preoccupations. She herself would certainly reject this demarcation. Whether she is right to do so is the crucial question.

Carol Evans

Notes:

1 'J'ai changé comme tout le monde: à l'intérieur d'une permanence' (J-P. Sartre in Jacqueline Piatier, 'Jean-Paul Sartre s'explique sur *Les Mots*', *Le Monde*, 18-4-64, p. 13).

2 *Mémoires d'une jeune fille rangée*, Paris, 1958.

3 *La Force de l'âge*, Paris, 1960 [*FA*].

4 *Une Mort très douce*, Paris, 1964, Simone de Beauvoir's most recent addition to her memoirs, is a moving account of her reconciliation with her mother shortly before the latter's death.

5 'Ainsi abordais-je un thème auquel je revins dans tous les récits que j'ébauchai: le mirage de l'Autre' (*FA*, p. 107).

6 *L'Invitée*, Paris, 1943.

7 *Le Sang des autres*, Paris, 1945 [*SA*].

8 *La Force des choses*, Paris, 1963, p. 21 [*FC*].

9 Sartre has pointed out (in an interview with Kenneth Tynan, *Observer*, London, 18th June, 1961, p. 21) that the Resistance situation was 'too simple'. It was 'tragic' in the literary sense, that is to say simpler and more clear-cut than the complexities of normal political life (after the Liberation for example).

10 *Tous les hommes sont mortels*, 1946, p. 187.

11 *Les Mandarins*, Paris, 1954.

12 *Les Belles Images* (Paris, 1966) and *La Femme rompue* (Paris, 1968) return to the 'feminist' themes of *Le Deuxième Sexe* and have no direct bearing on the subject of this article.

13 F. Fanon, *Les Damnés de la Terre*, Paris, 1961.

14 *Entretiens avec Simone de Beauvoir* in Francis Jeanson, *Simone de Beauvoir ou l'entreprise de vivre*, Paris, 1966, p. 286.

15 The question which is the 'real' Simone de Beauvoir might not be entirely meaningless, but would demand an analysis of her relationship with Sartre and his influence on her thinking.

LLENOR YR HÔTEL BRITANNIQUE

Yn 1924 aeth John Heywood Thomas yn efrydydd ymchwil i Baris. Trefnasid iddo aros yn yr Hôtel Britannique yn yr Avenue Victoria ar ochr ddeau'r afon. Tŷ ydoedd a gedwid ar gyfer myfyrwyr gan deulu o Grynwyr o'r enw Baxter. Saeson oedd y mwyafrif a gartrefai yno a Saesneg oedd iaith y bwrdd cinio. Oblegid hynny nid arhosodd Heywood Thomas ond un sesiwn yno. Eithr ymhlith y lletywyr yn y tŷ yr oedd *lecteur* o Gymro yn y Sorbonne, un a oedd eisoes yn llenor Cymraeg a'r dadleuwr mwyaf pybyr o bawb wrth fwrdd cinio'r Hôtel Britannique. W. Ambrose Bebb oedd ei enw.

Aeth y ddau Gymro Cymraeg yn gyfeillion. Os oedd Ambrose Bebb eisoes yn cyfrannu i'r *Geninen*—yn 1950 y troes hi'n *Genhinen*—ac i'r *Llenor*, yr oedd Heywood Thomas hefyd cyn hir i gyhoeddi yn y *Llenor* ei ysgrif feirniadol yntau ar *Y Gwacter Moesol yn Shaw*. Buasai Bebb yn byw ac yn gweithio ym Mharis er 1921. Yr oedd wedi dotio ar ddau gylch o fywyd llenyddol a pholiticaidd, sef ar fudiad cenedlaethol Llydaw ac ar fudiad cenedlaethol a gwrth-weriniaethol yr *Action Française*. Tynnodd ef Heywood Thomas i gyfarfodydd y *camelots du roi*, dieithr a rhyfedd i ŵr ifanc o Ddeheudir Cymru, ac i danysgrifio i'r papur beunyddiol, yr *Action Française*, y ceid ynddo, chwedl Bebb:

> ysgrifau Rabelaisaidd gan Leon Daudet, rhai Voltairaidd gan Jacques Bainville, a doethineb Groeg a Rhufain gan Charles Maurras.

Yn wir fe eddyf pob beirniad diragfarn heddiw fod disgleirdeb llenyddol y papur yn y blynyddoedd hynny ar ôl rhyfel 1914-18 yn un o ogoniannau newyddiaduraeth.

Mi geisiaf ddangos, o safbwynt llenyddol, beth sy'n hynod a diddorol a hanesiol bwysig yng nghyfarfod y ddau hyn yn yr Hôtel Britannique. Ambrose Bebb oedd y llenor Cymraeg cyntaf i fyw bum mlynedd yn Ffrainc er pan fu farw Emrys ap Iwan. Nid wyf yn anghofio am yr ysgolhaig trylwyr a phwysig hwnnw yr etifeddodd John Heywood Thomas ei gadair yng Nghaerdydd, sef yr Athro Morgan Watcyn, gŵr y mae ei gyfraniad i ysgolheictod ac i hanes cysylltiadau llenyddol Ffrainc a Chymru yn yr Oesoedd Canol yn debyg o ennill rhagor o sylw a pharch yn y dyfodol nag a gawsant hyd yn hyn. Yn wir y mae cysylltiadau *Cymraeg* Cadair Iaith a Llenyddiaeth Ffrangeg yng Nghaerdydd yn rhan ddiddorol o hanes y Coleg. Yr oedd yr Athro P. M. Jones yntau'n perthyn i'r bywyd hwnnw, canys er na fedrai ef Gymraeg yr oedd ei gyfeillgarwch â Morgan Watcyn a Heywood Thomas a W. J. Gruffydd yn peri ei fod yn cyfrannu i'r trafodion Ffrangeg-Saesneg-Cymraeg a oedd yn rhan o fywyd meddyliol y Coleg yn y cyfnod rhwng y ddau ryfel.

Ysgolhaig oedd ac ydyw Morgan Watcyn. Ni cheisiodd lawryf y llenor, er iddo ddadlau unwaith yn y *Geninen* gydag Ambrose Bebb. Felly, ar ôl Emrys ap Iwan, a fu farw yn 1906, Bebb oedd y llenor Cymraeg cyntaf yn ein canrif ni i fynd i Ffrainc i fyw, i'w drwytho yn ysbryd ienctid llenyddol a pholiticaidd mwyaf Ffrengig Paris yn y cyfnod hwnnw, meddwi ar eu hegwyddorion a'u dull o'u mynegi, a'u dwyn yn ôl gydag ef i Gymru i'w dal yn frwd a phryfoclyd ddi-droi'n-ôl hyd yn agos at ei farwolaeth annhymig.

Erbyn heddiw y mae popeth wedi newid yn llwyr. Y mae efrydwyr ifainc yn mynd o Gymru i wledydd y cyfandir yn fynych fynych. Ceir sgyrsiau radio ar y Llenor yn Ewrop gan athrawon a darlithwyr o Gymry Cymraeg sy'n arbenigwyr yn eu pynciau. Rhoes Mr. Emyr Humphreys inni ar radio Cymru gyfres o gyfieithiadau o ddramâu Ffrangeg ac Ellmyneg ac Eidaleg gan arweinwyr y ddrama yn Ewrop. Nid oedd y chwyldro hwn wedi cychwyn yn 1921 pan aeth Ambrose Bebb o Aberystwyth yn *lecteur* i'r Sorbonne. Da y dywedodd A. E. Zimmern yn 1920 mai trwy ffenestr Lloegr yn unig yr edrychai Cymru ar y byd. Torrodd Bebb lwybr gwahanol. Cododd ef fantell Emrys ap Iwan a'i gwisgo. Aeth i Baris, ac yntau eisoes er dyddiau'r *Wawr* yn Aberystwyth yn genedlaetholwr Cymreig, a thrwy lygaid a thrwy ffenestr Paris yr edrychodd ef ar y byd cyfan o hynny allan. Cyhoeddodd ysgrifau politicaidd yn y *Geninen* yn 1922 a 1923 sy'n atseinio athrawiaeth enwog Charles Maurras, *la politique d'abord*, a diau mai'r ysgrifau hynny, fel yr honnodd ef ei hunan yn ddigon teg yn 1936, a fu'n ail-gychwyn i genedlaetholdeb Cymreig ar ôl 1918 ac yn swmbwl i ffurfio Plaid Genedlaethol Cymru.

Yn y blynyddoedd y bu ef ym Mharis rhedai cyfres o ymddiddanion rhwng Frédéric Lefèvre a llenorion blaenaf y Ffrangeg yn y *Nouvelles Littéraires*. Daliodd Bebb ar y syniad a chyhoeddodd yn y *Llenor* 1925 *Une heure avec* . . . sef Awr gyda Charles Le Goffic, un o brif ddehonglwyr Llydaw yn y Ffrangeg, y peth olaf, mi gredaf a sgrifennodd ef ym Mharis. Yno y ceir y dialog hwn:

> *Beth yw eich barn am Maurras?*
>
> Dyn mawr. Dyn hollol ar ei ben ei hun. Y mae'n llenor, y mae'n feirniad, y mae'n athronydd. Efô yn ddiddadl ydyw gwleidydd mwyaf y dyddiau hyn . . . Cenedlaetholwr ydyw. Ond er mai astudio gwleidyddiaeth yn ôl ei chysylltiad â Ffrainc a wna, y mae ei feddwl a'i gyfundrefn yn bwysig i bawb sy'n meddwl . . . At hynny, y mae wedi ffurfio meddyliau gwychion yn ddisgyblion iddo.

Yn ddios, un o'r disgyblion meddyliol hynny fu Ambrose Bebb.

Nid am Bebb y gwleidydd a'r cenedlaetholwr y traethaf yn awr. Eithr am lenor yr Hôtel Britannique, am yr hyn a'i gwnaeth ef yn gyfaill i Heywood Thomas ac yn gyfrannog yn yr un diwylliant a'r un cariad deallus tuag at Ffrainc a'i gwareiddiad. Hynny a roes i'n llenyddiaeth ni un o glasuron ein canrif, sef *Crwydro'r Cyfandir*, a gyhoeddwyd gan Hughes, Wrecsam yn 1936. 'Anturiaeth Tri o Gymry drwy Ffrainc, yr Eidal a Swistir' yw isdeitl y llyfr, ond Ffrainc a'i hyfrydwch yw ei wir thema.

Mae'r bennod gyntaf yn cychwyn yn Nhregaron ac y mae'n allwedd i'r llyfr oll. Â Bebb adref i'r tŷ a'r ffarm y ganed ef ac y magwyd ef. Disgrifia hwynt o d.18 hyd at d.25, yr olwg arnynt, y cyffwrdd â hwynt, eu harogleuon a'u synau. Nid oes mewn unrhyw iaith a wn i ddarn o bros sy'n rhoi i chi brofi blas a sawr a theimlad a bod a chalon darn cynefin o ddaear dyn yn gyffelyb. A dyna'r allwedd i'r llyfr. Gwladwr sydd yma, un y gŵyr ei ddwylo am deimlad pob offer llafur ar y tir, yn mynd ati i ganu clod gwareiddiad Ffrainc. Ffrainc y gwladwyr a'r tyddynwyr a wêl Bebb, hyd yn oed pan fo'n Angers neu'n Tours neu'n Baris. Dyma yn esiampl ei ddisgrifiad ef o'r cip cyntaf ar St. Malo oddi ar fwrdd y llong ben bore:

> Edrych y maent oll ar St. Malo, sy'n ymddangos megis yn barod i ollwng ei hangor a hwylio yn ddinas gaerog, gron, i'n cyfarfod, dan arweiniad y tŵr cymhesur, hardd, sy'n taflu ei saethau i fyny'n union o ganol y dref. Y mae gwregys o fur llydan amdani, yn golchi ei draed yn y môr. Oddi mewn i'r mur hwnnw y mae cylch oddi mewn i gylch yn codi'n ris ar ôl gris i fyny at yr Eglwys, gan agor

> bob yn hyn a hyn yn strydoedd culion ar orymdaith o'r gwregys caer at yr Eglwys yn y canol bob tro. Oddi ar fwrdd y llong, filltiroedd lawer i ffwrdd, edrych y dref yn fwy tebyg i un adeilad, wedi ei godi ar anadliad megis, gyda'i hendai mawr yn nifer o ystafelloedd aml ffenestrog a phinaclog, wedi eu cwbl gysylltu gan un athrylith gyfrwys.

Dyna'r peth tebycaf y gwn i amdano mewn rhyddiaith Gymraeg i dirlun gan Cézanne. Yn rhan o dirlun, yn rhan o'r wlad eang o'u cwmpas, yn addurn ar ei hafonydd hi, yr edrych Bebb ar drefi Ffrainc, hyd yn oed dref fawr Lyon:

> Oddi ar ei phontydd gellid codi golygon ar ystlysau'r ddinas yn haul y bore, a syllu i lawr ar y gwastadedd neuaddau a lleoedd agored. Ymddangosai fel dinas swyn yn eistedd wrth draed y bryniau.

A gaf i, megis rhwng cromfachau, awgrymu y dylai cwrs clod yn hanes Ewrop mewn unrhyw brifysgol orfodi'r efrydwyr i ddilyn cwrs yn hanes pensaernïaeth? Anfanwl a digyfarwyddyd yw disgrifiadau Bebb o eglwysi ac o dai, er iddo ymhyfrydu'n frwd ynddynt. Ond yr oedd ganddo glust gwladwr i bob sŵn llafur a buarth, a ffroen megis Léon Daudet i bob aroglau:

> Y gyfaredd sydd mewn arogleuon! Aroglau gwair newydd ei osod i orwedd yn ei ystodiau; aroglau mawn pan gasgler at ei gilydd i wneud tas ar y geulan ar Gors Glan Teifi, neu pan gyneuont yn danllwyth ar aelwydydd y ffermydd yn yr ardal; aroglau coffi yn heolydd culaf Paris, y tu cefn i'r Panthéon, am wyth o'r gloch yn y bore, neu yn y pentrefi yn Llydaw pan gresir ef yn oriau trymaidd y prynhawn; ie, ac aroglau meddwol blodau'r eithin ar lechweddau, ac aroglau'r pridd coch pan drinir ef yn y gwanwyn, a'i droi wyneb i waered . . .

Dyna synwyrusrwydd cyfoethog y dysgodd Bebb ei fagu ym Mharis. Y mae'n dwyn un a godwyd ym Mhiwritaniaeth Glan Teifi i gyfranogi yn yr un math o brofiadau â'r nofelydd y bu blas *madeleine* yn gychwyn i'w hir ymchwil am amser a gollasid.

Yn ei bennod ar Nice, tua diwedd ei daith yn Ffrainc, try Bebb i gyfansoddi traethawd ystyriol ar wareiddiad Ffrainc a delfrydau a safonau moes y Ffrancwyr. Math o *riposte* oedd hyn, ond odid, i lyfr Dr. R. T. Jenkins ar *Ffrainc a'i Phobl*. Sgrifenasai Dr. Jenkins yn ddeallus a gwybodus o safbwynt "Ni'r Prydeinwyr", enw a cham flas atgas arno i ŵr o argyhoeddiadau Bebb. Yr hyn sy'n arbennig yn nhraethawd Bebb yw mai dehongliad Ffrancwr o safonau diwylliant Ffrainc a geir ganddo, a dyrchafu *goût*, *moderation*, *mesure*, *ordre*, yn bennaf mesur dyneiddiaeth resymol. Caiff ei dystiolaeth ef ei hunan am y modd y carodd ef Ffrainc gloi'n briodol hyn o atgof amdano mewn cyfrol deyrnged i'w hen gyfaill ym Mharis, athro a dreuliodd ei yrfa yng Nghadair Ffrangeg Caerdydd i ddysgu i Gymry eraill garu'r wlad a'i hiaith a'i llenyddiaeth:

> Fe'i caraf am mai ar ei daear hi y gellir gweld orau rwysg y canrifoedd; am ei bod yn wynebu'r dyfodol gan gadw'r gorffennol beunydd mewn cof; am sicrwydd a diogelwch ei greddf, a'i ceidw rhag rhedeg fel plentyn ar ôl teganau newyddion; am ei gerddi a'i gwinllannoedd sy'n fynegiant mor drwyadl o waith ei dwylo hi, ei chwaeth, ei chydbwysedd a'i chymesuredd; am iddi ddyrchafu dyn uwchlaw safonau materol a pheiriannol am fywyd; am na phaid dyn â bod yn ddyn yno pan fyddo'i gerpyn yn rhydyllog, ac na ddosberthir dynion yn ôl eu cyfoeth a'u meddiannau daearol; am y myn hi hawlio bob amser mai *syniadau* a ddylai arwain y byd; am iddi arwain y byd ar hyd y canrifoedd, a bod yn rhaid i'r byd — ac i Gymru — wrthi eto.

Saunders Lewis